*A LINGUAGEM
CINEMATOGRÁFICA*

MARCEL MARTIN

A LINGUAGEM CINEMATOGRÁFICA

Tradução:
Paulo Neves
Revisão técnica:
Sheila Schvartzman

editora brasiliense

*Copyright © by Les Editions du Cerf, 1985
Título original em francês: Le Langage
Cinématographique
Copyright © da tradução brasileira: Editora Brasiliense Ltda.
Nenhuma parte desta publicação pode ser gravada,
armazenada em sistemas eletrônicos, fotocopiada,
reproduzida por meios mecânicos ou outros quaisquer
sem autorização prévia do editor.*

*Primeira edição, 1990
2ª edição, 2011
2ª reimpressão, 2024*

*Diretora editorial: Maria Teresa B. de Lima
Editor: Max Welcman
Indicação editorial: Jean-Claude Bernardet
Revisão: Francisco J. M. Couto e Maurício Bichara
Capa: Moema Cavalcanti*

Dados Internacionais de Catalogação na Publicação (CIP)
(Câmara Brasileira do Livro, SP, Brasil)

Martin, Marcel
   A linguagem cinematográfica / Marcel Martin ; tradução Paulo Neves; revisão técnica Sheila Schvartzman -- São Paulo: Brasiliense, 2024.

   Título original: Le langage cinématographique.
   Bibliografia

   ISBN 978-85-11-22027-8

   1. Cinema - Filosofia 2. Cinema - Linguagem I. Título

11-14725   CDD-791.43014

Índices para catálogo sistemático:
1. Cinema: Linguagem: Artes 791.43014
2. Linguagem cinematográfica: Artes 791.43014

editora brasiliense ltda
Rua Antônio de Barros, 1586 - Tatuapé
CEP 03401-001 - São Paulo - SP
www.editorabrasiliense.com.br

SUMÁRIO

Prefácio do autor 7
Introdução 11

1. As características fundamentais da imagem fílmica 21
2. O papel criador da câmera 31
3. Os elementos fílmicos não específicos 61
4. As elipses 83
5. Ligações e transições 97
6. Metáforas e símbolos 103
7. Os fenômenos sonoros 121
8. A montagem 147
9. A profundidade de campo 185
10. Os diálogos 197
11. Os procedimentos narrativos secundários 205
12. O espaço 219
13. O tempo 237

Conclusão 263

Anexo I: Nomenclatura dos procedimentos narrativos e expressivos 275

Anexo II: Resumo de semiologia 279

Bibliografia essencial 283
Comentário das fotografias 287
Índice dos filmes 291

PREFÁCIO DO AUTOR

Esta reedição é fruto de uma volta ao lar, já que as duas primeiras edições (1955 e 1962) foram publicadas por Les Éditions du Cerf, enquanto a terceira (1977) o foi por Éditeurs Français Réunis. Este livro conheceu um sucesso constante porque responde às necessidades daqueles para os quais foi concebido e escrito, os cinéfilos e todos os aficionados de cinema que buscam motivar seu interesse e aprofundar seus conhecimentos. Até o presente, foi traduzido em doze línguas (espanhol, português, finlandês, russo, búlgaro, romeno, servo-croata, esloveno, grego, árabe, chinês e japonês) e tem servido de manual em várias escolas de cinema no estrangeiro.

Escrito originalmente para a pós-graduação em filosofia, sob a orientação do professor Étienne Souriau – pioneiro da introdução dos estudos cinematográficos na Sorbonne –, e publicado em seguida graças a Henri Agel, então animador da coleção "Septième Art", é hoje o saldo de mais de trinta anos de frequência assídua à Cinemateca francesa, aos cineclubes, às salas de cinema e à televisão, bem como o produto de incontáveis notas tomadas durante as projeções: tendo "aprendido" cinema unicamente vendo filmes, quis fazer deste livro a síntese de uma experiência prática de cinéfilo e um instrumento de trabalho para todos aqueles que querem se iniciar tanto na estética do cinema como na sua história.

Sem falsa modéstia, posso dizer que esta obra se dirige, sobretudo, aos amadores, nos dois sentidos do termo, e particularmente aos alunos do final do secundário tentados pela opção do cinema que lhes começa a ser proposta. Aplicando o judicioso princípio de Pierre Larousse, para quem "um dicionário sem exemplos é um esqueleto", ilustrei o discurso "pedagógico" com numerosas citações de filmes, apropriadamente descritos para evidenciar sua significação e compensar uma iconografia necessariamente limitada, de resto muitas vezes impossível de constituir.

Quando elaborei este estudo, a *filmologia* havia conquistado direito de cidadania na Sorbonne, mas a *semiologia* fílmica não existia ainda como disciplina específica. As pesquisas efetuadas a seguir nesse domínio – sobretudo por Christian Metz – são o aprofundamento e a sistematização das análises que propus aqui, na esteira de outros teóricos, dentro de uma perspectiva estética que foi sobretudo a de André Bazin, que considero um de meus mestres espirituais, sendo o outro Georges Sadoul, no que concerne ao método historiográfico.

Colocar meu trabalho em dia com a moda, nesta quarta edição, significaria fazê-lo trilhar um caminho que foi largamente aberto e minuciosamente explorado e, portanto achei que não devia repetir aqui conclusões perfeitamente formuladas pelos semiólogos. Aliás, a tentativa de aplicação de uma disciplina científica, a linguística, a uma atividade de criação artística revelou-se uma tarefa atraente mas perigosa, na medida em que a formulação das leis da produção e da transmissão do sentido não elimina o mistério e o milagre da criação individual: o próprio Christian Metz reconheceu os limites da pesquisa semiológica nesse domínio. Por isso limito-me a fornecer ao leitor, em anexo, um rápido enfoque sobre a questão.

Por outro lado, confesso não ter sido assediado pela preocupação de atualizar meu trabalho acrescentando-lhe sistematicamente exemplos tomados de filmes da última década. Meu propósito, na verdade, é bem mais o de ilustrar a história do cinema que a sua atualidade. Penso que o essencial dos procedimentos de expressão cinematográficos foi descoberto e realizado há muito tempo, digamos, já antes da metade dos anos 1930. De resto, os filmes das últimas décadas fornecem cada vez menos exemplos de aplicação da maior parte dos procedimentos estudados aqui. No meu modo de ver, parece-me em todo caso mais útil procurar determinar, tanto quanto possível, a origem e o primeiro emprego deste ou daquele efeito de linguagem visual ou sonora, dando-lhes exemplos extraídos dos "clássicos" do cinema.

Constatando o abandono progressivo de bom número de procedimentos de linguagem cinematográfica, somos imediatamente levados a pensar que seu catálogo constituiria o diagnóstico de uma espécie de doença infantil, correspondendo aos balbucios da sétima arte antes de poder libertar-se desses meios de expressão, alguns dos quais podem, com efeito, parecer um tanto escolares em seu intento de aplicar ao cinema formas de linguagem que muitas vezes não passam de equivalentes mais ou menos aproximados de procedimentos orais ou escritos: o termo "gramática"[1], às vezes aplicado a tal catálogo, traduz a ingênua preocupação de provar que o cinema consiste numa linguagem, uma vez que recorre aos mesmos procedimentos de escrita do romance e da poesia. Convém, aliás, assinalar que alguns grandes cineastas raramente se preocuparam com a pesquisa no plano da linguagem, e por isso são pouco citados aqui: é o caso de John Ford, em particular, mas também de Stroheim, Buñuel e Kurosawa.

Mas creio que a desafeição progressiva pela especificidade da linguagem fílmica recebeu uma aceleração evidente com a influência da televisão, que representa o que sou tentado a chamar, parafraseando Roland Barthes, de grau zero da escrita fílmica. Essa contaminação acarreta uma banalização e uma padronização que traduzem mais a negação da linguagem do que a sua superação: o cinema comercial é, em geral, mais uma simples fotocópia da realidade do que a criação original de um universo específico.

Evidentemente, nem todos os procedimentos aqui catalogados têm o mesmo caráter de originalidade ou de necessidade: eles vão, conforme seu estudo numa progressão lógica irá mostrar, do mais simples ao mais complexo e do mais elementar ao mais elaborado. Enquanto alguns (a montagem, a expressão da duração e do espaço, em particular) constituem elementos fundamentais e inalienáveis da linguagem fílmica e podem ser empregados com grande sutileza e notável eficácia, outros não fazem mais que traduzir, repito, o tipo de mimetismo praticado pelos cineastas desejosos de elaborar sua linguagem própria a partir das "gramáticas" constituídas ao longo dos séculos pelas disciplinas narrativas e figurativas preexistentes. É a vontade de libertar-se dos clichês estilísticos

---

1. Cf. André Berthomieu, *Essai de grammaire cinématographique*, Paris, La Nouvelle Édition, 1946.

e dramatúrgicos que traduz a grande explosão do início dos anos 1960, aquela das diversas *nouvelles vagues* e do *cinema direto*, movimentos constitutivos de um novo cinema que se caracteriza pelo abandono da maior parte dos "truques" tradicionais da escrita. Assim, a linguagem cinematográfica moderna, assimilando a contribuição do realismo em geral e do neorrealismo em particular, chegou a um estilo desembaraçado de todas as limitações que podiam formar os componentes do arsenal expressivo da linguagem tradicional.

É por isso que meu trabalho, além do seu propósito primeiro de repertoriar todos os procedimentos da escrita fílmica, desemboca numa análise histórica das determinações técnicas, econômicas e ideológicas da evolução da linguagem: se os fenômenos linguísticos funcionam, numa certa medida, independentemente das circunstâncias materiais e temporais da realização dos filmes, delas não podem ser separados, sob pena de cair-se no arbitrário formalista. Pois o real do cinema, que é o objeto essencial deste estudo, inscreve-se no cinema do real, isto é, no conjunto dos determinismos históricos e ideológicos de que os filmes são o espelho ou o reflexo.

Tal é o quadro intelectual em que se situa meu trabalho, propondo-se antes de tudo a fornecer aos cinéfilos uma análise sistemática e normativa dos procedimentos de expressão da linguagem cinematográfica.

Junho, 1985

INTRODUÇÃO

Noventa anos após a descoberta dos irmãos Lumière[1], ninguém mais contesta seriamente que o cinema seja uma arte. Será então presunçoso pensar que existam, na história do cinema, uns cinquenta filmes tão preciosos quanto a *Ilíada*, o Partenon, a Capela Sistina, a *Monalisa* ou a *Nona sinfonia*, e cuja destruição empobreceria da mesma forma o patrimônio artístico e cultural da humanidade? Sim, talvez, pois tal afirmação parecerá bastante audaciosa para os que continuam a considerar o cinema um "divertimento de hilotas" (Georges Duhamel): é fácil responder que, se alguns desprezam o cinema, é porque na verdade ignoram suas belezas, e que de toda forma é absolutamente irracional negligenciar uma arte que, socialmente falando, é a mais importante e a mais influente de nossa época.

---

1. Será preciso lembrar, todavia, que o cinema não saiu pronto do cérebro dos irmãos Lumière em 1895. Georges Sadoul começa justamente sua *Histoire générale* por um volume consagrado à "Invenção do cinema" e que tem início em 1832. Mas é evidente, sem remontar ao mito da caverna, que as sombras chinesas e as lanternas mágicas prepararam, muito antes, o caminho para o cinema (ver a sessão de sombras chinesas em *Sombras/Schatten*, de Robison, e em *A Marselhesa/La Marseillaise*, de Renoir). A descoberta fundamental dos irmãos Lumière consiste no aperfeiçoamento do dispositivo de condução intermitente da película, que tornou possível o *cinematógrafo* a partir das invenções dos pioneiros, particularmente Étienne Jules Marey (*cronofotógrafo*, 1888) e Thomas Edison (*cinetoscópio*, 1891).

Mas devemos reconhecer que a própria natureza do cinema oferece muitas armas contra ele.

Ele é *fragilidade*, por estar preso a um suporte material extremamente delicado e suscetível aos estragos dos anos; por ser objeto de registro legal somente há pouco tempo, e porque o direito moral dos seus criadores é mal reconhecido; por ser considerado antes de tudo uma mercadoria, e porque o proprietário tem o direito de destruir os filmes como bem lhe aprouver; por submeter-se aos imperativos dos capitalistas, e porque em nenhuma outra arte as contingências materiais têm tanta influência sobre a liberdade dos criadores.

Ele é *futilidade*, por ser a mais jovem de todas as artes, nascida de uma técnica comum de reprodução mecânica da realidade; por ser considerado pela imensa maioria do público uma simples diversão que se frequenta sem cerimônia; porque a censura, os produtores, os distribuidores e os exploradores podem cortar os filmes à vontade; porque as condições do espetáculo são tão lamentáveis que a "sessão contínua" permite ver o fim antes do começo, e numa tela que não corresponde ao formato do filme; porque em nenhuma outra arte o consenso crítico é tão difícil de alcançar, e porque todo mundo se julga autorizado, quando se trata de cinema, a arvorar-se em juiz.

Ele é *facilidade*, por apresentar-se geralmente sob a capa do melodrama, do erotismo ou da violência; por consagrar, numa grande parte de sua produção, o triunfo da estupidez; porque é, nas mãos dos poderosos do dinheiro que o dominam, um instrumento de imbecilização, "fábrica de sonhos" (Iliá Ehrenburg), "rio fugaz que desenrola quilômetros a rodo de ópio óptico" (Audiberti).

Assim, taras profundas prejudicam o desabrochar estético do cinema; além disso, um grave pecado original pesa sobre o seu destino.

Uma indústria e uma arte

É conhecida a célebre fórmula conclusiva de *Esquisse d'une psychologie du cinéma* (Esboço de uma psicologia do cinema) de André Malraux: "De qualquer forma, o cinema é uma indústria". O que aparentemente, para André Malraux, não é senão a constatação de uma evidência tornar-se, no espírito de alguns, a afirmação de um vício condenável.

De fato, o cinema é uma indústria, mas há que convir que a construção de catedrais também foi, literal e materialmente falando, uma indústria,

1. *O grito* (Michelangelo Antonioni, 1957).

2. *Viagem a Tóquio* (Yasujito Ozu, 1953).

3. *La pointe courte* (Agnès Varda, 1954).

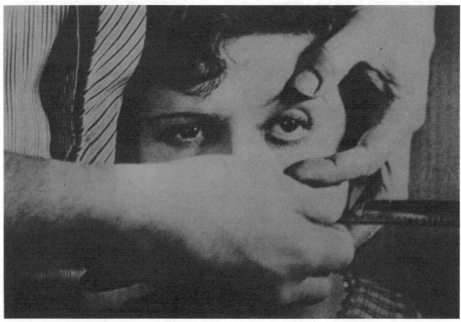

4. *Un chien andalou* (Luis Buñuel, 1928).

pela magnitude dos meios técnicos, financeiros e humanos que exigia, o que não impediu a elevação desses prédios rumo à beleza. Mais que seu caráter industrial, é o comercial que constitui uma grave desvantagem para o cinema, porque a importância dos investimentos financeiros que necessita o faz tributário dos poderosos, cuja única norma de ação é a da rentabilidade; estes acreditam poder falar em nome do gosto do público em função de uma suposta lei de oferta e procura, cujo jogo é falseado porque a oferta modela a procura a seu bel-prazer. Enfim, se o fato de ser uma indústria pesa gravemente sobre o cinema, as responsáveis por isso são antes as implicações morais desse conceito que as materiais.

Felizmente, isso não impede sua instauração estética, e a curta vida do cinema produziu suficientes obras-primas para que se possa afirmar que o cinema é uma arte, uma arte que conquistou seus meios de expressão específicos e libertou-se plenamente da influência de outras artes (em particular do teatro) para fazer desabrochar suas possibilidades próprias com toda a autonomia.

Uma arte e uma linguagem

A bem dizer, o cinema foi uma arte desde suas origens. Isso é evidente na obra de Méliès, para quem o cinema foi o meio, com recursos prodigiosamente ilimitados, de prosseguir suas experiências de ilusionismo e prestidigitação do Teatro Robert-Houdin: existe arte desde que haja criação original (mesmo instintiva) a partir de elementos primários não específicos, e Méliès, enquanto inventor do espetáculo cinematográfico, tem direito ao título de criador da sétima arte.

No caso de Lumière, o outro polo original do cinema, a evidência é menos nítida, mas talvez mais demonstrativa. Filmando *Entrée d'un train en gare de La Ciotat* (A chegada do trem na estação de Ciotat) ou *La sortie des usines* (A saída dos operários das usinas), Lumière não tinha consciência de fazer uma obra artística, mas simplesmente de reproduzir a realidade: no entanto, vistos em nossos dias, seus pequenos filmes são surpreendentemente fotogênicos. O caráter quase mágico da imagem cinematográfica aparece então com toda a clareza: a câmera cria algo mais que uma simples duplicação da realidade. O mesmo se passou nas origens da humanidade: os homens que executaram as gravuras rupestres de Altamira e Lascaux não tinham consciência de fazer arte, seu objetivo era puramente utilitário, pois tratava-se, para eles, de assegurar uma espécie de dominação mágica sobre os animais selvagens, que constituíam sua subsistência: no entanto, hoje suas criações fazem parte do patrimônio artístico mais precioso da humanidade.

A arte esteve, portanto, inicialmente a serviço da magia e da religião, antes de tornar-se uma atividade específica, criadora de beleza. Tendo começado como espetáculo filmado ou simples reprodução do real, o cinema tornou-se pouco a pouco uma linguagem, ou seja, um meio de conduzir um relato e de veicular ideias: os nomes de Griffith e Eisenstein são os marcos principais dessa evolução, que se fez pela descoberta progressiva de procedimentos de expressão fílmicos cada vez mais elaborados e, sobretudo, pelo aperfeiçoamento do mais específico deles: a montagem.

Uma linguagem e um ser

Convertido em linguagem graças a uma *escrita* própria que se encarna em cada realizador sob a forma de um *estilo*, o cinema tornou-se por isso mesmo um meio de comunicação, informação e propaganda, o que não contradiz, absolutamente, sua qualidade de arte.

Que o cinema seja uma linguagem é o que este trabalho pretende demonstrar, analisando os inúmeros meios de expressão por ele utilizados com uma destreza e uma eficácia comparáveis às da linguagem verbal. Contudo, essa afirmação não deixa de se prestar à controvérsia. É verdade que numerosos autores a subscreveram sob diversas formas. Para Jean Cocteau, por exemplo, "um filme é uma escrita em imagens", enquanto Alexandre Arnoux considera que "o cinema é uma linguagem de imagens, com seu vocabulário, sua sintaxe, suas flexões, suas elipses, suas convenções, sua gramática"; Jean Epstein reconhece nele "a língua universal" e Louis Delluc afirma que "um bom filme é um bom teorema". Além disso, numerosas obras foram consagradas, sob títulos explícitos ou não, à linguagem fílmica.

Mas pode-se realmente considerar que o cinema seja uma linguagem dotada da destreza e do simbolismo que essa noção implica? Gilbert Cohen-Séat não parecia convencido: "Quando se trata de reconhecer o traço das disciplinas da linguagem convencional na agitação transbordante das imagens fílmicas e, sobretudo quando se quer buscar algum meio de sublinhar essas disciplinas, de firmar seu estabelecimento, é preciso admitir claramente, de saída, que a filmografia não ultrapassou ainda uma era de harmonias imitativas. Nossos filmes seriam do tempo, por assim dizer, das onomatopeias visuais e sonoras, das primitivas evocações diretas. Esses signos ingênuos tenderiam a uma organização mais culta e, em consequência, a acolher ou instituir neles mesmos uma espécie de convencionalismo... Convém entender, seguramente, que o caráter primitivo da expressão fílmica não nos fará considerar o filme como representando 'a mentalidade do selvagem manifesta numa língua civilizada'. Nós o veríamos antes como uma forma de linguagem ainda não evoluída, inserindo-se numa civilização avançada, e talvez capaz, por isso, de tomar emprestado um meio de evolução original..."[1]. A essas restrições, sem dúvida bastante severas, ainda que muito pertinentes, Gabriel Audisio acrescentava outras, no plano histórico: "Diz-se também que o cinema é uma linguagem, e é um modo de falar bastante imprudente. Quem confundir linguagem com meio de expressão irá se expor a graves enganos. A imprensa é um meio de expressão: ela podia aguardar que a inventassem. Pois o homem sempre teve diversos meios de se exprimir, a começar pelos gestos... Porém, a música, a poesia, a pintura, são linguagens: não concebo que as tenhamos inventado ontem, nem que possamos inventar outras jamais. Toda linguagem nasceu com o homem"[2].

Talvez. Mas então se admitirá que o cinema é a forma mais recente da linguagem definida como "sistema de signos destinados à comunicação". Não obstante, o semiólogo Christian Metz, que propõe essa definição, precisa que ela não consegue dar conta da destreza e da riqueza da linguagem cinematográfica: "*Reprodução* ou *criação*, o filme estaria, sempre, aquém ou além da linguagem", em virtude do que há de "abundante nessa linguagem tão diferente de uma língua, subjugada tão prontamente às inovações da arte quanto às aparências perceptivas dos objetos representados". É seu aspecto muito pouco *sistemático* que diferencia a *linguagem* cinematográfica da *língua*: as "diversas unidades significativas mínimas" não possuem aqui "significado estável e universal", e é isso o que leva a classificar o cinema entre outros "conjuntos-significantes", tais como "os que formam as artes ou os grandes meios de expressão culturais"[3].

---

1. *Essai sur les principes d'une philosophie du cinéma*, pp. 129-131.
2. *L'Écran français*, n.° 74, 26 nov. 1946.
3. *Langage et cinéma*, pp. 216-217 e 99.

Mas o que distingue o cinema de todos os outros meios de expressão culturais é o poder excepcional que vem do fato de sua linguagem funcionar a partir da reprodução fotográfica da realidade. Com ele, de fato, são os seres e as próprias coisas que aparecem e falam, dirigem-se aos sentidos e à imaginação: à primeira vista, parece que toda representação (*significante*) coincide de maneira exata e unívoca com a informação conceitual que veicula (*significado*).

Na realidade, a representação é sempre *mediatizada* pelo tratamento fílmico, como assinala Christian Metz: "Se o cinema é linguagem, é porque opera com a imagem dos objetos, não com os próprios objetos. A duplicação fotográfica (...) arranca do mutismo do mundo um fragmento de quase realidade para fazer dele o elemento de um discurso. Dispostas diferentemente do que na vida, tramadas e reestruturadas pelo fio de uma intenção narrativa, as efígies do mundo tornam-se os elementos de um enunciado"[4].

Vale dizer que a realidade que aparece na tela não é jamais totalmente *neutra*, mas sempre o *signo* de algo mais, num certo grau. Essa dialética de significante-significado foi comentada assim por Bernard Pingaud: "Diferentemente de seus análogos reais, vemos sempre o que (os objetos) querem dizer, e quanto mais evidente esse saber, tanto mais o objeto se dilui, perde seu valor particular. De modo que o filme parece condenado, seja à opacidade de um sentido rico, seja à clareza de um sentido pobre. Ou é símbolo, ou é enigma"[5]. Essa ambiguidade da relação entre o real objetivo e sua imagem fílmica é uma das características fundamentais da expressão cinematográfica e determina em grande parte a relação do espectador com o filme, relação que vai da crença ingênua na realidade do real representado à percepção intuitiva ou intelectual dos signos implícitos como elementos de uma *linguagem*.

Tal constatação faz aproximar a linguagem fílmica da linguagem poética, onde as palavras da linguagem prosaica se enriquecem de múltiplas significações potenciais. E podemos pensar que a linguagem fílmica comum, tornando-se um *meio* que não contém mais seu *fim* em si mesmo – porque se limita a ser um simples veículo de sentimentos ou ideias –, constitui uma espécie de *doença infantil* do cinema reduzido a apresentar um catálogo de receitas, procedimentos e truques linguísticos pretensamente produtores de "significados estáveis e universais".

---

4. *Communications*, n.º 5, abril de 1965.
5. Alain Resnais, *Premier Plan*, n.º 18, p. 18.

Podemos então constatar que uma boa quantidade de filmes perfeitamente eficazes no plano da linguagem mostra-se nula do ponto de vista estético, do ponto de vista do ser *fílmico*: não têm existência artística. "Há filmes", escreve Lucien Wahl, "cujo roteiro é razoável, cuja direção é impecável, cujos atores são talentosos, e não valem nada. Não vemos o que lhes falta, mas sabemos que é o principal". O que lhes falta é aquilo que alguns chamam de *alma* ou *graça*, e que eu denomino *ser*. "Não são as imagens que fazem um filme", escreveu Abel Gance, "mas a alma das imagens".

Essa revolução da linguagem, essa passagem do *cinema-linguagem* para o *cinema-ser*, Griffith, Gance, Eisenstein, e depois, Ozu, Mizoguchi, Antonioni, Resnais e Godard, entre outros, contribuíram poderosamente para realizar.

Percebe-se evidentemente que as três etapas que acabo de definir não se colocam (pelo menos em princípio) numa perspectiva histórica, correspondendo antes a uma busca conceitual e ideal que exprime o que parece ser a evolução ao mesmo tempo real e racional do cinema rumo à sua instauração estética perfeita.

O objeto preciso desta obra é proceder a um levantamento metódico e a um estudo detalhado de todos os procedimentos de expressão e de linguagem utilizados pelo cinema: isso, naturalmente, numa perspectiva acima de tudo estética, sendo meu ponto de vista sempre aquele do espectador-crítico que julga as obras *a posteriori*. Convém frisar que evitarei todo paralelismo sistemático com a linguagem verbal, e que só recorrerei aos termos da sintaxe e da estilística por comodidade ou quando a aproximação se impuser com demasiada evidência para ser negligenciada. É possível, com efcito, estudar a linguagem fílmica a partir das categorias da linguagem verbal, mas toda assimilação de princípio seria ao mesmo tempo absurda e vã. Creio que é preciso afirmar desde o início a originalidade absoluta da linguagem cinematográfica.

Tal originalidade advém essencialmente de sua onipotência figurativa e evocadora, de sua capacidade única e infinita de mostrar o invisível tão bem quanto o visível, de visualizar o pensamento juntamente com o vivido, de lograr a compenetração do sonho e do real, do impulso imaginativo e da prova documental, de ressuscitar o passado e atualizar o futuro, de conferir a uma imagem fugaz mais pregnância persuasiva do que o espetáculo do cotidiano é capaz de oferecer.

Não faz muito tempo, Paul Valéry descreveu muito bem o encantamento e a surpresa que lhe causava essa onipotência do cinema: "Sobre a tela estendida, sobre o plano sempre puro onde nem a vida nem o próprio sangue jamais deixam traços, os acontecimentos mais complexos se reproduzem quantas vezes se quiser. As ações são aceleradas ou retardadas. A ordem dos fatos é reversível. Os mortos revivem e riem. (...) Vemos a precisão do real revestir todos os atributos do sonho. É um sonho artificial. É também uma memória exterior, e dotada de uma perfeição mecânica. Enfim, graças às imobilizações e aos aumentos, a própria atenção se fixa. Minha alma divide-se por tais encantos. Ela se projeta na tela onipotente e movimentada; participa das paixões dos fantasmas que ali se produzem. (...) Mas o outro efeito dessas imagens é mais estranho. Essa facilidade critica a vida. O que valem a partir de agora essas ações e emoções de que vejo as trocas, e a monótona diversidade? Não tenho mais vontade de viver, pois isso é apenas aparência. Sei o porvir de cor"[1].

---
1. Citado na revista *Film*, n.º 1, primavera de 1957.

1
AS CARACTERÍSTICAS FUNDAMENTAIS DA IMAGEM FÍLMICA

A imagem constitui o elemento de base da linguagem cinematográfica. Ela é a matéria-prima fílmica e desde logo, porém, uma realidade particularmente complexa. Sua gênese, com efeito, é marcada por uma ambivalência profunda: resulta da atividade automática de um aparelho técnico capaz de reproduzir exata e objetivamente a realidade que lhe é apresentada, mas ao mesmo tempo essa atividade se orienta no sentido preciso desejado pelo realizador. A imagem assim obtida é um dado cuja existência se coloca simultaneamente em vários níveis de realidade, em virtude de um certo número de características fundamentais que tentarei definir.

Uma realidade material tem um valor figurativo

Enquanto produto bruto de um aparelho de registro mecânico, ela é um dado material cuja objetividade reprodutora é indiscutível, tanto quanto a de uma fita de gravador ou a de um barômetro.

A imagem fílmica restitui exata e inteiramente o que é oferecido à câmera, e o registro que ela faz da realidade constitui, por definição, uma percepção *objetiva*: o valor probatório do documento fotográfico ou filmado é um princípio irrefutável, ainda que sejam possíveis truques, como atesta o exemplo de *Lambeth Walk* (curta-metragem de animação de Len Lye), citado mais adiante, e como mostrou André Cayatte quando fez disso o argumento de seu filme *Não há fumaça sem fogo/Il n'y a pas de fumée sans feu*.

A imagem fílmica, portanto, é antes de tudo *realista*, ou, melhor dizendo, dotada de todas as aparências (ou quase todas) da realidade. Em primeiro lugar, naturalmente, o movimento, que outrora suscitou o espanto admirativo dos primeiros espectadores, perturbados ao ver as folhas das árvores palpitando sob a brisa ou um trem em sua direção: sob esse aspecto, o *movimento* é certamente o caráter mais específico e mais importante da imagem fílmica. O *som* é também um elemento decisivo da imagem pela dimensão que lhe acrescenta, ao restituir o ambiente dos seres e das coisas que percebemos na vida real: nosso campo auditivo, com efeito, engloba a todo momento a totalidade do espaço ambiental, enquanto o nosso olhar não consegue cobrir mais de sessenta graus de uma só vez, sendo que apenas trinta de maneira atenta. No que diz respeito à cor, veremos mais adiante os problemas que sua presença coloca: é preciso frisar, aliás, que ela não é indispensável ao "realismo" da imagem; quanto ao *relevo*, já se encontra suficientemente na imagem tradicional, e com relação aos *odores*, embora algumas tentativas (pouco conclusivas) tenham sido realizadas, estamos ainda em plena fantasia especulativa.

A imagem fílmica suscita, portanto, no espectador, um *sentimento de realidade* bastante forte, em certos casos, para induzir à crença na existência objetiva do que aparece na tela. Essa crença, essa adesão, vai das reações mais elementares, nos espectadores virgens ou pouco evoluídos, cinematograficamente falando (os exemplos são numerosos[1]), aos fenômenos bem conhecidos de participação (os espectadores que advertem a heroína dos perigos que a ameaçam) e de identificação com os personagens (donde decorre toda a mitologia da *estrela*[2]).

Duas características fundamentais da imagem resultam de sua natureza de reprodução objetiva do real. Primeiro, ela é uma *representação unívoca*: por seu realismo instintivo, capta apenas aspectos precisos e

---

1. Em 1897, em Níjni-Novgórod, a tenda de projeção do célebre cineasta *globe-trotter* Félix Mesguich foi incendiada por camponeses russos convencidos de feitiçaria, ao verem o czar aparecer na tela branca. Pouco após a guerra, num pequeno cinema do interior da Itália, o reboco caído do teto, enquanto a tela mostrava uma erupção vulcânica, levou os espectadores, tomados de pânico, a se precipitarem para a saída.
2. Ver Edgar Morin, *Les stars*.

determinados – únicos no espaço e no tempo – da realidade. "É porque permanece sempre precisa e magnificamente concreta", escreve Jean Epstein, "que a imagem cinematográfica se presta mal à esquematização que permitiria a classificação rigorosa, necessária a uma arquitetura lógica, um tanto complicada"[3]. Convém aqui falar das relações da imagem com a palavra, à qual foi frequentemente assimilada. Ora, tal comparação revela-se evidentemente falsa, se pensarmos que a palavra, como o conceito que ela designa, é uma noção geral e genérica, ao passo que a imagem tem uma significação precisa e limitada: o cinema jamais nós mostra "a casa" ou "a árvore", mas "tal casa" particular, "tal árvore" determinada. Assim, a linguagem das imagens se aproximaria da de certos povos que não chegaram a um grau suficiente de abstração racional no pensamento. "Os esquimós, por exemplo", escreve ainda Epstein, "empregam uma dúzia de palavras diferentes para significar a neve, conforme ela estiver derretida, com o aspecto de pó, de gelo, etc."[4]. Há, portanto, uma defasagem importante entre a palavra e a imagem. Cabe perguntar então como o cinema consegue exprimir ideias gerais e abstratas. Primeiro, porque toda imagem é mais ou menos simbólica: tal homem na tela pode facilmente representar a humanidade inteira. Mas, sobretudo porque a generalização se opera na consciência do espectador, a quem as ideias são sugeridas com uma força singular e uma inequívoca precisão pelo choque das imagens entre si: é o que se chama de montagem ideológica.

Em segundo lugar, a imagem fílmica está *sempre no presente*. Enquanto fragmento da realidade exterior, ela se oferece ao presente de nossa percepção e se inscreve no presente de nossa consciência: a defasagem temporal faz-se apenas pela intervenção do julgamento, o único capaz de colocar os acontecimentos como passados em relação a nós ou de determinar vários planos temporais na ação do filme. Temos a prova imediata quando entramos no cinema com a sessão começada: se a ação que se apresenta aos nossos olhos constitui uma *volta ao passado* em relação à ação principal, evidentemente não a percebemos enquanto tal, e disso resulta certa dificuldade na compreensão. Toda imagem fílmica, portanto, está no presente: o pretérito perfeito, o imperfeito, eventualmente o futuro, são apenas o produto de nosso julgamento colocado

---
3. *Le cinéma du diable*, p. 56.
4. *Idem*, p. 54.

diante de certos meios de expressão cinematográficos cuja significação aprendemos a *ler*. Eis um fato importante se considerarmos que todo conteúdo de nossa consciência está sempre no presente, tanto as nossas lembranças quanto os nossos sonhos: sabemos, com efeito, que o principal trabalho da memória reside na localização precisa, no tempo e no espaço, dos esquemas dinâmicos que são as lembranças; por outro lado, os sonhos estão estreitamente determinados (em seu surgimento, mas não em seu conteúdo) pela atualidade de nosso ser físico e psíquico, e o caso dos pesadelos mostra que o conteúdo dos sonhos é primeiro percebido como *presente*. Isso permite compreender com que facilidade o cinema pode exprimir o sonho e, sobretudo que prodigioso alimento o filme constitui para o sonho e, mais ainda, para o devaneio acordado: é bem verdade que os "intoxicados" de cinema podem acabar não distinguindo mais, em sua memória, as imagens fílmicas das lembranças de percepção real, tamanha a identidade estrutural desses dois fenômenos psíquicos.

Uma realidade estética tem valor afetivo

É fácil perceber que só raramente a imagem possui esse simples valor figurativo de reprodução estritamente objetiva do real: é apenas o caso dos filmes científicos ou técnicos e dos documentários mais impessoais, isto é, de todo o setor do cinema em que a câmera é um simples instrumento de registro a serviço daquilo que ela está encarregada de fixar sobre a película.

Quando o homem intervém, coloca-se, por menor que seja, o problema daquilo que os estudiosos chamam de *equação pessoal* do observador, ou seja, a visão particular de cada um, suas deformações e suas interpretações, mesmo que inconscientes.

Com muito mais razão, quando o diretor pretende fazer uma obra de arte, sua influência sobre a coisa filmada é determinante e, através dele, o papel criador da câmera, como veremos no capítulo seguinte, é fundamental.

Escolhida, composta, a realidade que aparece então na imagem é o resultado de uma percepção subjetiva, a do diretor. O cinema nos oferece uma *imagem artística* da realidade, ou seja, se refletirmos bem, totalmente *não realista* (veja-se o papel dos primeiros planos e da música, por exemplo) e *reconstruída* em função daquilo que o diretor pretende exprimir, sensorial e intelectualmente.

Sensorialmente em primeiro lugar, isto é, *esteticamente* (segundo a etimologia, uma vez que a palavra grega *"aisthésis"* significa "sensação"), a imagem fílmica atua com uma força considerável, resultante de todos os tratamentos ao mesmo tempo purificadores e intensificadores que a câmera pode impingir ao real bruto: a mudez do cinema outrora, o papel não realista da música e da iluminação artificial, os diversos tipos de planos e enquadramentos, os movimentos de câmera, o retardamento, a aceleração, todos eles aspectos da linguagem fílmica sobre os quais voltarei a falar, são outros tantos fatores decisivos de estetização.

Fundado assim, como toda arte e por ser uma arte, sobre uma *escolha* e uma *ordenação*, o cinema dispõe de uma prodigiosa possibilidade de adensamento do real, que constitui, sem dúvida, sua força específica e o segredo da fascinação que exerce.

Como bem disse Henri Agel[5], o cinema é *intensidade, intimidade, ubiquidade*: intensidade porque a imagem fílmica, em particular o primeiro plano, tem uma força quase mágica que oferece uma visão absolutamente específica do real, e porque a música, com seu papel sensorial e lírico ao mesmo tempo, reforça o poder de penetração da imagem[6]; intimidade porque a imagem (de novo através do primeiro plano) nos faz literalmente penetrar nos seres (por intermédio dos rostos, livros abertos das almas) e nas coisas; ubiquidade, enfim, porque o cinema nos transporta livremente no espaço e no tempo, porque ele condensa o tempo (tudo parece mais longo, na tela) e, sobretudo porque recria a própria *duração*, permitindo que o filme flua sem descontinuidade na corrente de nossa consciência pessoal.

A imagem fílmica proporciona, portanto, uma reprodução do real cujo realismo aparente é, na verdade, dinamizado pela visão artística do diretor. A percepção do espectador torna-se aos poucos afetiva, na medida em que o cinema lhe oferece uma imagem subjetiva, densa e, portanto, passional da realidade: no cinema, o público verte lágrimas diante de cenas que, ao vivo, não o tocariam senão mediocremente.

A imagem encontra-se, pois, afetada de um coeficiente sensorial e emotivo que nasce das próprias condições com que ela transcreve a

---

5. *Le cinéma a-t-il une ame?*, p. 7.
6. "É por oferecer um suplemento de vida subjetiva que ela fortifica a vida real, a verdade convincente, objetiva das imagens do filme" (E. Morin, *Le cinéma ou l'homme imaginaire*, p. 136).

realidade. Sob esse aspecto, apela ao juízo de valor e não o de fato; na verdade, ela é algo mais que uma simples representação.

Será o conceito de *fotogenia* o que define o acréscimo ao real oferecido pelo cinema na imagem? Louis Delluc definiu a fotogenia como "esse aspecto poético extremo dos seres e das coisas, suscetível de nos ser revelado exclusivamente pelo cinema". Ou será o de *magia*? Léon Moussinac escreveu que "a imagem cinematográfica mantém contato com o real e transfigura também o real em magia"[7].

O mais curioso é esta outra definição da fotogenia dada por Delluc: "Todo aspecto das coisas, dos seres e das almas que acresce sua qualidade moral pela reprodução cinematográfica". Essa introdução, por Delluc, do qualificativo *moral* revela bem a percepção de algo específico na representação cinematográfica do mundo: ficamos mais comovidos com a representação que o filme nos oferece dos acontecimentos do que pelos próprios acontecimentos.

Resta determinar se a fotogenia está realmente nas coisas ou, antes, nas virtudes específicas da imagem fílmica: assim como a carne podre pode ser objeto de poesia para Baudelaire, também a miséria ou a feiura podem tornar-se objeto de beleza cinematográfica (*Terra sem pão/Tierra sin pan* – Buñuel, *Aubervilliers* – Eli Lotar & Jacques Prévert, etc.).

Uma realidade intelectual tem valor significante

Vimos de que modo a fotogenia e a magia conferem à imagem um valor bem mais eficaz que o da simples reprodução.

O mesmo se dá no plano da significação. Embora reproduza fielmente os acontecimentos fílmicos através da câmera, a imagem não nos oferece por si mesma nenhuma indicação quanto ao sentido profundo desses acontecimentos: ela afirma apenas a materialidade do fato bruto que reproduz (com a condição, evidentemente, de que não haja trucagem), mas não nos dá sua significação. Assim, a imagem de uma luta entre dois homens não indica necessariamente se se trata de um confronto amistoso

---

[7]. Eis porque a imagem é um alimento dileto para a imaginação e porque o filme se integra tão bem ao nosso devaneio interior. "O cinema", diz Edgar Morin, "é a unidade dialética do real e do irreal" (op. cit., p. 174). Encontramos em *A conexão/The connection* (Shirley Clarke) uma excelente definição dessa ambivalência profunda do cinema: "É cinema, não é real... Pelo menos, não é o *realmente real*".

ou de uma rixa e, neste caso, qual dos dois adversários está com a razão. Pois a imagem, por si só, *mostra* e não *demonstra*.

Por isso o comentário tem tanta importância (nos noticiários de cinema, por exemplo), e sabemos que é possível fazer as imagens dizerem as coisas mais contraditórias.

A imagem em si mesma é, portanto, carregada de *ambiguidade* quanto ao sentido, de polivalência significativa. Vimos, por outro lado, que a imagem sozinha não nos permite perceber o *tempo* da ação que transcorre.

Além disso, devido à possibilidade que o cineasta tem de construir o conteúdo da imagem ou de apresentá-la sob um ângulo anormal, é possível fazer surgir um *sentido* preciso do que à primeira vista não passa de uma simples reprodução da realidade: visto entre as pernas de seu adversário, um boxeador aparece nitidamente em condição de inferioridade (ver *O ringue/The ring* de Hitchcock), um enquadramento inclinado significa a desordem moral, a imagem de um mendigo diante da vitrina de uma doceira tem uma significação que ultrapassa a simples representação.

Há, portanto, uma *dialética interna* da imagem: o mendigo e a doceira entram em relação dialética, donde surge a significação do contraste. Há também uma *dialética externa*, fundada nas relações das imagens entre si, isto é, na *montagem*, noção fundamental da linguagem cinematográfica; confrontado pela montagem com as imagens de um prato de sopa, do cadáver de uma mulher e de um bebê sorrindo, o rosto impassível de Mosjukin[*] parece adquirir sucessivamente as nuances de apetite, dor e ternura: é o célebre *efeito Kulechov*. De modo análogo, se a imagem de um rebanho de ovelhas não demonstra em si mesma nada mais do que mostra, adquire, em compensação, um sentido bem mais preciso quando é seguida pela imagem de uma multidão saindo do metrô (*Tempos modernos/Modern times* Chaplin).

Naturalmente, tal significação da imagem ou da montagem pode escapar ao espectador: *é preciso aprender a ler um filme*, a decifrar o sentido das imagens como se decifra o das palavras e o dos conceitos, a compreender as sutilezas da linguagem cinematográfica. Quanto ao mais, o sentido das imagens pode ser controvertido, assim como o das palavras, e poderíamos dizer que há tantas interpretações de cada filme quantos forem os espectadores.

---

[*] Célebre ator do cinema russo. (N.T.)

Consequentemente, se o sentido da imagem é função do contexto fílmico criado pela montagem, também o é do contexto mental do espectador, reagindo cada um conforme seu gosto, sua instrução, sua cultura, suas opiniões morais, políticas e sociais, seus preconceitos e suas ignorâncias. Além disso, o espectador pode perder o essencial, fixando sua atenção num detalhe pitoresco, mas não significativo: sabemos por numerosas experiências que os primitivos pouco evoluídos e as crianças pequenas se prendem frequentemente a detalhes sem importância que se acham fortuitamente no campo da câmera, negligenciando o essencial.

Tudo isso mostra que a imagem, apesar da sua exatidão figurativa, é extremamente maleável e ambígua ao nível de sua interpretação. Mas seria errôneo argumentar com isso em favor de um agnosticismo injustificável: é perfeitamente possível evitar todo erro de interpretação recorrendo-se a uma crítica interna (referência ao filme enquanto totalidade significativa que jamais pode ser inteiramente equívoca) e externa (a personalidade do diretor e sua concepção de mundo podem indicar *a priori* o sentido de sua mensagem) do documento fílmico.

Portanto, nesse nível intelectual, a imagem pode fazer-se veículo da ética e da ideologia. Sabemos que Eisenstein manifestou a intenção de filmar *O capital* de Marx: isso não passava de uma anedota, pois a montagem ideológica que o cinema deve a Eisenstein é uma das principais etapas na história da descoberta dos meios específicos da linguagem fílmica.

Concluindo essa análise, creio ter dado o devido relevo ao caráter verdadeiramente original e excepcional da percepção fílmica, percepção que consiste num complexo íntimo de afetividade e inteligibilidade e que permite compreender as causas profundas dessa "potência superior de contágio mental" de que dispõe o cinema, segundo a expressão de Jean Epstein.

A atitude estética

Assim, a imagem *reproduz* o real, para em seguida, em segundo grau e eventualmente, *afetar* nossos sentimentos e, por fim, em terceiro grau e sempre facultativamente, adquirir uma *significação* ideológica e moral. Esse esquema corresponde ao papel da imagem tal como foi definido por Eisenstein, para quem a *imagem* nos conduz ao *sentimento* (ao movimento afetivo) e, deste, à *ideia*.

Mas convém admitir que, se essa gradação ideal era perfeitamente normal na perspectiva da montagem ideológica, descoberta essencial de Eisenstein, no cinema "habitual", isto é, não fundado sobre a montagem, a transição do sentimento à ideia é muito menos certa e evidente. Quantos espectadores não permanecem nos níveis sensorial e sentimental em face do cinema? Repito que o cinema é uma linguagem que é preciso decifrar, e muitos espectadores, glutões ópticos e passivos, jamais conseguem digerir o sentido das imagens.

De outro lado, essa atitude sensorial e passiva não é uma atitude *estética*, embora eu tenha definido o segundo nível de realidade da imagem como sendo o grau estético de sua ação. Isso porque a instauração estética supõe uma consciência clara do poder de persuasão afetivo da imagem. Para que haja atitude estética é preciso que o espectador mantenha um certo recuo, que não acredite na realidade material e objetiva do que aparece na tela, que saiba conscientemente que está diante de uma imagem, um reflexo, uma representação[8]. Ele não deve entregar-se à passividade total diante do enfeitiçamento sensorial exercido pela imagem, não deve alienar a consciência que possui de estar diante de uma realidade de segundo grau: apenas sob essa condição, a de salvaguardar a *liberdade* na *participação*, a imagem é de fato percebida como uma realidade estética e o cinema é uma arte e não um ópio[9].

---

8. Precisamos sublinhar que no cinema não estamos mais *no* mundo, obrigados a nos proteger de seus ataques e armadilhas, mas *diante* dele, protegidos, anônimos e disponíveis: diante da tela, estamos absolutamente livres para uma total participação. Por isso mesmo o recuo do espectador é tanto mais difícil.
9. "A atitude estética define-se exatamente pela conjunção do saber racional e da participação subjetiva... O irreal mágico-afetivo é absorvido na realidade perceptiva, ela própria irrealizada na visão estética" (Edgar Morin, *Le cinéma ou l'homme imaginaire*, pp. 161-162).

2
O PAPEL CRIADOR DA CÂMERA

Após ter definido as características gerais da imagem, devo examinar as modalidades de sua criação, ou seja, antes de tudo o papel da câmera enquanto agente ativo de registro da realidade material e de criação da realidade fílmica.

Alexandre Astruc escreveu a esse propósito: "A história da técnica cinematográfica pode ser considerada em seu conjunto como a história da liberação da câmera"[1]. A emancipação da câmera, de fato, teve uma extrema importância na história do cinema. Seu nascimento enquanto arte data do dia em que os diretores tiveram a ideia de deslocar o aparelho de filmagem ao longo de uma mesma cena: as mudanças de planos, de que os movimentos de câmera constituem apenas um caso particular (perceba-se, aliás, que na base de toda mudança de plano há um movimento de câmera, efetivo ou virtual), estavam inventadas, e com isso a montagem, fundamento da arte cinematográfica.

Tomarei emprestado de Georges Sadoul alguns ensinamentos técnicos para esboçar uma breve história dessa liberação. Durante muito tempo a câmera permaneceu fixa, numa imobilidade que correspondia ao ponto de vista do "regente de orquestra" assistindo a uma representação teatral. Essa foi a regra implícita, a da unidade de ponto de vista, que guiou Méliès – de resto um criador fecundo e original – ao longo de toda a sua carreira.

---

1. *L'Écran français*, n.º 101, 3 de junho de 1947.

No entanto, já em 1896, o *travelling* fora espontaneamente inventado por um operador de Lumière que havia colocado sua câmera sobre uma gôndola em Veneza; desde 1905, em *La passion*, de Zecca, uma panorâmica seguia o movimento dos Magos diante do presépio de Belém. Mas foi um inglês, G. A. Smith, representante do que Sadoul chama de "a escola de Brighton", que teve o mérito, a partir de 1900, de libertar a câmera de sua posição estática, modificando o ponto de vista de uma mesma cena de um plano a outro. Num certo número de filmes realizados nessa época, há uma passagem bastante livre do plano geral ao primeiro plano, sendo esse último, aliás, mostrado timidamente como um "truque", visto através de uma lupa ou de um binóculo. "Smith", escreve Sadoul, "realiza uma evolução decisiva no cinema. Ele ultrapassa a óptica de Edison, que é a do zootrópio* ou do teatro de marionetes; a de Lumière, que é a de um fotógrafo amador dando movimento à câmera em apenas uma de suas experiências; a de Méliès, que é a do "regente de orquestra". A câmera torna-se móvel como o olho humano, como o olho do espectador ou do herói do filme. A partir de então, a filmadora é uma criatura móvel, ativa, uma personagem do drama. O diretor impõe seus diversos pontos de vista ao espectador. A tela-cenário de Méliès é rompida. O 'regente de orquestra' eleva-se num tapete voador'"[2].

Doravante a câmera irá tornar-se o flexível aparelho de registro que conhecemos hoje. Inicialmente estava a serviço de um estudo objetivo da ação ou do cenário: basta lembrar os *travellings* que exploram os palácios de *Cabiria* (Pastrone) e o famoso travelling de *Intolerância/Intolerance*, em que a câmera de Griffith, montada sobre um balão cativo, percorre o gigantesco cenário da Babilônia. Logo, porém, ela passará a exprimir pontos de vista cada vez mais "subjetivos" através de movimentos progressivamente audaciosos.

Assim, em *A última gargalhada/Der letze Mann* (Murnau), a câmera, num vertiginoso *travelling* para frente, materializa no espaço a trajetória das palavras de uma dona de casa que grita para uma vizinha os mexericos do edifício. Alguns anos mais tarde, em *La chute de la Maison Usher* (A queda da Casa de Usher), a câmera de Jean Epstein parece se arrastar, por entre folhas mortas, ao sabor de um vento furioso, enquanto

---
* Aparelho formado por um cilindro giratório que permite a observação das diversas fases dos movimentos dos seres animados. (N.T.)
2. *Histoire général du cinéma*, tomo II, pp. 172 e 174.

Eisenstein, num famoso *travelling* para a frente, faz com que a filmadora tome o ponto de vista de um touro no cio precipitando-se em direção a uma vaca (*A linha geral/Generálnaia línnia*, 1929). Quanto a Abel Gance, em *Napoléon*, não satisfeito em utilizar câmeras em miniatura encerradas em bolas de futebol e lançadas como projéteis, mas "querendo o ponto de vista de uma bola de neve, ordenou, conta-se, que câmeras portáteis fossem arremessadas dentro do estúdio. Os produtores, preocupados, quiseram amortecer o choque e estender redes. Gance protestou: 'As bolas de neve se espatifam, senhores...', e as câmeras se espatifaram..."[3]. Paul Léni não demonstrou menos imaginação em *The cat and the canary*, fazendo a câmera tomar o ponto de vista de um morto, e Jean Delannoy, em *Sinfonia pastoral/La symphonie pastorale*, representa o ponto de vista da afogada, de quem a mão do pastor se aproxima para cerrar as pálpebras. Citemos enfim, na mesma perspectiva, o ponto de vista de uma gaivota sobrevoando Estocolmo (*Manniskor i stad* – O ritmo da cidade, Sucksdorf), e o da gaivota responsável pelo incêndio de um posto de gasolina (*Os pássaros/The birds* – Hitchcock); o de um gato (*Sortilégio de amor/Bell, book and candle* – Quine) e os de lobos fantasmas (*Wolfen*, de Wadleigh).

Muito cedo, portanto, a câmera deixou de ser apenas a testemunha passiva, o registro objetivo dos acontecimentos, para tornar-se ativa e atriz. Será preciso aguardar, porém, *A dama do lago/Lady in the lake* (Montgomery) para se ver nas telas um filme que utiliza de ponta a ponta a câmera "subjetiva", isto é, cujo olho se identifica com o do espectador por intermédio do olhar do herói. Mas aqui o diretor apenas sistematizou um efeito psicológico empregado há bastante tempo. Já em 1905, em sua *Vie du Christ*, Victorin Jasset havia feito a câmera tomar um ponto de vista bastante audacioso e original para mostrar *o que Jesus via do alto da cruz*. Em 1923, Epstein colocara sua câmera sobre um carrossel de cavalos de madeira e dera o ponto de vista de pessoas sendo arrastadas em voltas estonteantes (*Fièvre*). Mais tarde, René Clair provocou náuseas em milhares de espectadores ao fazer deslizar sua câmera na montanha-russa do Luna Park (*Entracte*), enquanto Gance amarrava a sua na garupa de um cavalo a todo o galope, obtendo assim o ponto de vista de Bonaparte fugindo ao assédio dos nacionalistas corsos. Em *O caminho da vida/Putievka v gizn* (Ekk), uma panorâmica muito rápida[4] dava a impressão de que as pessoas eram levadas por uma valsa arrebatadora. Em 1932, o *travelling* inicial

---

3. Sadoul, *Histoire du cinéma mondial*, p. 174

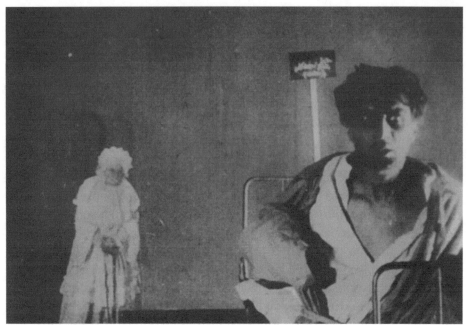

5. *Pikovaia dama/A dama de piquê* (Iakov Protazanov, 1916).

6. *Coeur fidèle* (Jean Epstein, 1923).

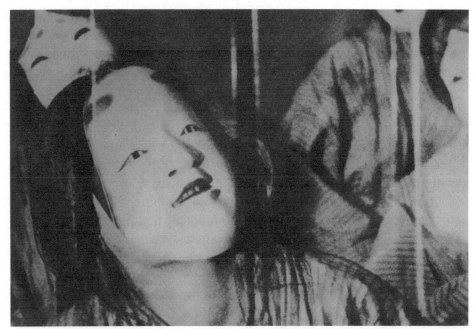

7. *Kurutta ippeiji/Uma página louca* (Teinosuke Kinugasa, 1926).

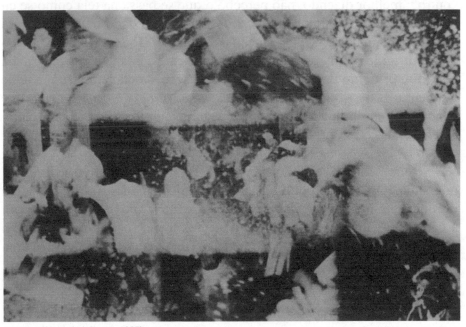

8. *Napoléon* (Abel Gance, 1927).

de *O médico e o monstro/Dr. Jekyll and Mr. Hyde* (Mamoulian) identifica o público com o misterioso assassino cuja identidade deveria permanecer provisoriamente desconhecida, o mesmo acontecendo na sequência de abertura de *O assassino mora no 21/L'assassin habite au 21* (Clouzot).

Em 1939, Orson Welles pensou em filmar *Heart of darkness* (baseado na novela de Joseph Conrad) usando sistematicamente esse procedimento, mas os produtores recuaram, assustados com sua ousadia. Em 1947, finalmente, realizando um projeto que acalentava desde 1938, Robert Montgomery rodou *A dama do lago*, filme interessante por sua concepção original, mas que resultou num fracasso.

A melhor explicação desse insucesso foi dada por Albert Laffay, afirmando que "o erro foi ter confundido assimilação fictícia com identificação perceptiva". Por causa de sua vocação realista, "o cinema nos faz conhecer dos homens, sobretudo aquilo que, em linguagem existencialista, se poderia chamar de sua maneira de estar no mundo... O que há de paradoxal em *A dama do lago* é que nos sentimos muito menos 'com' o herói do que se o víssemos na tela à maneira usual. O filme, ao buscar uma impossível assimilação perceptiva, impede precisamente a identificação simbólica"[5].

Percebo essa câmera-ator que se supõe ser "eu" na verdade como um "outro": melhor dizendo, não percebo o que se passa na tela como se eu fosse a câmera-testemunha, mas, antes, como um dado objetivo, aquilo que supostamente seria a percepção da câmera. Não sou eu que recebo o murro dirigido à câmera: percebo simplesmente a imagem que me é dada pelo diretor como correspondendo à sensação da câmera-atriz naquele momento. É nessa defasagem, nessa *percepção em segundo grau*, que reside a impossibilidade psicológica de uma identificação com a câmera. O efeito subjetivo pretendido pelo cineasta, portanto, não é atingido: *recuso a acreditar-me câmera-ator*.

Seguramente, esse efeito subjetivo só atinge seu objetivo se limitado no tempo e justificado por uma ação dramática precisa. Assim, nos vinte primeiros minutos de *Prisioneiro do passado/Dark passage* (Daves), a câmera é subjetiva porque não devemos ver o rosto do personagem encarnado por Humphrey Bogart antes que ele tenha se submetido a uma operação de cirurgia plástica que lhe dará justamente o rosto de Bogart.

---

4. O eixo óptico da câmera percorre o espaço muito depressa para que a imagem possa aparecer nítida na tela. (Em francês, o procedimento tem o nome de *filé* – N.T.)

5. *Le cinéma subjectif* em *Les temps modernes*, n.º 34, 1948.

Mas eis alguns exemplos ingênuos ou insólitos de efeitos subjetivos: lágrimas (como a chuva a escorrer numa vidraça), pálpebras que se fecham (como uma cortina negra que desce); um personagem visto através do copo de leite que o protagonista está prestes a beber (*Quando fala o coração/Spellbound* – Hitchcock).[6]

Mais interessante que a câmera subjetiva, o olhar face à câmera (os atores fixando a objetiva) merece um instante de nossa atenção.

Na época primitiva, os atores desempenham face à câmera como se estivessem diante do espectador de teatro: além disso, nos filmes cômicos, tomam muitas vezes o espectador diretamente como testemunha das frases espirituosas e das situações engraçadas do filme.

Mais tarde, quando o cinema se liberta completamente da influência do teatro, o fato de o ator dirigir-se diretamente ao espectador (por intermédio da câmera) irá adquirir um efeito dramático inesperado, porque o espectador se sente diretamente atingido.

Em *A mãe/Mat* (Pudovkin), um prisioneiro, no momento de arrancar uma pedra da parede de sua cela, volta-se repentinamente para o espectador, como se este acabasse de surpreendê-lo. Em *Fronteira/Aerograd* – Dovjenko, o traidor que vai ser fuzilado cobre o rosto com ar incomodado ao perceber que a câmera o encara. Quando o tio assassino de *A sombra de uma dúvida/Shadow of a doubt* (Hitchcock) diz que as viúvas ricas são seres inúteis e prejudiciais que devem ser banidos da sociedade, sua sobrinha pondera: "Mas são seres humanos!"; voltando-se então (em primeiro plano) para a câmera, o tio replica: "Verdade?". No início de *Acossado/A bout de souffle*, Godard lança, por intermédio de Belmondo, uma provocante apóstrofe em pleno rosto do espectador: "Se você não gosta do campo... do mar... da montanha, então foda-se!". Na sequência inicial de *A mulher ao lado/La femme d'à côté* (Truffaut), uma testemunha do drama que será mostrado dirige-se diretamente ao espectador para fornecer-lhe os dados iniciais.

Podemos ver aqui um equivalente do *distanciamento* brechtiano, mediante o qual o ator (vale dizer, o autor) dirige-se diretamente ao espectador, considerado não uma testemunha passiva, mas um indivíduo capaz de tomar partido diante das implicações morais do espetáculo.

---

6. Com seu humor habitual, Hitchcock leva ao extremo o procedimento ao mostrar em *Quando fala o coração* um *suicídio subjetivo*. O assassino desmascarado volta seu revólver para a câmera (empregada subjetivamente nesse instante) e atira; a tela fica branca, depois vermelha (ao menos na cópia original) e em seguida negra; mas quem poderá jamais confirmar a exatidão desse ponto de vista?

Um certo número de fatores cria e condiciona a expressividade da imagem. Esses fatores são, numa ordem que vai do estático ao dinâmico: os enquadramentos, os diversos tipos de planos, os ângulos de filmagem, os movimentos de câmera.

Os enquadramentos

Eles constituem o primeiro aspecto da participação criadora da câmera no registro que faz da realidade exterior para transformá-la em matéria artística. Trata-se aqui da composição do conteúdo da imagem, isto é, da maneira como o diretor decupa e eventualmente organiza o fragmento de realidade apresentado à objetiva, que assim irá aparecer na tela. A escolha da matéria filmada é o estágio elementar do trabalho criador em cinema: o segundo ponto, a organização do conteúdo do enquadramento, é o que irá nos ocupar agora.

No início, quando a câmera era fixa e registrava o ponto de vista do "regente de orquestra", o enquadramento não tinha nenhuma realidade específica, uma vez que se limitava a delimitar um espaço que correspondia exatamente à abertura de uma cena de teatro à italiana.

Progressivamente, percebeu-se que era possível:

1. deixar certos elementos da ação fora do enquadramento (descobria-se assim a noção de *elipse*): é através dos rostos congestionados de respeitáveis senhores que acompanhamos o desenrolar de um *strip-tease* em *Casamento ou luxo?/A woman of Paris* (Chaplin)[7];

2. mostrar apenas um detalhe significativo ou simbólico (é o equivalente da sinédoque): primeiros planos das bocas de burgueses glutões (Bola de sebo, *Puichka* – Romm); primeiro plano das botas de um policial para significar a opressão czarista (*A mãe*, Pudovkin);

3. compor arbitrariamente, e de modo pouco natural, o conteúdo do enquadramento (é o símbolo): desesperada pela infidelidade do homem que ama, uma mulher, deitada de bruços no leito, o rosto em lágrimas, é filmada num longo plano fixo, de tal modo que a barra horizontal da cabeceira da cama lhe cobre a fronte, simbolizando com eloquência o drama que a obceca (*Esposas ingênuas/Foolish wives* – Stroheim);

---

7. Com o cinema falado, aprender-se-á a deixar fora do enquadramento a fonte das palavras ou dos ruídos (*som off*).

4. modificar o ponto de vista normal do espectador (novamente o símbolo): um enquadramento inclinado exprime a inquietação de um homem que surpreende uma conversa entre sua noiva e um indivíduo suspeito (*Feu Mathias Pascal*, L'Herbier);

5. jogar com a terceira dimensão do espaço (*a profundidade de campo*) para obter efeitos espetaculares ou dramáticos: um gângster à espreita avança lentamente em direção à câmera até que seu rosto esteja em primeiríssimo plano (*The musketeers of Pig Alley*, Griffith).

Por esses poucos exemplos, vemos a extraordinária transformação e a interpretação da realidade de que o cinema é capaz por meio de um fator de criação tão elementar quanto o enquadramento. Voltaremos a falar desse fator e de seus fecundos desdobramentos na maior parte dos capítulos seguintes. Mas desde já sua extrema importância aparece claramente: ele é o mais imediato e o mais necessário recurso da tomada de posse do real pela câmera.

O imobilismo potencial criado pelo enquadramento será compensado, quando houver necessidade, por seu dinamismo interno, o dos movimentos ou dos sentimentos; mas o enquadramento pode ser móvel, sem com isso perder seu valor de composição plástica. O japonês Ozu é talvez o cineasta que mais se aferrou a manter em todas as circunstâncias a fixidez do enquadramento, fixidez considerada pelo crítico Tadao Sato "uma perfeita natureza-morta" inserida no "enquadramento mais estável", mas "carregada de tensão interna"[8]. Essa fixidez é reforçada pela imobilidade absoluta da câmera, sistematicamente colocada a cerca de sessenta centímetros do chão a fim de enquadrar da forma mais natural os personagens sentados à maneira japonesa sobre o tatame. Tal proximidade com os personagens é acrescida pelo fato de que, no campo-contracampo, os atores dirigem sempre seus olhares para um ponto situado um pouco ao lado da objetiva.

Os diversos tipos de planos

O tamanho do plano (e consequentemente seu nome e seu lugar na nomenclatura técnica) é determinado pela distância entre a câmera e o objeto e pela duração focal da cena utilizada.

A escolha de cada plano é condicionada pela clareza necessária à narrativa: deve haver adequação entre o tamanho do plano e seu conteúdo material, por um lado (o plano é tanto *maior* ou *próximo* quanto menos

---

8. *Currents in Japanese Cinema*, pp. 189-193.

coisas há para ver), e seu conteúdo dramático[9], por outro (o tamanho do plano aumenta conforme sua importância dramática ou sua significação ideológica). Assinalemos que o tamanho do plano determina em geral sua duração, sendo esta condicionada pela obrigação de dar ao espectador tempo material para perceber o conteúdo do plano: assim, um plano geral costuma ser mais longo que um primeiro plano; mas é evidente que um primeiro plano poderá ser longo ou bastante longo se o diretor quiser exprimir uma ideia precisa: o valor dramático prevalece então sobre a simples descrição (voltaremos a esse ponto a propósito da montagem).

Não pretendo fazer aqui um estudo dos diversos tipos de planos, cuja gama constitui, segundo a exata expressão de Henri Agel, "uma verdadeira orquestração da realidade"; eles são numerosos e, de resto, raramente unívocos: o plano geral de uma paisagem pode perfeitamente enquadrar um personagem entrando em primeiro plano, e é possível dispor atores em diversas distâncias; logo veremos que a profundidade de campo é um elemento importante da direção. É mais interessante lembrar, juntamente com Georges Sadoul, que todos os tipos de planos foram utilizados desde antes do cinema pelas artes plásticas, decorativas e de ourivesaria (paisagens, retratos de corpo inteiro ou de busto, medalhões, camafeus, etc.).

A maior parte dos tipos de planos não tem outra finalidade senão a comodidade da percepção e a clareza da narrativa. Apenas o *close* ou primeiríssimo plano (e o *primeiro plano*, que do ponto de vista psicológico praticamente se confunde com ele) e o *plano geral* têm na maioria das vezes um significado psicológico preciso e não apenas um papel descritivo.

Reduzindo o homem a uma silhueta minúscula, o *plano geral* o reintegra no mundo, faz com que as coisas o devorem, "objetiva-o"; daí uma tonalidade psicológica bastante pessimista, uma ambiência moral um tanto negativa, mas às vezes também uma dominante dramática de exaltação, lírica ou mesmo épica.

O plano geral exprimirá, portanto: a solidão (Robinson Crusoé gritando seu desespero face ao oceano no filme de Buñuel), a impotência

---

9. Em francês, a palavra *dramático* é bastante ambígua, pois pode relacionar-se tanto a um conceito mais ou menos oposto ao de *cômico* quanto significar *ação*, conforme a etimologia. Salvo indicação em contrário, essa palavra será sempre utilizada aqui em seu sentido original e estrito, de acordo com o Dicionário da Academia francesa: "Diz-se das obras feitas para o teatro e que representam uma ação trágica ou cômica". Mas o qualificativo *dramatúrgico* definiria sem dúvida mais precisamente essa acepção do termo.

às voltas com a fatalidade (a miserável silhueta do herói de *Ouro e maldição/Greed*, de Stroheim, acorrentado a um cadáver no meio do vale da *Morte*), a ociosidade (*Os boas-vidas/I vitelloni*, de Fellini, matando o tempo na praia), uma espécie de fusão evanescente numa natureza corrupta (*A rede/La red*, de Fernández), a integração dos homens a uma paisagem que os protege absorvendo-os (o episódio dos alagados do Pó, em *Paisà*, de Rossellini), a inscrição dos protagonistas num cenário infinito e voluptuoso à imagem de sua paixão (o passeio na praia de *Águas tempestuosas/Remorques*, de Grémillon, e *Obsessão/Ossessione*, de Visconti), a inquietação dos soldados de infantaria russos quando a cavalaria teutônica se aproxima do fundo do horizonte (*Alexandre Nevski/Aleksandr Nevskii*, de Eisenstein), a nobreza da vida livre e orgulhosa nos grandes espaços (os *westerns*).

Mas eis uma nota humorística: um soldado do começo do século, destacado para o serviço de varrição, é filmado em *plongée* distante com sua vassoura e o carrinho de mão, aparecendo minúsculo no meio do imenso pátio da caserna, símbolo da enormidade da tarefa a cumprir (*Tire-au-flanc*, Renoir).

Quanto ao *primeiro plano*, constitui uma das contribuições específicas mais prestigiosas do cinema, e Jean Epstein soube caracterizá-lo de forma admirável: "Entre o espetáculo e o espectador, nenhuma ribalta. Não contemplamos a vida, penetramo-la. Essa penetração permite todas as intimidades. Um rosto, sob a lupa, abre-se como a cauda do pavão, expõe sua geografia ardente... É o milagre da presença real, da vida manifesta, aberta como uma bela romã despida de sua casca, assimilável, bárbara. Teatro da pele"[10]. E ainda: "Um primeiro plano do olho não é mais o olho, é UM olho: ou seja, o cenário mimético em que aparece de repente a figura do olhar"[11].

Sem dúvida, é no primeiro plano do rosto humano que se manifesta melhor o poder de significação psicológico e dramático do filme, e é esse tipo de plano que constitui a primeira, e no fundo a mais válida, tentativa de cinema interior. A acuidade (e o rigor) da representação realista do mundo pelo cinema é tal, que a tela pode fazer *viver* sob os nossos olhos os objetos inanimados[12]: penso no grande plano de uma maçã em *Terra/Zemliá* (Dovjenko), podendo-se afirmar sem paradoxo que alguém que não tenha

---

10. *La poésie d'aujourd'hui*, p. 171.
11. *Le cinématographe vu de l'Etna*, p. 30.

visto esse plano jamais *viu* uma maçã. Mas, sobretudo a câmera sabe esquadrinhar as fisionomias, lendo nelas os dramas mais íntimos, e essa decifração das expressões mais secretas e fugazes é um dos fatores determinantes do fascínio que o cinema exerce sobre o público: de Lilian Gish a Falconetti, de Louise Brooks a Greta Garbo, de Marlene Dietrich a Lucia Bosè, de Carlitos a Bogart, de James Dean e Gérard Philippe, o rosto – *máscara nua*, segundo a expressão de Pirandello – sempre exerceu sua magia.

Contrariamente ao que parece supor André Malraux em seu *Esquisse d'une psychologie du cinéma*, não foi Griffith quem "inventou" o primeiro plano, utilizado desde 1900, como vimos, pelo inglês Smith, embora tenha sido ele o primeiro a transformá-lo nesse prodigioso instrumento de penetração da alma, em seguida empregado por Eisenstein, Pudovkin e Dreyer. Mas Malraux tem uma fórmula feliz para caracterizar o efeito produzido pelo primeiro plano sobre o espectador de cinema: "Um ator de teatro é uma cabeça pequena numa grande sala; um ator de cinema, uma cabeça grande numa sala pequena". Já observamos que o primeiro plano, que hoje nos parece natural, na sua origem foi visto como uma ousadia de expressão capaz de confundir o espectador. O escritor Elmer Rice fez troça desse caráter "inverossímil" do primeiro plano. Os heróis de sua *Voyage à Purilia* contam, por exemplo: "O ninho de um pintarroxo numa árvore próxima, que ainda não havíamos notado, cresceu de tal maneira que recuamos de medo... Quando o pintarroxo diminuiu de tamanho, um cordeiro à distância adquiriu as proporções de um elefante..."[13].

O primeiro plano corresponde (salvo quando tem um valor simplesmente descritivo e funciona como uma ampliação explicativa) a uma invasão do campo da consciência, a uma tensão mental considerável, a um modo de pensamento obsessivo. É a culminação natural do *travelling* para frente, que frequentemente reforça e valoriza a contribuição dramática proporcionada pelo primeiro plano em si mesmo. No caso de um

---

12. "Um dos grandes poderes do cinema é seu animismo. Na Tela, não há natureza morta" (Jean Epstein, *Le cinématographe vu de l'Etna*, p. 13). Filmada em primeiro plano da dianteira de uma locomotiva em alta velocidade, a linha inerte dos trilhos torna-se uma serpente fantástica e em movimento (*A besta humana/La bête humaine* – Renoir).

13. *Voyage à Purilia*, Gallimard, 1934, p. 29. Eis aqui uma anedota contada por Jean R. Debrix: "Um filme de higiene elementar sobre o tracoma estava sendo projetado a camponeses do agreste africano. Em várias tomadas, o realizador usara o primeiro plano para mostrar a maneira pela qual uma mosca pode transmitir os germes da doença. Muitos espectadores protestaram, declarando com convicção que jamais haviam visto moscas daquele tamanho em seu país".

plano de objeto, exprime geralmente o ponto de vista de um personagem e materializa o vigor com que um sentimento ou uma ideia se impõem a seu espírito: assim o primeiro plano do corta-papéis, com o qual o pequeno funcionário humilhado vai apunhalar a cadela (*La chienne*, Renoir), ou o do copo de leite talvez envenenado que aterroriza a heroína de *Suspeita/Suspicion* (Hitchcock). Quando se trata de um plano de rosto, pode evidentemente ser o "objeto" do olhar de um outro personagem, mas em geral o ponto de vista é o do espectador por intermédio da câmera. O primeiro plano sugere, portanto, uma forte tensão mental do personagem: são assim os planos faciais dolorosos de Laura toda vez que mergulha no passado (*Desencanto/Brief encounter* – Lean) ou os de Joana d'Arc submetida à tortura moral por seus juízes no filme de Dreyer. A impressão de desconforto ou angústia pode ser reforçada por um enquadramento "anormal" (como O fragmento do rosto de um personagem de *L'inondation*, de Delluc, pensando no crime que acaba de cometer) ou pela utilização de um primeiríssimo plano chamado de *detalhe* ou *inserção* (o olhar da jovem que abraça o oficial ferido de *Adeus às armas/A farewell to arms*, de Borzage – o olhar do bêbado em *Farrapo humano/The lost week-end*, de Wilder, arrancado de seu sono alcoólico pela campainha do telefone – a boca do herói de *Och efter skymming kommer mörker/Depois do crepúsculo vem a noite* (Hagberg), quando no auge de uma de suas crises articula palavras incoerentes).

Os ângulos de filmagem

Quando não são diretamente justificados por uma situação ligada à ação, ângulos de filmagem excepcionais podem adquirir uma significação psicológica precisa.

A *contra-plongée* (o tema é fotografado de baixo para cima, ficando a objetiva abaixo do nível normal do olhar) dá geralmente uma impressão de superioridade, exaltação e triunfo, pois faz crescer os indivíduos e tende a torná-los magníficos, destacando-os contra o céu aureolado de nuvens.

Em *Putievka v gizn* - O caminho da vida (Ekk), uma visão em contra-plongée dos rapazes portando barras de ferro simboliza sua alegria no trabalho e a vitória que conquistaram sobre si mesmos. Um ângulo semelhante materializa o poder do capitalista Lebedev em *O fim de São Petersburgo/Konets Sankt-Petersburga* (Pudovkin), a superioridade e o gênio militar de *Alexandre Nevski* (Eisenstein), a nobreza dos três peões mexicanos injustamente condenados à morte (*Que viva México!*, Eisenstein). Enfim, em *A última gargalhada* (Murnau), o porteiro de um grande hotel cingido num brilhante uniforme é mostrado em leve contra-plongée, até o momento em que sua degradação será acentuada pelo ângulo inverso.

A *plongée* (filmagem de cima para baixo) tende, com efeito, a apequenar o indivíduo, a esmagá-lo moralmente, rebaixando-o ao nível do chão, fazendo dele um objeto preso a um determinismo insuperável, um joguete da fatalidade.

Encontramos um bom exemplo desse efeito em *A sombra de uma dúvida* (Hitchcock): no momento em que a jovem descobre a prova de que seu tio é um assassino, a câmera recua bruscamente em *travelling* para em seguida se elevar, e o ponto de vista assim obtido dá perfeitamente a ideia do horror e da opressão que se apoderam da heroína. Exemplo bem melhor, porque mais natural, está em *Roma, cidade aberta/Roma, città aperta* (Rossellini): a sequência da morte de Maria é filmada de um ponto de vista normal, mas o plano preciso em que ela é morta pelos alemães é tomado do andar superior de um prédio, e a mulher correndo na rua parece então um frágil e minúsculo animal à mercê de um destino inexorável.

Eis finalmente um jogo de cena, tirado de *O vigarista/Le baron de l'écluse* (Delannoy), que combina os dois ângulos numa sequência significativa: Jean Gabin, com um ar muito seguro de si, telefona a um amigo para pedir dinheiro emprestado (ele é enquadrado em leve *contra-plongée*); por azar o amigo está ausente, e essa constatação causa-lhe um súbito desencorajamento (um curto *travelling* vertical para cima introduz então uma leve *plongée* muito significativa: o movimento da câmera traduz de maneira muito sensível a derrocada psicológica do personagem).

É preciso assinalar alguns raros exemplos de filmagens verticais: em *L'argent*, Marcel L'Herbier colocou sua câmera no zênite do grande salão da Bolsa e obteve um ponto de vista bastante original do burburinho dos corretores; a mesma plongée vertical, mas muito mais expressiva, aparece em *Agonia de amor/The Paradine case* (Hitchcock), no momento em que o advogado de defesa, arrasado pelas confissões de sua cliente, reconhece sua incompetência e deixa a sala do tribunal num silêncio de morte. Inversamente, René Clair há algum tempo enquadrou sua câmera numa *contra-plongée* vertical bastante maliciosa, que nos permite contemplar as antiquadas roupas de baixo de uma dançarina de 1925 (*Entracte*); ponto de vista mais interessante é o do herói de *O vampiro/Vampyr* (Dreyer) transportado, em sonho, num ataúde cuja tampa é munida de uma pequena janela, ou então do protagonista de *Adeus às armas* (Borzage) transportado numa padiola e vendo desfilar as abóbadas do convento transformado em hospital, bem como os rostos que se inclinam sobre ele.

Ocorre também, embora bem mais raramente, de a câmera oscilar não mais em torno de seu eixo transversal, mas de seu eixo óptico: obtêm-se assim os chamados *enquadramentos inclinados*, mas tais efeitos podem entrar na categoria dos ângulos.

Quando empregados subjetivamente, dão o ponto de vista de alguém que não se encontra em posição vertical. Em 1924, num filme intitulado *Le petit Jacques* (Lannes e Raulet), um enquadramento inclinado correspondia ao ponto de vista de um prisioneiro deitado vendo entrar na cela o diretor da prisão e um guarda[14]; encontramos efeitos semelhantes em vários filmes de Hitchcock e em particular no início de *Interlúdio/Notorius*, quando a imagem do policial oscila em torno de seu eixo à medida que ele se aproxima da heroína estendida no leito.

Tratado objetivamente, o procedimento pode adquirir um sentido bem mais interessante e expressivo: em *Outubro/Oktiabr* (Eisenstein), soldados disparando um canhão são vistos num enquadramento levemente inclinado (parecem estar num terreno em aclive) e em *contra-plongée*, de sorte que o ponto de vista obtido dá uma forte impressão de esforço físico e poder.

Um enquadramento inclinado pode ser o meio de uma gag: tal efeito leva o espectador a acreditar que Carlitos sobe uma encosta muito íngreme puxando pelo braço um veículo pesadamente carregado (*O limpador de vidraças/Work*, Chaplin).

Enfim, e isso é o mais interessante para o nosso propósito, o enquadramento inclinado pode querer materializar aos olhos dos espectadores uma impressão sentida por um personagem: por exemplo, uma inquietação, um desequilíbrio moral.

Pode-se distinguir um ponto de vista subjetivo (atribuído a um personagem da ação) e um ponto de vista objetivo (atribuído ao espectador).

Ponto de vista subjetivo: no momento em que o assassino decide matar sua sobrinha, um enquadramento inclinado exprime a confusão do homem que deverá cometer um novo crime para eliminar essa

---

14. *Cinéa-Ciné pour Tours* (números 8 e 9, de março de 1924) fala desse efeito de enquadramento inclinado, insistindo na sua originalidade, o que nos leva a pensar que foi talvez a primeira utilização do procedimento.

testemunha incômoda (*A sombra de uma dúvida*, Hitchcock); quando a heroína pensa em se suicidar, a imagem oscila e só retoma à horizontal no momento em que, superada a crise, os reflexos do trem sob o qual queria se jogar se extinguem sobre sua fisionomia desvairada (*Desencanto*, Lean); efeito semelhante exprime a inquietação de um homem que teme ser acusado do assassinato de sua mulher (*Pacto sinistro/Strangers on a train* – Hitchcock) e o da trapezista no momento de se lançar no vazio (*Lola Montés/Lola Montés* – Ophuls).

Ponto de vista objetivo: um enquadramento inclinado (utilizado permanentemente) tende a tornar sensível ao espectador o mal-estar resultante do sórdido episódio do médico aborteiro (*Um carnet de baile/Un carnet de bal* – Duvivier) ou da presença inquietante de um feiticeiro que não recua diante do crime (*Sortilégios/Sortilèges* – Christian-Jaque).

Assinalemos, por fim, o que pode ser chamado de *enquadramento desordenado*, pelo fato de a filmadora ser sacudida em todos os sentidos.

Ponto de vista subjetivo: a agitação da câmera dá o ponto de vista dos personagens atingidos pela fuzilaria (*O encouraçado Potemkin/Bronenosets Potëmkin* – Eisenstein); dois homens atingidos por balas vacilam e caem de costas, vendo a paisagem rodopiar (*La rose et le réséda*, André Michel); o mesmo efeito foi usado para sugerir as impressões do jovem soldado mortalmente ferido (*Quando voam as cegonhas/Letiat juravli* – Kalatozov).

Ponto de vista objetivo: num antigo filme cômico americano, a câmera é violentamente agitada para simular um tremor de terra (*Harry in mission*, Hal Roach); querendo mostrar a Convenção sacudida pela tempestade das paixões políticas, Gance balança sua câmera como se ela fosse arrastada por ondas revoltas (*Napoléon*), e Clouzot acentua, por um balanço lateral, os zigue-zagues eufóricos de Jo no volante de seu caminhão, antes de sua queda fatal num barranco (*O salário do medo/Le salaire de la peur*). É também fazendo oscilar a câmera que se sugere o balanço de um navio.

Finalmente, vejamos exemplos onde um ponto de vista subjetivo é de certo modo objetivado. Um plano que representa homens que carregam com dificuldade um pesado ataúde é agitado por movimentos desordenados: tudo se passa como se tais movimentos, que exprimem o ponto de vista dos homens que carregam o fardo, fossem transferidos para o ponto de vista do espectador, o plano representando não a paisagem que esses homens têm sob os olhos, mas sua própria imagem; a "objetivação" assim obtida intensifica a participação sensível do espectador no conteúdo da imagem (*La chute de la Maison Usher*); a câmera, agitada pelo estrondo da explosão, traduz ao mesmo tempo o pânico da multidão e a impressão subjetiva do espectador (*Metropolis/Metropolis*, Fritz Lang).

Os movimentos de câmera

Sem distinguir inicialmente os diferentes tipos de movimentos, tentemos precisar suas diversas funções do ponto de vista da expressão fílmica:

A. *acompanhamento de um personagem ou de um objeto em movimento*: a câmera segue a diligência, que parte a galope (*No tempo das diligências/Stagecoach*, John Ford) ou o trem que mergulha na noite (*Viver por viver/Vivre pour vivre* – Lelouch);

B. *criação da ilusão do movimento de um objeto estático*: um *travelling* para frente dá a impressão de que a Fortaleza Voadora põe-se em marcha na pista de voo (*Os melhores anos de nossas vidas/The best years of our lives* – Wyler);

C. *descrição de um espaço ou de uma ação* que tem um conteúdo material ou dramático único e unívoco: um *travelling* para trás descreve progressivamente o baile ao ar livre (*Anabella/Quatorze Juillet* – Clair); um *travelling* para frente (aéreo) sobre uma imponente e luxuosa recepção mundana (*L'argent* – L'Herbier); um *travelling* lateral, depois para a frente, sobre as ruínas de Varsóvia durante a insurreição (*Kanal/Kanal*, Wajda);

D. *definição de relações espaciais entre dois elementos da ação* (entre dois personagens ou entre um personagem e um objeto): pode haver aí simples relação de coexistência espacial, como também introdução de uma impressão de ameaça ou perigo, por meio de um movimento de câmera que vai de um personagem ameaçador a um personagem ameaçado – mas, na maioria das vezes, de um personagem impotente ou desarmado para um outro que se encontra em situação de superioridade tática, que vê sem ser visto, etc. (a jovem revela a Carlitos que ele é a atração do espetáculo; depois a câmera mostra o patrão a observá-los – *O circo/The circus* – Chaplin), ou apresentando um objeto que é fonte ou símbolo de perigo (dois alegres recém-casados debruçados na amurada do convés: a câmera recua, fazendo entrar no campo uma boia com o nome "Titanic" – *Cavalgada/Cavalcade* Frank Lloyd)[15] ou ainda estabelecendo um elo topográfico entre dois elementos da ação: os dois fugitivos julgam-se perdidos na vegetação aquática, mas um *travelling* vertical nos mostra que eles estão próximos da água livre (*Uma aventura na África/African queen* – Huston);

E. *realce dramático de um personagem ou de um objeto* que vão desempenhar um papel importante na sequência da ação (*travelling* que vai enquadrar em primeiro plano o rosto de Harry Lime, que todos acreditavam morto – *O terceiro homem/The third man* – Reed; o mesmo movimento em relação à vela que irá incendiar a cabana do cego *Os filhos de Hiroshima/Gerbaku no ko* – Shindo) ou que representam uma imagem-choque (curto e rápido *travelling* que revela uma cabeça humana embalsamada – *Zaroff, o caçador de vidas/The most dangerous game* – Schoedsack);

F. *expressão subjetiva do ponto de vista de um personagem em movimento* (a entrada no miserável acampamento, visto do caminhão dos emigrantes – *As vinhas da ira/Grapes of wrath* – Ford; o passo apreensivo dos personagens em direção aos brinquedos do parque cobertos de corvos – *Os pássaros*;

G. *expressão da tensão mental de um personagem*: ponto de vista *subjetivo* (*travelling* para frente muito rápido, exprimindo o terror do tio assassino ao perceber o anel, prova de seu crime, no dedo da sobrinha – *A sombra de uma dúvida*) e ponto de vista *objetivo* (*travelling* para frente sobre o rosto de Laura, toda vez que revive um episódio do passado – *Desencanto*).

Os três primeiros tipos de funções são puramente "descritivos", isto é, o movimento de câmera não tem valor enquanto tal, mas somente naquilo que permite revelar ao espectador (esse movimento é puramente virtual nos casos *A* e *B* e poderia ser substituído por uma série de planos separados no caso *C*). Já os quatro últimos possuem um valor "dramático", ou seja, o movimento tem uma significação própria e busca exprimir, sublinhando, um elemento material ou psicológico que deve desempenhar um papel decisivo no desenrolar da ação.

---

15. Os movimentos de câmera são um dos meios de criação de suspense porque suscitam um sentimento de espera (mais ou menos inquieta) daquilo que a câmera vai revelar ao final de seu trajeto.

Ao lado dessas funções descritiva e dramática, pode-se definir uma terceira, evidenciada nos filmes de Alain Resnais e Jean-Luc Godard, que poderia ser qualificada de *função rítmica*. Em *Acossado*, a câmera, permanentemente móvel, cria uma espécie de dinamização do espaço, que se torna fluido e vivo ao invés de um quadro rígido: os personagens dão a impressão de estar sendo arrastados num bailado (quase se poderia falar de uma *função coreográfica* da câmera, na medida em que ela é que *dança*); por outro lado, os movimentos constantes da câmera, modificando a todo o momento o ponto de vista do espectador sobre a cena, cumprem um papel parecido com o da montagem e acabam por conferir ao filme um ritmo próprio, que é um dos elementos essenciais de seu estilo[16].

Em Resnais, tanto em *Hiroshima, meu amor/Hiroshima mon amour* e *O ano passado em Marienbad/L'année dernière à Marienbad* como em seus curtas-metragens, os movimentos de câmera (sobretudo o *travelling* para frente) não possuem propriamente (ou ao menos essencialmente) um papel descritivo, e sim uma *função de penetração*, seja no universo de um pintor (*Van Gogh*) seja na lembrança, nos arcanos da memória (Noite e nevoeiro, *Nuit et brouillard* –, os *travellings* de Nevers em *Hiroshima*): por seu caráter irrealista e quase onírico (muito próximo dos movimentos que efetuamos nos sonhos), o travelling completa e reforça o papel (análogo, em outros planos) da música e do comentário falado *no presente*; por fim, os movimentos de câmera valem às vezes simplesmente pela sua pura beleza, pela presença viva e envolvente que conferem ao mundo material e pela intensidade irresistível de seu desenrolar lento e longo (os *travellings* nas ruas de Hiroshima).

Podemos dizer que há uma *função encantatória* dos movimentos de câmera que corresponde, no plano sensorial (sensual), aos efeitos da montagem rápida no plano intelectual (cerebral).

Podem-se distinguir três tipos de movimentos de câmera: *travelling*, panorâmica e trajetória.

O *travelling* consiste num deslocamento da câmera durante o qual permanecem constantes o ângulo entre o eixo óptico e a trajetória do deslocamento.

O *travelling vertical* é bastante raro e geralmente só tem o papel de acompanhar um personagem em movimento: assim, em *Arroz amargo/*

---

16. Mas não esqueçamos que Ophuls, já muito antes, gostava dos movimentos envolventes de uma câmera felina dando voltas incessantes ao redor dos personagens (*Desejos proibidos/Madame de...*).

Riso amaro (De Santis), a câmera segue a mondadeira que escala o andaime, do alto do qual irá se atirar; encontramos um movimento mais expressivo em *Cidadão Kane/Citizen Kane* (Welles): a câmera eleva-se para o teto do teatro no momento em que Susan canta, e o afastamento progressivo revela cruelmente as deficiências vocais da cantora; em seguida a câmera enquadra dois contrarregras que exprimem, num gesto inequívoco, sua pouca admiração pelo talento da esposa de Kane.

Mais interessantes (e mais raros) são os *travellings* verticais em que o eixo óptico da câmera não é horizontal, mas também ele vertical. No caso do *travelling* para frente, a câmera parece então descer em queda livre para exprimir o ponto de vista subjetivo de um personagem que cai no vazio: um homem que cai do alto de um farol (*Gardiens de phare*, Grémillon), uma trapezista durante um salto da morte (*Lola Montés*, Ophuls). Há também o caso em que um movimento semelhante (mas virtual) exprime um conteúdo mental: um velho, oprimido pela miséria, pensa no suicídio, e, como está olhando pela janela, um *travelling* muito rápido em *plongée* vem mostrar em primeiro plano o paralelepípedo da rua (*Umberto D*/De Sica).

O *travelling* para trás (de baixo para cima) corresponde a um efeito de *plongée* que exprime o aniquilamento moral do personagem: um adolescente precipita-se em direção à noiva, mas seu irmão, do alto da escada, anuncia que ela está morta, e nesse instante um *travelling* muito rápido parece esmagar o rapaz contra o chão (A casa onde eu vivo. Kulidjanov, Seguel).

O *travelling lateral*, no mais das vezes, tem um papel descritivo: em *Veslvolve rebiata* – Os alegres rapazes (Alexandrov), a câmera percorre uma praia lotada de veranistas e mostra cenas muito engraçadas, e na sequência inicial de *Kanal* acompanha longamente (durante três minutos e meio) os insurretos esgueirando-se entre as ruínas para conquistar novas posições. Vejamos agora um plano subjetivo: em *Viagem a Tóquio/Tokyo monogatari* (Ozu), um curto e lento *travelling*, excepcional na obra desse diretor, devotada ao plano fixo, nos faz subitamente descobrir, ao cruzar um ângulo de muro, o velho casal sentado num banco: a câmera então se detém, como que por discrição.

O *travelling para trás* pode ter vários sentidos:

1. *conclusão*: ao final de *A turba/The crowd* (King Vidor), a câmera se afasta do casal cujo drama familiar acabamos de viver e reintegra os dois protagonistas na multidão dos espectadores de uma sala de cinema; no final de *O último metrô/Le dernier métro* (Truffaut), a câmera se

afasta dos personagens e a cortina do palco se fecha: percebemos então que estavam representando uma peça de teatro;

2. *afastamento no espaço*: o marinheiro enfermo visto por seus dois companheiros de repatriamento do táxi que se afasta, depois de o terem deixado diante de sua casa (*Os melhores anos de nossas vidas*, Wyler);

3. *acompanhamento de um personagem que avança*, sendo dramaticamente importante que a expressão de seu rosto seja visível: assim, ao final de *As portas da noite/Les portes de la nuit* (Carné), um travelling para trás permite conservar em primeiro plano o rosto de Diego arrasado pelo fim trágico de seu amor;

4. *desligamento psicológico*: veja-se o belo efeito final de *Os boas--vidas* (Fellini), em que uma série de *travellings* para trás sobre os personagens adormecidos simboliza a saída do jovem Moraldo do atoleiro moral que era sua vida de parasita estéril;

5. *impressão de solidão, desânimo, impotência e morte*: o *travelling* final de *A última felicidade/Hon Dansade em Somnar* (Mattson) sobre o garoto desesperado pela morte de sua amada, o de *O pecado original/ Les parents terribles* (Cocteau), sugerindo a partida da "carroça de ciganos" para novas aventuras, o de *Une si jolie petite plage* (Yves Allégret) sobre os dois personagens absorvidos progressivamente pela extensão desértica da praia à imagem de sua miséria moral, o de *O Anjo Azul/Der blaue Engel* (Sternberg) sobre o velho professor morto de desespero e vergonha na cátedra, que havia abandonado num momento de loucura, ou ainda o perturbador *travelling* para trás sobre o rio salpicado de chuva de *Une partie de campagne* (Renoir), movimento que, por sua duração insistente e pela tristeza de seu conteúdo, exprime até à angústia a nostalgia de uma felicidade impossível.

É preciso examinar agora um pouco mais extensamente o *travelling* para frente, de longe o movimento mais interessante, sem dúvida por ser o mais natural: corresponde ao ponto de vista de um personagem que avança ou então à projeção do olhar para um foco de interesse.

Recordemos, em primeiro lugar, o *travelling para frente* justificado por uma utilização *subjetiva* da câmera (*A dama do lago*, Montgomery). Vimos que ele pode representar também, excepcionalmente, o ponto de vista de um animal (um touro em *A linha geral*, de Eisenstein) ou mesmo de uma coisa (uma bola de neve em *Napoléon*, de Gance). Isso posto, eis diversas funções expressivas do *travelling* para frente:

1. *introdução*: o movimento nos insere no mundo onde vai se desenrolar a ação – como o longo *travelling* para a frente na estrada à margem do rio Pó na apresentação de *Obsessão* (Visconti) ou o início de *Punhos de campeão/The set-up* (Wise), em que a câmera, partindo de um plano geral, vem enquadrar o boxeador adormecido em seu quarto;

2. *descrição de um espaço material*: a fuga dos trilhos vista da frente da locomotiva em *A besta humana* (Renoir), a paisagem vista do trem elétrico que atravessa o bosque em direção à cidade (*Aurora/Sunrise*, Murnau) ou o longo *travelling* na trincheira cheia de soldados que aguardam o sinal de ataque, em *Glória feita de sangue/Paths of glory* (Kubrick);

3. *realce de um elemento dramático importante*: o longo *travelling* que vai enquadrar, sobre o pequeno trenó lançado na fornalha, a palavra *Rosebud*, cujo significado foi buscado em vão ao longo de todo o filme (Cidadão Kane); o *travelling* que reenquadra o cadáver da deportada que acaba de se lançar contra a cerca de arame eletrificada (*Kapo*, Pontecorvo)[17];

4. *passagem à interioridade*, isto é, introdução da representação objetiva do sonho (o garoto se vê em sonho capturando um cavalo, em *Crin blanc*, de Lamorisse) e da recordação (o bêbado que revive certos momentos de sua derrocada *em Farrapo humano*, de Wilder); o percurso quase onírico do carro na estrada, como que voltando no tempo, antes do início da narrativa de *Ir, voltar/Partir revenir* (Lelouch);

5. *finalmente* – e esta é, sem dúvida, a função mais interessante – o *travelling* para a frente *exprime, objetiva e materializa a tensão mental* (impressão, sentimento, desejos e ideias violentos e súbitos) *de um personagem*. Podemos distinguir três utilizações diferentes do movimento nessa perspectiva:

– primeiro, um tratamento que eu chamaria de *objetivo*, porque a câmera adota o ponto de vista, virtual, do espectador, e não o do personagem. Assim, um *travelling* muito rápido enquadra o rosto muito

---

17. Esse movimento de câmera suscitou a cólera de Jacques Rivette, que intitulou de "Abjeção" uma crítica no *Cahiers du Cinéma*, citando a famosa fórmula de Godard: "Os travellings são uma questão de moral", e concluindo: "O cineasta julga aquilo que mostra, e é julgado pela maneira como mostra" (*Cahiers du Cinéma*, n.º 120, junho/1961).

apavorado do rico camponês Bonfiglio, no momento em que vê diante de sua casa, com um fuzil na mão, o pastor que ele havia mandado à prisão, acusando-o de ter roubado seus animais (*Páscoa de sangue/Non c'è pase tra gli ulivi* – De Santis); o mesmo efeito (num filme mudo) traz para o primeiro plano a boca de uma mulher que grita por socorro (*The cat and the canary*, Paul Leni); a cena do comissário que procura se lembrar de um crime que envolve cigarros Ariston: três curtos *travellings*, entrecortados, em direção a seu rosto, parecem corresponder aos progressos de sua lembrança (*M, o vampiro de Düsseldorf/M – Eine Stadt sueht den Moerder*, Fritz Lang);

– em segundo lugar, um tratamento *subjetivo*, ou seja, em que a câmera corresponde exatamente ao olhar do personagem de que se pretende exprimir o conteúdo mental. O *travelling* será chamado de "realista" se o personagem avançar: em *A sombra de uma dúvida* (Hitchcock), um *travelling* para frente dá o ponto de vista da garota que, sabendo-se em perigo, perscruta o rosto hostil de seu tio dirigindo-se para ela (a impressão de angústia é reforçada por um efeito de *contra-plongée* em detrimento da garota, encontrando-se o tio no alto de uma escada);

– por fim, chamarei de *subjetivo não realista* um *travelling* que exprime de certo modo a "projeção" do olhar de um personagem que permanece imóvel, o movimento da atenção e da tensão mental do herói para um objeto cuja percepção adquire para ele uma importância dramática considerável, podendo até representar uma questão de vida ou morte. Essa utilização da câmera nos valeu alguns dos efeitos mais admiravelmente expressivos da linguagem cinematográfica: no célebre *Blackmail* de Hitchcock, por exemplo, um *travelling* extremamente rápido, vindo enquadrar em primeiro plano o rosto de um morto, exprime a revelação súbita, para o policial, de que o assassino é sua própria noiva, de quem ele acabara de encontrar uma luva esquecida no quarto; em *Anabella* (Clair), Anna, desamparada pela morte súbita da mãe, precipita-se para a janela e chama seu amigo Jean, que mora na casa em frente: materializando então o apelo desesperado da jovem, a câmera atravessa a rua e vai mostrar em primeiro plano o leito vazio no quarto do rapaz; no instante em que a heroína de *E as chuvas chegaram/The rains came* (Brown) percebe com terror que acaba de beber no copo de uma tifosa, a câmera dá um mergulho prodigioso para frente, focalizando em primeiro plano o copo fatal reluzindo na penumbra.

9. *Metropolis* (Fritz Lang, 1926).

10. *Outubro* (Sergei Eisenstein, 1927).

11. *O encouraçado Potemkin* (Sergei Eisenstein, 1925).

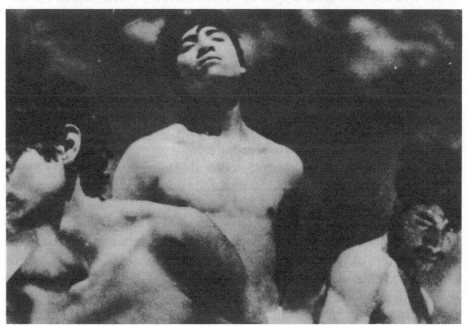

12. *Que viva México!* (Sergei Eisenstein, 1931).

A *panorâmica* consiste numa rotação da câmera em torno de seu eixo vertical ou horizontal (transversal), sem deslocamento do aparelho. Relembrando que ela frequentemente se justifica pela necessidade de seguir um personagem ou um veículo em movimento, distinguirei três tipos principais de panorâmicas:

– as panorâmicas puramente *descritivas*, que têm por finalidade a exploração de um espaço: geralmente desempenham um papel introdutório ou conclusivo (como as panorâmicas sobre o bairro de Stalingrad, em Paris, no início e no fim de *As portas da noite*, de Carné), ou então evocam um personagem que varre com o olhar o horizonte (nesse caso, começando ou terminando no rosto de quem olha: a professora olhando as ruínas da cidade em *Os filhos de Hiroshima*, de Kaneto Shindo – o prisioneiro repatriado diante das ruínas de sua casa em *O bandido/Il bandito*, de Lattuada);

– as panorâmicas *expressivas*, que se apoiam numa espécie de trucagem, num emprego não realista da câmera destinado a sugerir uma impressão ou uma ideia: é o caso das panorâmicas circulares que sugerem a embriaguez do velho no casamento de sua filha (*A última gargalhada*, Murnau), a vertigem dos bailarinos (*Putievka v gizn*, O caminho da vida, Ekk), o pânico da multidão após um assassinato (*Épisode*, Walter Reisch) ou a agitação de um homem obcecado pela ideia do suicídio: enquanto ele dá voltas sobre si mesmo, a câmera gira ao redor dele, acrescentando assim sua própria vertigem ao transtorno psicológico do personagem (*Trinta anos esta noite/Le feu follet* – Louis Malle);

– as panorâmicas que chamarei de *dramáticas*, e que são bem mais interessantes por desempenharem um papel direto na narrativa. Têm por objetivo estabelecer relações espaciais, seja entre um indivíduo que olha e a cena ou o objeto vistos, seja entre um ou vários indivíduos de um lado e um ou vários que observam de outro: nesse caso, o movimento traduz uma impressão de ameaça, de hostilidade, de superioridade tática (ver sem ser visto, por exemplo) da parte daquele ou daqueles para os quais a câmera se dirige em segundo lugar. Além do exemplo de *O circo* (Chaplin), citado no início desse capítulo, encontramos outro em *No tempo das diligências* (Ford), quando a câmera, situada no alto de uma crista rochosa e depois de acompanhar a diligência que atravessa o vale, irá revelar de repente um grupo de índios preparando-se para a emboscada. Procedimento análogo ocorre em *A sombra de uma dúvida* (Hitchcock), quando a câmera abandona os dois policiais para enquadrar o homem que eles procuram e que os observa após ter conseguido escapar: nesses dois exemplos, um efeito de *plongée* parece aumentar a impotência da diligência, no primeiro caso, e dos policiais, no segundo.

Finalmente a *trajetória*, mistura indeterminada de *travelling* e panorâmica efetuada com o auxílio de uma grua, é um movimento bastante raro e geralmente pouco espontâneo para se integrar perfeitamente à narrativa se for apenas descritivo. É o caso de uma trajetória que encontramos em *Trágica perseguição/Caccia tragica*, De Santis: a câmera segue Michel, cuja noiva foi levada pelos bandidos, para depois se elevar, mostrando em plano geral a cooperativa onde o alerta acaba de ser dado, e desce novamente para enquadrar Michel e o diretor em primeiro plano.

Muitas vezes a trajetória, colocada na abertura de um filme, serve para introduzir o espectador no universo que ela descreve com maior ou menor insistência (veja-se os créditos de *Adúltera/ Le diable au corps*, de Autant-Lara, *Cristo proibido/Il Cristo proibito*, de Malaparte, ou *O condenado/Odd man out*, de Reed, sobrepostos às paisagens vistas de avião onde terá lugar a ação).

Mas devemos citar algumas trajetórias cujo vigor de expressão merece destaque. Recordarei primeiro aquela, famosa, de *Interlúdio*, de Hitchcock: a câmera, partindo de um plano geral em *plongée* de um vestíbulo, desce, dando voltas, até chegar ao primeiro plano de uma pequena chave que a heroína tem na mão e cuja extrema importância na ação é acentuada por esse movimento de câmera. *Le crime de Monsieur Lange* (Renoir) contém uma trajetória que causou sensação na época (1936): a câmera, situada no exterior da casa, nos mostra Lange pegando um revólver e o acompanha enquanto ele atravessa a oficina de impressão, desce a escada e sai para o pátio, abatendo ali a tiros o ignóbil Batala, "ressuscitado" apenas para se apoderar dos lucros da cooperativa; aqui, o longo movimento de câmera exprime com vigor a marcha inelutável dos acontecimentos, a vontade lúcida e resoluta de Lange de fazer justiça com as próprias mãos. Essa trajetória contém um movimento não usual que é célebre: a câmera abandona Lange por um instante, ao atravessar o pátio, mostra em panorâmica o lado oposto a ele, e volta a enquadrá-lo quando chega diante de Batala; questionado sobre esse efeito muito particular, Renoir respondeu-me que se destinava "a fazer voltar o quadro da ação". *Agonia de amor* (Hitchcock) contém uma trajetória muito espetacular na sequência do tribunal: a câmera gira ao redor da jovem acusada de matar o marido, sentada no banco dos réus, para filmar ao mesmo tempo o criado particular da vítima, que se aproxima para depor como testemunha; é possível ver nessa vontade de conservar por um bom tempo os dois protagonistas no mesmo enquadramento, além da preocupação de manter em primeiro plano o rosto da mulher, em que transparece uma expressão de inquietação atenta, o desejo de Hitchcock de sugerir a existência entre eles de uma relação ainda indefinível, mas que a sequência do filme irá revelar, mostrando até que ponto estão ligados um ao outro nessa aventura. Encontramos um movimento um pouco semelhante em *Hamlet*, de Laurence Olivier, quando os comediantes ambulantes representam a peça que irá desmascarar o rei assassino: a câmera, sempre dirigida para os atores, efetua pela sala vários movimentos de vaivém em semicírculo, revelando a cada vez, em primeiro plano, elementos dramáticos novos: o terror crescente do rei, os ares de triunfo satânicos de Hamlet, a curiosidade crescente despertada em Horácio e nos outros assistentes face ao comportamento do rei.

Um belo efeito vemos também em *Aurora* (Murnau), no momento em que o homem vai encontrar-se à noite com a estrangeira por quem se apaixonou: a câmera primeiro o acompanha longamente, para em seguida abandoná-lo e, avançando rapidamente através do campo enluarado, mostrar a mulher, que espera, antes que o homem a tenha encontrado; a duração e a audaciosa complicação do movimento sublinham a importância desse encontro (onde vai ser decidida a morte da jovem esposa) e a pressa da câmera traduz a impaciência do homem em reunir-se à sua amada. Recordarei, por fim, uma trajetória contida em *O testamento do dr. Mabuse/Das Testament des Dr. Mabuse* – (Lang), na sequência inicial, que é uma das mais extraordinárias da história do cinema: a cena se passa numa espécie de depósito atulhado de objetos os mais variados, enquanto de um local vizinho nos chega o ruído ensurdecedor de uma máquina que imaginamos demoníaca; a câmera avança lentamente, explorando o cenário, mostrando em detalhes os objetos amontoados, esquadrinhando os cantos, e então, bruscamente, num movimento breve e rápido, descobre um homem escondido atrás de uma caixa, com o terror estampado no rosto: Fritz Lang transfere assim, ao espectador-câmera, ao mesmo tempo a surpresa do homem que se vê descoberto (virtualmente pela câmera) e sua angústia (real) de ser encontrado por aqueles de quem tenta se esconder. Mas, em *Desejos proibidos* (Ophuls), vemos um efeito bem mais elaborado: uma longa trajetória, com uma sequência de espaços diferentes e temporalidades sucessivas (através de fusões), em que a continuidade dramática é mantida pelo diálogo.

Esses complexos e sutis movimentos de câmera podem ser muito belos quando carregados de significação, como nos exemplos que acabamos de dar. Quando não passam de uma demonstração de virtuosismo, possuem apenas valor anedótico: é o caso, por exemplo, da impressionante trajetória que abre *Veslvolve rebiata* – Os alegres rapazes (Alexandrov), sem dúvida a mais longa da história do cinema, em que a câmera faz uma reviravolta durante quatro minutos para acompanhar o pastor de bela voz que conduz seu rebanho. O mais famoso exemplo desse virtuosismo gratuito é certamente o de *Ia Cuba – Eu sou Cuba* (Kalatozov): a câmera (manejada pelo saudoso Serguei Urussevski) sai de um quarto pela janela, desce ao longo das paredes do prédio, mergulha numa piscina em meio aos banhistas e vai sair num terraço vizinho, do outro lado, tudo isso num movimento ininterrupto de vários minutos.

Esta análise do papel criador da câmera é a sequência lógica do capítulo precedente e constitui um estudo prático da imagem compreendida como elemento de base da linguagem cinematográfica. Evidencia a evolução progressiva da imagem do ponto de vista estático para o dinâmico. As etapas sucessivas da descoberta dos procedimentos de expressão fílmicos correspondem naturalmente a uma liberação cada vez maior dos entraves da óptica teatral e à instauração de uma visão mais e mais especificamente cinematográfica.

Podemos falar de uma estrutura simultaneamente *plástica* da imagem – um conceito estático na medida em que a imagem se parece, de início, com um quadro ou uma gravura – e *dinâmica*, porque assistimos a uma dinamização progressiva do ponto de vista: ângulos incomuns, primeiros planos, movimentos de câmera, profundidade de campo (sobre a qual falarei adiante).

Nunca seria demais acentuar, entretanto, que a tela define um espaço privilegiado cujo limite deve permanecer puramente virtual, representando uma abertura sobre a realidade e não uma prisão quadrangular: o espectador nunca deve esquecer que o resto da realidade continua a existir alhures e pode a todo o momento entrar no campo da câmera[18]; o imobilismo e a rigidez da composição interna da imagem são, portanto, inimigos perigosos da osmose dialética que deve existir entre ela e a totalidade do universo dramático.

---

18. É o que ocorre quando o enquadramento sugere fortemente ao espectador que tal porta ou tal janela não fazem apenas parte do cenário, mas que alguém ou alguma coisa (benéfica ou maléfica, daí o suspense) vai entrar ou aparecer: o garoto surgindo ao lado da mãe (*O garoto/The kid* – Chaplin), a Fera encostando o nariz na vidraça antes de levar a Bela (*King-Kong/King-Kong* – Schoedsack & Cooper).

Finalmente, não esqueçamos que a imagem não pode ser considerada apenas *em si*, mas que se situa obrigatoriamente numa continuidade: chegamos assim à importante noção de *montagem*, que mais adiante será objeto de uma longa análise[19].

---

19. Poderíamos definir uma posição neutra dos diversos elementos da linguagem fílmica, entre o *descritivo* e o *expressivo*, entre o *objetivo* e o *subjetivo*. O plano de duração média (cerca de dez segundos) não tem valor significativo particular enquanto tal (independentemente de seu conteúdo): aquém (plano curto, *flash*) e além (plano longo) dessa duração média, acrescenta uma tonalidade nova, como vimos, ao conteúdo figurativo da imagem. O plano filmado a uma distância média (chamado justamente de *plano médio*) possui igualmente um valor neutro: aquém (primeiro plano, detalhe) e além dessa distância (plano geral), adquire um valor expressivo suplementar. Do mesmo modo, no que concerne à mobilidade da câmera, podemos admitir que os movimentos lentos são puramente descritivos: já no plano fixo e nos movimentos rápidos, o comportamento da câmera introduz uma nova dramatização. Em outras palavras, quando a câmera oferece um ponto de vista diferente daquele que temos ordinariamente em relação ao mundo é que ocorre de fato (e somente então) o nascimento da *linguagem fílmica* propriamente dita.

3
OS ELEMENTOS FÍLMICOS NÃO ESPECÍFICOS

Serão analisados neste capítulo alguns elementos materiais que participam da criação da imagem e do universo fílmicos tais como aparecem na tela. São chamados de *não específicos* porque não pertencem exclusivamente à arte cinematográfica, sendo utilizados por outras artes (teatro, pintura).

A iluminação

Constitui um fator decisivo para a criação da expressividade da imagem. Mas como contribui, sobretudo para criar a "atmosfera", elemento dificilmente analisável, sua importância é desconhecida e seu papel não aparece diretamente aos olhos do espectador desavisado; além disso, a maior parte dos filmes atuais manifesta uma grande preocupação com o realismo na iluminação, e tal concepção tende a suprimir seu uso exacerbado ou melodramático.

Serei breve com relação à iluminação, teoricamente definida como natural, das cenas rodadas em "exteriores": digo teoricamente porque a maioria das cenas à luz do dia é rodada com o auxílio de projetores ou espelhos refletores. É preciso notar, sobretudo o caráter absolutamente antinatural das cenas à noite: geralmente são muito iluminadas, mesmo quando a realidade não comporta de maneira evidente nenhuma fonte luminosa. Em *Grisbi, ouro maldito/Touchez pas au grisbi* (Becker), por exemplo, a batalha noturna entre os dois grupos rivais é brilhantemente iluminada, embora tenha lugar em pleno campo. Esse não realismo deve-se evidentemente a razões técnicas imperiosas (é preciso que a película seja impressionada – diga-se de passagem que as novas películas ultrassensíveis permitem rodar cenas à noite em condições bem mais realistas), mas justifica-se também pela vontade de obter uma fotografia bem contrastada, de modular os claros e os escuros com precisão: a fotogenia da luz é uma fonte fecunda e legítima de prestígio artístico para um filme, e, para todos os efeitos, é preferível uma iluminação artificial, esteticamente falando, a uma iluminação verossímil mas deficiente.

É na iluminação das cenas de interiores que o operador dispõe de maior liberdade de criação. Não sendo esse tipo de iluminação comandado por leis naturais (quero dizer: submetidas ao determinismo da natureza), praticamente nenhum limite de verossimilhança se opõe à imaginação do criador. "A iluminação", escreve Ernest Lindgren, "serve para definir e modelar os contornos e planos dos objetos, para criar a impressão de profundidade espacial, para produzir uma atmosfera emocional e mesmo certos efeitos dramáticos"[1].

No começo, e enquanto os filmes eram rodados ao ar livre ou em estúdios envidraçados, as possibilidades expressivas da iluminação artificial foram completamente ignoradas. Quando ela passou a ser utilizada, por volta de 1910, na França, na Dinamarca e nos Estados Unidos, foi quase unicamente em função de considerações de verossimilhança material. É a partir de *Enganar e perdoar/The cheat* (De Mille), de 1915, que parece ter havido a verdadeira descoberta dos efeitos de iluminação psicológicos e dramáticos: nesse drama sombrio de paixão e ciúme, luzes violentas, esculpindo as sombras, intervêm como fator de dramatização.

No entanto, é na escola alemã[2] que devemos buscar a origem de uma certa magia da luz cuja tradição se perpetua ainda em nossos dias, em

---

1. *The art of the film*, p. 124.
2. Tanto o expressionismo como o *Kammerspiel* (teatro de câmara) caracterizaram-se pelo "emprego expressivo da luz" (Ver G. Sadoul, *Histoire du cinéma mondial*). [A utilização cinematográfica do *Kammerspiel*, o *Kammerspielfilm* tal como o concebia Lupu Pick, seu criador em 1921, no filme *Destroços*, "é o filme psicológico por excelência; contém de preferência um número limitado de personagens que se movem num ambiente cotidiano". *In* Lotte Eisner – *A tela demoníaca*, Rio de Janeiro: Paz e Terra, 1985, p. 125. (N. E.)].

particular no cinema americano, graças à contribuição de realizadores de origem germânica como Fritz Lang, Sternberg, Siodmak, e de numerosos operadores. Lotte Eisner assinala a influência de Max Reinhardt, o célebre homem de teatro alemão, sobre o jovem cinema do além-Reno, mas insiste sobre uma longa tradição germânica: "A alma faustiana do nórdico se abandona aos espaços brumosos, ao passo que um Reinhardt forja seu mundo mágico com a ajuda da luz, servindo a obscuridade apenas de contraste. Eis aí a dupla herança do filme alemão"[3]. Uma obra como *A noite de São Silvestre/Sylvester* (Lupu Pick, 1923) representa o apogeu dessa *Stimmung*[*] do claro-escuro, tão característica do cinema mudo alemão: Lotte Eisner observa que o cenógrafo Carl Mayer definiu muito precisamente para cada plano a iluminação capaz de criar a atmosfera. Toda a ação se passa à noite, no salão enfumaçado e bastante mal iluminado de uma taverna popular: a unidade de tempo (algumas horas), de lugar (quase completa: a taverna, o alojamento dos patrões, raros exteriores da rua com as janelas fortemente iluminadas de um grande hotel), de ação, de tonalidade física (a noite) e psicológica (pessimismo, fatalidade), faz desse filme um memorável êxito de direção voltada para a ambientação.

Reencontramos o mesmo princípio numa grande parte da produção americana. Sem falar de John Ford e Fritz Lang de antes da guerra, toda a escola posterior do "filme *noir*" e do filme "realista" (inaugurada simultaneamente em 1941 por *Relíquia macabra/The Maltese falcon*, de Huston, e *Cidadão Kane*, de Welles, mas cujo verdadeiro início data dos anos 1944-45), está às voltas com os problemas da iluminação e os resolve de maneira "expressionista". O pessimismo profundo do cinema americano (pelo menos nos filmes que se pretendem lúcidos e conscientes) leva-o a escolher circunstâncias e cenários de tonalidade trágica: por exemplo, as cenas à noite que, além de seu simbolismo, deixam ao operador uma inteira liberdade de composição luminosa. Um caso típico é o de *Rancor/Crossfire* (Dmytryk), ambientado totalmente à noite e onde lâmpadas com voltagem aumentada desumanizam os rostos e retalham as superfícies em manchas resplandecentes

---

3. *L'écran démoniaque*, p. 32
[*] Segundo Lotte Eisner, num filme alemão, a preocupação em compor uma atmosfera que sugira "as vibrações da alma" une-se ao jogo de luzes. Em outra palavras, a *Stimmung* flutua tanto em torno dos objetos quanto dos personagens: "É uma consonância metafísica, uma harmonia mística e singular em meio ao caos das coisas, uma espécie de nostalgia dolorosa..." (*Op. cit.* p. 135). [N. E.]

ou obscuras: essa utilização brutal da luz contribui fortemente para criar a impressão de peso sufocante que domina o drama. Do mesmo modo, um filme como *Assassinos/The killers* (Siodmak), fazendo intervir diretamente as luzes na violência da ação por uma espécie de brutalização dos seres e das coisas, é característico desse estilo "germânico" que encontramos não apenas em Welles, Huston, Dmytryk e Siodmak, mas também em Dassin, Robson, Kazan e Wilder. Mesmo na Europa não há quem tenha escapado dessa influência indireta, e um filme como *O terceiro homem* (Reed, produção inglesa) oferece um exemplo involuntariamente caricatural disso, enquanto, na Alemanha, Staudte reencontrava naturalmente a grande tradição do claro-escuro germânico em *Os assassinos estão entre nós/Die Mörder sind unter uns* (1946).

Efeitos os mais diversos podem ser criados pela utilização de fontes luminosas anormais ou excepcionais. Temos um bom exemplo na sequência inicial de *Cidadão Kane*, no momento em que a sala de projeção onde os jornalistas discutem é iluminada apenas pelo feixe luminoso que vem da cabine do operador: o redator-chefe tem o rosto em completa obscuridade, enquanto seus colaboradores são violentamente iluminados, para que num plano seguinte todas as silhuetas se destaquem sobre a tela como sombras chinesas.

A utilização das sombras de efeito entrou igualmente em moda com o Expressionismo. Elas podem ter uma significação elíptica e constituir um poderoso fator de ansiedade pela ameaça do desconhecido que deixam entrever: é o caso da silhueta do assassino, em Scarface, vergonha de uma nação/Scarface (Hawks), avançando sobre a vítima impotente, ou então da sombra de *M, o vampiro de Düsseldorf* (Lang) recortada sobre o cartaz que põe sua cabeça a prêmio. Mas podem também adquirir um valor simbólico, e esse aspecto é bem mais interessante: assim, a sombra de Napoleão triunfante destaca-se sobre um mapa da Europa (*Madame Walewska/Conquest* – Clarence Brown), e a de Kane projetando-se sobre o rosto de Susan simboliza a impotência da jovem esposa para resistir às vontades de seu tirânico marido. Para terminar, uma palavra sobre a utilização de fontes luminosas em movimento, capazes de produzir efeitos particularmente vigorosos: em *Vento e areia/The wind* (Sjöström), uma lâmpada continuamente agitada pela tempestade anima os objetos de uma vida fantasmática e ilumina com brilhos sinistros o rosto aterrorizado de Lilian Gish; idêntico procedimento ocorre em *Sombras do* *pavor**/Le corbeau* (Clouzot), mas voluntário, e o efeito aqui obtido é uma demonstração prática da relatividade da verdade; em *Anna Karênina/Anna Karenina* (Brown) e *Desencanto* (Lean), os reflexos das luzes de um trem sobre o rosto de duas mulheres dispostas ao suicídio sugerem admiravelmente o combate trágico que travam nelas a lassidão mortal e o desejo de viver.

É preciso, no entanto, sublinhar aqui a reação *antiexpressionista* manifestada pelo neorrealismo italiano em matéria de iluminação: a partir de 1944-45, os filmes italianos voltaram a prestigiar a iluminação sem artifícios e pouco contrastada do tipo dos "noticiários de atualidades" e recusaram-se a toda dramatização artificial da luz.

Ao encerrar este capítulo, creio que podemos alargar um pouco nosso propósito e evocar crenças tão velhas quanto a humanidade. O papel diabólico e misterioso das sombras não estaria fundado na angústia ancestral do homem diante da escuridão? A tela parece devolver à vida todos os mitos milenares da luta do homem contra as trevas e seus mistérios, do eterno confronto entre o bem e o mal. Por outro lado, a preferência dos diretores pelas luzes violentas e as sombras profundas pode ter sua origem no fato de que *se encontram assim recriadas na tela as condições e a ambientação do próprio espetáculo cinematográfico*: obscuridade, fascinação da luz, universo fechado e protetor, esse clima maravilhoso e infantil que constitui o meio, essencialmente regressivo (isto é, voltado para a interioridade e a contemplação), da hipnose fílmica.

O vestuário

Assim como a iluminação ou os diálogos, o vestuário faz parte do arsenal dos meios de expressão fílmicos. Sua utilização pelo cinema não é fundamentalmente diferente da que é feita pelo teatro, embora seja mais realista e menos simbólica na tela do que no palco, pela própria vocação da sétima arte.

"Num filme", escreve Lotte Eisner, "o vestuário não é jamais um elemento artístico isolado. Deve-se considerá-lo em relação a um certo estilo de direção, cujo efeito pode aumentar ou diminuir. Ele se destacará dos diferentes cenários para pôr em evidência gestos e

---
* Mais tarde também chamado *O corpo*, em sua tradução brasileira. (N. E.)

atitudes dos personagens, conforme sua postura e expressão. Por harmonia ou por contraste, deixará sua marca no grupamento dos atores e no conjunto de um plano. Enfim, sob esta ou aquela iluminação, poderá ser modelado – realçado pela luz ou apagado pelas sombras"[4].

Claude Autant-Lara, que foi desenhista de moda antes de dirigir filmes, observa que "o figurinista de cinema deve vestir caracteres" e Jacques Manuel, por sua vez, escreve: "Toda roupa na tela é figurino, pois, despersonalizando o ator, caracteriza o 'herói'... Se quisermos considerar o cinema um olho indiscreto que gira ao redor do homem, captando suas atitudes, seus gestos, suas emoções, precisamos admitir que o vestuário é o que está mais próximo do indivíduo, embelezando-o ao esposar sua forma ou, ao contrário, distinguindo-o e confirmando sua personalidade"[5].

Podemos definir três tipos de vestuários de cinema:

1. *Realistas*: ou seja, de acordo com a realidade histórica, pelo menos nos filmes em que o figurinista se reporta a documentos de época e demonstra a preocupação de exatidão ante as exigências indumentárias dos artistas. Citemos, como exemplo de reconstituição escrupulosa, *A quermesse heroica/La kermesse héroïque* (Feyder).

2. *Pararrealistas*: o figurinista inspira-se na moda da época, mas procedendo a uma estilização (exemplos: *Os Nibelungos/Die Nibelungen* – Lang, *O martírio de Joana d'Arc/La passion de Jeanne d'Arc* e *Dias de ira/Dies irae*, ambos de Dreyer, *Ivan, o Terrível/Ivan Groznii* – Eisenstein, *O sétimo selo/Det sjunde inseglet* – Bergman). A preocupação com o estilo e a beleza prevalece sobre a exatidão pura e simples: as indumentárias possuem então uma elegância atemporal (*Romeu e Julieta/Romeo and Julliet* – Cukor, *Otelo/Othello* – Welles, *Os sete samurais/Shichinin no samurai* – Kurosawa, *O homem que vendeu a alma/Marguerite de la nuit* – Autant-Lara).

3. *Simbólicos*: a exatidão histórica não importa, e o vestuário tem antes de tudo a missão de traduzir simbolicamente caracteres, tipos sociais ou estados de alma; que se pense no verso de Victor Hugo:

"*Vêtu de probité candide et de lin blanc*" (Vestido de cândida probidade e linho branco).

---

4. *Revue du Cinéma*, número sobre o vestuário, 1949, p. 68.
5. *Revue du Cinéma*, pp. 3 e 4.

Tomemos como exemplo os severos uniformes de escravos dos trabalhadores de *Metropolis* (Lang), as roupas pitorescamente esfarrapadas dos mendigos de *A ópera dos pobres/Die Dreigroschenoper* (Pabst), a brancura feroz dos ricos uniformes dos cavaleiros teu tônicos de *Alexandre Nevski* (Eisenstein).

Ou ainda o traje impecável de Max Linder, janota elegante e afortunado; a roupa surrada e miserável de Carlitos, pária constantemente perseguido; a vestimenta sedutora e sugestiva da vampe (*O Anjo Azul* e *A mulher satânica/The devil is a woman*, ambos de Sternberg, e Gilda/ Gilda de Charles Vidor).

Às vezes o vestuário desempenha um papel diretamente simbólico na ação, como o rutilante uniforme que o porteiro de *A última gargalhada* (Murnau) irá roubar uma noite, depois de ter-lhe sido retirado, para assistir com toda a majestade ao casamento de sua filha – ou o capote pelo qual vive e morre, sem ter tido tempo de usá-lo, o miserável empregado no filme de Lattuada baseado em Gógol (*O capote/ Il capotto*). É preciso notar finalmente que, graças à cor, o figurinista pode criar efeitos psicológicos bastante significativos, um dos quais nos é descrito por Anne Souriau: trata-se da evolução sentimental de Marian (*As aventuras de Robin Hood/The adventures of Robin Hood* –Curtiz), que, pertencendo inicialmente ao grupo de Ginsburne e vestida como ele, de vermelho, aproxima-se pouco a pouco de Robin e, por uma espécie de mimetismo indumentário, acaba vestida de tons verde-claros como o herói popular[6].

O cenário

O cenário tem mais importância no cinema do que no teatro. Uma peça pode ser representada com um cenário extremamente esquemático ou mesmo diante de uma simples cortina, ao passo que se confia menos numa ação cinematográfica fora de um quadro real e autêntico: o realismo inerente à coisa filmada parece exigir obrigatoriamente o realismo do quadro e da ambientação.

No cinema, o conceito de *cenário* compreende tanto as paisagens naturais quanto as construções humanas. Os cenários, quer sejam de *interiores* ou de *exteriores*, podem ser *reais* (isto é, preexistir à rodagem

---

6. *L'univers filmique*, pp. 95-96.

do filme) ou *construídos* em estúdio (no interior de um estúdio ou em suas dependências ao ar livre).

Constroem-se cenários em estúdio por verossimilhança histórica (*Ben-Hur/Ben-Hur* – Wyler, *Alexandre Nevski* – Eisenstein, *O corcunda de Notre-Dame/Notre Dame de Paris* – Delannoy, *O boulevard do crime/ Les enfants du Paradis* – Carné, *Gervaise, a flor do lodo/Gervaise* – Clément), ou também por uma questão de economia (por exemplo: contrariamente às aparências, custava menos reconstruir em estúdio uma parte da estação de metrô Barbes, em Paris, do que filmar no local, em *As portas da noite*, de Carné).

Mas também se constroem cenários com o desejo de acentuar o simbolismo, a estilização e a significação: é o caso de *O gabinete do dr. Caligari/Das Kabinet der Dr. Caligari* – Wiene, *Metropolis* – Lang, *Aurora* – Murnau, *O martírio de Joana d'Arc* – Dreyer, *Um rosto na noite/Notti bianche* – Visconti, *Barry Lindon* – *Barry Lindon* – Kubrick, *Perceval le Gallois* – Rohmer, *La vie est un roman* – Resnais, *O fundo do coração/One from the heart* – Coppola, e da maior parte dos filmes de Clair, Carné, Stroheim, Sternberg.

Podemos definir um certo número de concepções gerais do cenário:

1. *Realista*: é a de Renoir e da maior parte dos diretores italianos, soviéticos e americanos, por exemplo. Nessa perspectiva, o cenário não tem outra implicação além de sua própria materialidade, não significa senão aquilo que é.

2. *Impressionista*: o cenário (a paisagem) é escolhido em função da dominante psicológica da ação[7], condiciona e reflete ao mesmo tempo o drama dos personagens; é a *paisagem-estado de alma* para os românticos. Eis exemplos de algumas utilizações particularmente felizes de cenários naturais: um deserto incessantemente varrido por tempestades de areia (*Vento e areia*, Sjöström), o selvagem e tórrido vale da Morte (*Ouro e maldição*, Stroheim), a montanha impassível e perigosa (*Stürme über dem Montblanc* – Inferno branco, Arnold Fanck), o mar sempre

---

7. Isso se deve a um simbolismo às vezes bastante elementar. Eis um pequeno catálogo dos cenários e de sua significação psicológica: mar e praia (volúpia, liberdade, exaltação, nostalgia), montanha (pureza, nobreza), deserto (solidão, desespero), cidade (violência, solidão), noite (solidão, confusão), tempestade (violência, volúpia), chuva (tristeza), neve (pureza, crueza). Fellini escreveu: "Em todos os meus filmes há um personagem que passa por uma crise. Ora, creio que o ambiente melhor para sublinhar uma crise é uma praia ou uma praça à noite". E continua: "A Roma que aparece no filme é apenas uma paisagem interior" (A propósito de *A doce vida/La dolce vita*).

recomeçado (*A longa viagem de volta/The long voyage home* – Ford), o labirinto do Delta do Pó (*Paisà*, Rossellini), a abundância da natureza nutridora (*Terra*, Dovjenko, *A volta de B. Bortnikov*, Pudovkin), a chuva incessante (*Une si jolie petite plage*, Yves Allégret), a neve glacial e sufocante (*Hakushi, o idiota/Hakushi* – Kurosawa), a natureza impassível e silenciosa (*Journal d'un curé de campagne*, Bresson), a floresta impenetrável e perigosa (*La mort en ce jardin*, Buñuel), as margens do rio Pó cobertas de bruma (*O grito/Il grido*, Antonioni), uma praia sentimental (*Águas tempestuosas*, Grémillon; *Um homem, uma mulher/Un homme et une femme* – Lelouch), dolorosa (*Os boas-vidas* e *A estrada da vida/La strada*, ambos de Fellini) ou sinônimo de alívio após o pesadelo (*A doce vida*, de Fellini).

Podemos, no entanto, distinguir aqui uma tendência *sensualista* (Donskoi, Dovjenko, Renoir, Buñuel, Rossellini, por exemplo) e outra intelectualista, objetivista (Bresson, Antonioni, Fellini, Visconti).

3. *Expressionista*: enquanto o cenário impressionista é em geral natural, o expressionista é quase sempre criado artificialmente, tendo em vista sugerir uma impressão plástica que coincida com a dominante psicológica da ação.

O Expressionismo funda-se numa visão subjetiva do mundo, manifestada por uma deformação e uma estilização simbólicas. A esse respeito, vejamos um texto muito interessante sob o duplo ponto de vista da história e da estética. Ele apareceu no início de 1921, no primeiro número de *Cinéa* (revista dirigida por Louis Delluc), e relata a impressão causada na França pelo primeiro filme expressionista vindo da Alemanha. Esse filme, intitulado *Von morgens bis Mitternacht – Da aurora à meia-noite*, conta a história de um caixa de banco, possuído pelo demônio do meio-dia[*], que resolve fugir com o conteúdo do cofre-forte para viver sua vida: "Tudo se passa", escreve Ivan Goll, "numa atmosfera febril, e eis que um grande e jovem cineasta, Karl Heinz Martin, também diretor do Deutsches Theater de Reinhardt, consegue se apoderar do tema e assim criar, cercado pelos melhores pintores de sua cidade, o primeiro filme expressionista cubista: vale dizer, todas as paisagens e todos os objetos desmesuradamente aumentados ou diminuídos de acordo com a ideia da cena; o mundo visto com os olhos do caixa alucinado, guichês de banco

---

[*] Referência a uma expressão dos Salmos bíblicos (*demonium meridianum*) e também a um romance francês de Paul Bourget com esse título (*Le Démon de midi*, 1914). (N.T.)

oscilantes, ruas enviesadas, homens gritando como loucos, toda a alma do herói repetida e transposta nas coisas, nas formas, na atmosfera interior do filme".

Podemos ver, também nessa perspectiva, de que modo o cenário é escolhido (e desta vez construído) para desempenhar o papel de contraponto[8] simbólico ao drama das almas.

O Expressionismo é a grande glória do cinema alemão. O conceito é de origem pictórica e foi levado ao cinema essencialmente por pintores e decoradores.

Revelam-se nele duas tendências principais. Primeiro, um expressionismo *pictórico* ou *teatral*, cuja obra-prima é *O gabinete do dr. Caligari* (Wiene): um cenário totalmente artificial, onde as regras da perspectiva são desprezadas, onde todas as construções são oblíquas, onde as sombras e as luzes são pintadas (e cuja excentricidade se justifica pelo fato de o filme exprimir o ponto de vista de um louco), cenário extraordinário por sua *presença* alucinante, igual àquela, não menos notável, de *Raskólnikov*, do mesmo diretor, onde o comissário aparece no centro de uma irradiação de linhas pintadas, como a aranha na teia espreitando a presa.

Quanto ao expressionismo *arquitetural*, cujo mais belo florão é *A morte de Siegfried/Siegfried* (primeira parte de *Os Nibelungos*, de Fritz Lang), caracteriza-se por cenários grandiosos e majestosos, destinados a engrandecer a ação épica que ali se passa, ou por um extraordinário delírio inventivo, nesta outra obra-prima do gênero que é *Metropolis* (Lang), em que o fantástico e o gigantesco têm livre curso, ou ainda em *Nosferatu/Nosferatu – Eine Symphonie des Grauens* (Murnau), pela utilização de cenários sinistros, onde o horror e o assombro transparecem com toda a naturalidade. Sob esse aspecto, o *Barroco* pode ser considerado muito próximo do Expressionismo, traduzindo-se por um exagero quase surrealista, de que *A dama de Xangai/The lady from Shanghai* (Welles), *Lola Montés* (Ophuls), *Cinzas e diamantes/Popiol i diament* (Wajda), *Hakushi, o idiota* (Kurosawa) e, sobretudo *A imperatriz galante/The Scarlet Empress* (Sternberg) oferecem belos exemplos[9].

---

8. Chamo contraponto, por analogia com a música, o confronto entre dois processos expressivos com o mesmo conteúdo significativo, mas em dois registros plásticos diferentes.
9. Observar que o Expressionismo e o Barroco fluem livremente em certos filmes de ficção científica. – No *Kammerspiel* o cenário desaparece enquanto tal, delimitando apenas um espaço dramático privilegiado, uma espécie de recinto fechado em que se exasperam as paixões (*A noite de São Silvestre*, – Lupu Pick).

É possível, aliás, reconhecer nos cenários de *La chute de la Maison Usher* (Epstein), *O martírio de Joana d'Arc* (Dreyer)[10], *Cais das sombras/Quai des brumes* (Carné) e *Cidadão Kane* (Welles), por exemplo, uma influência mais ou menos direta do Expressionismo. Esta também transparece, ainda que singularmente abastardada, em numerosos filmes americanos onde intervêm os cenários mais estranhos e fantásticos como elementos de suspense barato: esgotos, túneis, garagens de ônibus, entrepostos, pontes suspensas, metrô aéreo e até mesmo a Estátua da Liberdade; recorre-se largamente ao cenário da cidade tentacular, a cidade no que ela contém de inumana, monstruosa, abstrata, com o espectro de *Metropolis* pairando permanentemente ao fundo (ver *Cidade nua/Naked city* – Dassin, *Pânico nas ruas/Panic in the streets* – Kazan, *Punhos de campeão* – Wise, *O segredo das joias/Asphalt jungle* – Huston, *Sindicato de ladrões/On the waterfront* – Kazan)[11].

Natural ou artificial, o cenário desempenha quase sempre um papel de contraponto com a tonalidade moral ou psicológica da ação. Roger Munier observa: "No verdadeiro cinema, é o calçamento molhado da rua que lembra o crime, são as ondas do mar que nos falam de violência ou paixão"[12]. O calçamento molhado de *Cais das sombras* ou de *As portas da noite* (ambos de Carné), por exemplo, tem uma dupla função: *denota* os lugares privilegiados dos dramas romântico-expresionistas (o porto, a cidade) e *conota* a feiura, a solidão, a violência, o desespero, a morte. Para Roger Munier, o "verdadeiro cinema" é aquele em que "a realidade oferece a si mesma seu próprio contraponto".

Para encerrar, é preciso dizer uma palavra sobre dois temas frequentemente utilizados nos cenários de cinema. Primeiro, o do espelho, janela aberta para um mundo misterioso e angustiante (o espelho em que o

---

10. Hermann Warm, um dos autores (juntamente com Jean Hugo) dos cenários de *Joana d'Arc*, havia antes desenhado os de *Caligari*.
11. Devemos ainda assinalar algumas utilizações interessantes do cenário dentro da tradição expressionista: por exemplo, a morte do rapaz no trem-fantasma do parque (*Rincão das tormentas/Brighton Rock* – Roy Boulting) e a perseguição do espião na sala de cinema em que é projetado um filme de gangsteres (*Sabotador/Saboteur* – Hitchcock); intervenção mais direta ainda dos elementos do cenário (e mais simbólica): o piano mecânico desfiando sua lenga-lenga durante a execução do espião, em *O demônio da Argélia/Pépé le Moko* – Duvivier, e o alarido insólito e irrisório da música de carrossel no parque de diversões bombardeado (*Em algum lugar da Europa*, Radvanii), a perseguição no campanário em que o suspeito é morto por um dos personagens mecânicos de um relógio gigante (*O estranho/The stranger* – Welles).
12. *Contre l'image*, p. 19.

13. *O ano passado em Marienbad* (Alain Resnais, 1961).

14. *Falstaff/Crimes at midnight* (Orson Welles, 1966).

15. *A última gargalhada* (Friedrich Murnau, 1924).

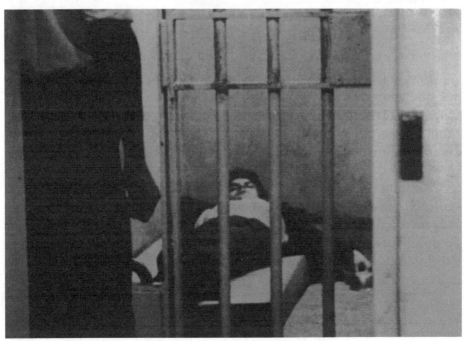

16. *L'argent* (Robert Bresson, 1983).

estudante vê aparecer seu duplo – *O estudante de Praga/Der Student von Prag* – Galeen; também aquele, num dos episódios de *Na solidão da noite/Dead of night* – Cavalcanti, Crichton, Dearden, Hamer, que restitui um passado que refletiu outrora), ou então testemunha impassível e cruel das tragédias humanas (o espelho em que se multiplica o desespero de *Kane* e a sala de espelhos que corta em mil pedaços a agonia solitária de *A dama de Xangai*, ambos de Welles). Outro tema bastante utilizado é o da escada. Empregada como estrutura ascendente, adquire (sem dúvida por assimilação com a contra-plongée) um sentido épico: veja-se o episódio do assalto a uma casa em ruínas em *Stalingrads kaja bitva* – A batalha de Stalingrado (Petrov), ou uma cena análoga da tomada do Reichstag em *Padenige Berlina* – A queda de Berlim (Tchiaurelli). Ao contrário, como estrutura descendente, transmite à cena um sentido trágico, exemplificado pelo célebre fuzilamento de Odessa em *O encouraçado Potemkin* (Eisenstein) ou pela cena final de *O crepúsculo dos deuses/Sunset Boulevard* (Wilder), quando Norma Desmond, alucinada e acreditando-se de volta aos tempos de sua glória no cinema mudo, desce a grande escadaria de sua casa sob as luzes dos refletores, frente às câmeras dos jornais de atualidades[13].

A cor

Embora a cor seja uma qualidade natural dos seres e das coisas que aparecem na tela, é legítimo analisá-la à parte, pois afinal o cinema esteve praticamente reduzido ao *preto e branco* durante quarenta anos, e, além disso, a melhor utilização da cor não parece consistir em considerá-la apenas como um elemento capaz de aumentar o realismo da imagem.

No entanto, foi com esse espírito que Méliès, Pathé e Gaumont, no início, faziam colorir os filmes por turnos de operários que trabalhavam à mão ou com o auxílio de paletas. A técnica não sobreviveu ao desenvolvimento do cinema, que tornou os afrescos cada vez mais exorbitantes à medida que a duração dos filmes e o número de cópias aumentavam.

---

13. Contudo, num filme soviético mais recente (*Um trio de inseparáveis* – Juravlev, 1952), vemos nas mesmas escadarias de Odessa um alegre bando de estudantes partindo em férias. Isso prova que o sentido (trágico ou cômico) de um efeito dramático depende da tonalidade geral do filme: essa é uma lei fundamental.

O que resistiu, mais ou menos até o fim do cinema mudo, foram os *banhos*, que consistiam em tingir a película de cores uniformes, com uma função em parte realista, em parte simbólica: azul para a noite, amarelo para os interiores à noite, verde para as paisagens, vermelho para os incêndios e as revoluções. Mais tarde, o procedimento foi neutralizado com um objetivo simbólico (*A travessia de Paris/La traversée de Paris* – Autant-Lara; *Lotna* – Wajda).

A redescoberta da cor data de meados dos anos 1930 (inicialmente em processos bicrômicos e depois tricrômicos): em 1935 nos Estados Unidos (*Vaidade e beleza/Becky sharp* – Mamoulian), em 1936, na Rússia (*Grunia Kornakova* – Rouxinol, pequeno rouxinol, Ekk), e posteriormente, em 1942, na Alemanha (*Praga, a cidade da ilusão/Die goldene Stadt* – Veit Harlan) – ocorrendo sua generalização a partir da metade dos anos 1950.

Na imensa maioria dos casos, os produtores estão interessados apenas no *realismo*, e é conhecido o *slogan*, que no início causou furor, das "cores cem por cento naturais". Contudo, a verdadeira *invenção* da cor cinematográfica data do dia em que os diretores compreenderam que ela não precisava ser *realista* (isto é, conforme a realidade) e que deveria ser utilizada antes de tudo em função dos *valores* (como o preto e branco) e das implicações psicológicas e dramáticas das diversas tonalidades (cores *quentes* e cores *frias*).

A utilização da cor acarreta alguns problemas.

Problemas técnicos: ainda há muito que resolver, apesar dos avanços já realizados. O problema do realismo das cores: sabemos que o processo Technicolor peca frequentemente por tonalidades falsas e berrantes. O problema de sua conservação: o Agfacolor e os processos derivados (Eastmancolor, Sovcolor, Gevacolor, Ferraniacolor, Fujicolor) dão tonalidades mais verídicas e nuançadas, mas carecem de estabilidade, o que leva a uma autodestruição química das cores e acarreta sérios problemas de conservação, exigindo condições de armazenagem rigorosas e, portanto, caras. O diretor Martin Scorcese lançou recentemente uma campanha pela imprensa, chamando a atenção dos fabricantes e dos poderes públicos para o desbotamento das cores após vinte anos de existência das cópias positivas.

Problemas psicológicos: todas as experiências fisiológicas e psicológicas provam que percebemos menos as cores do que os *valores*, isto é, as diferenças relativas de iluminação entre as partes de um mesmo objetivo; isso faz com que o preto e branco, que não conhece senão os valores, encontre uma justificação *a posteriori*. Em todo caso, a ausência de cores seria uma das convenções menos discutíveis do cinema na opinião dos psicólogos que participaram do Primeiro Congresso Internacional de Filmologia (1947), para os quais "nossa atenção em geral dá pouca importância às cores, que se apagam diante da 'realização' do objeto. De resto, o sonho raramente é colorido, sem que sua 'realidade' sofra com isso. Também para o cinema foi muito fácil passar sem a cor"[14].

Por outro lado, a percepção das cores é menos de natureza física do que psicológica. Segundo Antonioni, "a cor não existe de maneira absoluta. (...) Pode-se dizer que a cor é uma relação entre o objeto e o estado psicológico do observador, no sentido de que ambos se sugestionam reciprocamente"[15].

Mas o efeito psicológico das cores é igualmente condicionado por dados técnicos, como explica Andrzej Zulawski: "A Kodak-Eastman, que é hoje a película de quase todos os filmes, é na verdade uma película 'californiana'. E a luz californiana é uma luz quente. A ideia californiana de beleza e felicidade corresponde às cores laranja, pêssego, tudo que é avermelhado, cor-de-rosa. A película está puxada para essas tonalidades. (...) Meu filme (*Possessão/Possession*, 1981) foi fotografado em Fuji para obter uma luminosidade mais dura. A película Fuji é mais primitiva que a Eastman, menos maleável, menos doce. (...) Uma coisa me choca profundamente. Reparem na fotografia da maior parte dos filmes franceses: dir-se-ia que todos eles se passam em Nice em pleno verão. Tudo isso porque o padrão Eastman foi aceito"[16].

É porque sua película oferece a melhor (ou pelo menos a mais sedutora) expressão das cores que a Kodak conseguiu, até uma data recente, monopolizar o mercado e impor às telas, segundo as palavras de Wajda, "o molho apimentado que chamo de estilo Eastman". Mas essa película não reproduz apenas as cores que lhe são impressas, e por isso Truffaut julgou que cabia denunciar "a feiura decorrente da generalização da cor", acrescentando: "Quando se filma em exteriores, a feiura penetra por todos os lados". Raros são os cineastas que tentam combater esse imperialismo das cores violentas e agressivas que caracterizam nosso

---
14. Edgar Morin, *op. cit.*, p. 142.
15. *In Cinéma 64*, n.º 90, novembro de 1964, p. 68.
16. *In Cinématographe*, n.º 89, maio de 1983.

meio ambiente atual (sobretudo sob a influência da publicidade) e que o processo Eastmancolor restitui tão fielmente. Sem chegar a uma atitude tão drástica quanto a de Antonioni, que sobrepôs tintas a cenários e paisagens naturais em seu *Deserto vermelho/Il deserto rosso*, alguns cineastas exigentes (podemos citar Chéreau e Zulawski) têm se esforçado, por meio de um trabalho verdadeiramente *criativo* com as cores, para escapar à uniformidade padronizada do Eastmancolor.

É assim que o *preto e branco* pode significar um meio de luta contra a "feiura", e é esse o motivo por que (também por razões de adequação dramatúrgica) ele subsiste, não obstante fortes pressões comerciais, em raros filmes, na época da cor triunfante e generalizada (*Manhattan/ Manhattan* – Woody Allen, *De repente num domingo/Vivement dimanche* – Truffaut, *Liberté, la nuit* – Garrel, *Estranhos no paraíso/Stranger than paradise* – Jim Jarmush).

Problemas estéticos:

a) O da própria justificação da presença da cor: em virtude de seu poder *decorativo* e *pictórico*, ela se impõe nos filmes históricos, fantásticos e exóticos, nos musicais e nas comédias, nos filmes de aventura e nos *westerns*.

Mas há assuntos que não parecem, *a priori* e por razões dramatúrgicas, exigir sua presença: a violência, a guerra, a morte, assim como os temas puramente psicológicos (*Desencanto* – Lean, *Les enfants terribles* – Melville, *Journal d'un curé de campagne* – Bresson, *Ascensor para o cadafalso/ Ascenseur pour l'échafaud* – Malle, *Hiroshima, meu amor* – Resnais, *O ano passado em Marienbad* – Resnais, *O garoto selvagem/ L'enfant sauvage* – Truffaut).

É possível também conceber uma coexistência do preto e branco e da cor no mesmo filme em razão das implicações psicológicas de um e de outro: uma prova convincente disso foi dada por Resnais em *Nuit et brouillard*, onde as imagens da visita atual a Auschwitz (cujo cenário recupera uma espécie de *inocência*) são em cores, enquanto os documentos de arquivo (impregnados de horror) aparecem em preto e branco. Em *Touro indomável/Raging bull* (Scorcese) apenas são em cores, num contexto em preto e branco motivado pela verossimilhança histórica, os *home movies* que evocam a vida familiar do boxeador. Em *O selvagem da motocicleta/Rumble fish* (Coppola), o preto e branco, metáfora do cinzento da vida cotidiana, é animado brevemente pelas manchas de cores vivas de peixes exóticos. No início de *E la nave va/E la nave va* – Fellini, o filme passa do preto e branco (no estilo dos primitivos "jornais da tela") para a cor (elemento de fantasia). Inversamente, *Nostalgia/Nostalghia* – Tarkóvski, as sequências italianas são em cores, e as evocações mentais da Rússia, em preto e branco.

Enfim, utilizando *banhos* (coloração única e neutra, em geral *bistre*)*, alguns cineastas tentaram restituir as tonalidades das velhas fotografias de outrora, recuperando assim seu caráter nostálgico.

b) O problema da concepção do papel da cor: que ela seja geralmente um fator de *realismo*, é natural, mas pode também ser fruto de uma criação deliberada.

Pois a percepção da cor, como já vimos é, sobretudo um fenômeno *afetivo*: "É preciso primeiro fazer refletir o sentido da cor", escreveu Eisenstein, e é a ele que devemos sua utilização mais audaciosamente original (nos vinte e cinco minutos finais da segunda parte de *Ivan, o Terrível*), enquanto contraponto psicológico e dramático da ação. As cenas de festa são tratadas num tom vermelho-ouro flamejante; depois, quando o pretendente, vestido por brincadeira com as roupas do czar, lembra-se de que um regicídio ocorrerá na catedral e que ele próprio, por engano, será a vítima, lê-se em seu rosto o medo, reforçado por uma dominante glacial azul mantida nas cenas da catedral.

Sem cair num simbolismo elementar, a cor pode ter um eminente valor psicológico e dramático. Assim, sua utilização bem compreendida pode ser não apenas uma *fotocópia* do real exterior, mas preencher igualmente uma função *expressiva* e *metafórica*, da mesma forma que o preto e branco é capaz de traduzir e dramatizar a luz.

A tela larga

Diversos sistemas de *tela larga* vieram à luz no início dos anos 1950. Alguns (Cinerama, Todd AO) apresentavam o inconveniente de necessitar uma película de 70 milímetros e foram rapidamente abandonados. Já o Cinemascope, o Vistavision e os diversos sistemas de *panorâmica* encontram-se ainda em uso. Oferecem basicamente a vantagem de alargar

---

* Tinta feita da fuligem das chaminés, de tonalidade amarelo-esverdeada.

consideravelmente a imagem tradicional (de 1 x 1,33 para 1 x 2,33), dando-nos uma visão original e nova do mundo.

Contudo, esse formato grande apresenta inconvenientes. Contrariamente à tela habitual, não corresponde ao formato do nosso campo de visão nítida, e com isso a atenção corre o risco de se dispersar. A necessidade de preencher um espaço tão vasto faz com que a tela seja invadida por circunstâncias materiais que podem adquirir uma importância que a ação necessariamente não lhes confere. O lado espetacular do cinema vê-se assim reforçado, às vezes em detrimento da interioridade, com uma direção de cena mais teatral porque concebida antes em largura do que em profundidade.

A tela larga não parece, portanto, favorável aos temas com dominante psicológica ou intimista. Essas reservas de princípio poderiam ser desmentidas por êxitos isolados, mas o fato é que o Cinemascope está hoje praticamente abandonado em proveito de um formato de menor tamanho (1 x 1,66).

A verdadeira solução estaria numa *tela variável*, que se abrisse e se fechasse de acordo com as necessidades dramáticas de cada sequência. Em *Lola Montés*, Max Ophuls praticamente utilizou a tela variável ao deixar no escuro as extremidades do Cinemascope quando queria concentrar a ação e a atenção. A Polyvision de Abel Gance chegou a esboçar a solução (veja-se a famosa sequência da campanha da Itália em *Napoléon*), mas ressentiu-se de uma utilização tecnicamente complicada (três telas, portanto três câmeras e três projetores); é preciso sublinhar, porém, que Gance a empregou não como uma simples possibilidade de alargar o campo da imagem (imagem única sobre três telas, como o Cinerama), e sim sob a forma de três imagens justapostas, sendo que as duas laterais (semelhantes e simétricas) entram em ressonância (contraponto psicológico e plástico) com a do meio (onde está centrada a significação dramática da sequência).

Quanto ao *cinema em relevo*, jamais passou de uma curiosidade técnica sem valor artístico. Aliás, o verdadeiro relevo fílmico é a *profundidade de campo*.

O desempenho dos atores

A *direção de atores* é um dos meios à disposição do cineasta para criar seu universo fílmico: assim, é natural que se examine aqui a contribuição dos atores ao filme.

O desempenho do ator no cinema tem pouca relação com o que se vê no teatro. No palco, o ator pode ser levado ao mesmo tempo a *forçar* seu desempenho e a *estilizá-lo*, numa perspectiva que não depende do *natural* para torná-lo perfeitamente inteligível; o mesmo se dá com a dicção. No cinema, em geral, a câmera se encarrega de pôr em evidência a expressão gestual e verbal, mostrando-a em primeiro plano e sob o ângulo mais adequado: na tela, a regra é a nuança e a interiorização. Além do mais intervém a *fotogenia*, que não depende do talento do ator e subjaz em grande parte ao conceito de *estrela*, uma noção que desafia a análise.

Podemos definir esquematicamente, sem conjeturar sobre evidentes interpenetrações, diversas concepções do desempenho dos atores:

– *hierática*: estilizada e teatral, voltada para o épico e o sobre-humano (*Ivan, o Terrível*);

– *estática*: o acento recai sobre o *peso* físico do ator, sua *presença*; esse desempenho é ditado por considerações dramáticas (em Dreyer e Bresson, por exemplo), mas também pode resultar da tradição *cultural* (é o que vemos em bom número de filmes japoneses); podemos aproximar dessa concepção o estilo do Actor's Studio, ao mesmo tempo rebuscado no detalhe e pesado no conjunto;

– *dinâmica*: característica dos filmes italianos, traduz em geral a exuberância do temperamento latino;

– *frenética*: pressupõe uma expressão gestual e verbal propositalmente exagerada: é o caso de certos filmes de Kurosawa e Kobayashi, mas também de Sternberg e Welles, e mais recentemente de Ken Russell e Zulawski;

– *excêntrica*: lembremos o estilo de desempenho praticado nos anos 1920 pela escola soviética da FEKS (Fábrica do Ator Excêntrico), que tinha por objetivo, seguindo a tradição de Meyerhold, exteriorizar a violência dos sentimentos ou da ação (*O mantô/Chinel* e *A nova Babilônia/Novii Vavillon*, ambos de Kozintsev & Trauberg).

A fascinação exercida pelo cinema advém, sobretudo da possibilidade que oferece ao espectador de se identificar com os personagens através dos atores. Mas o que faz o prestígio do grande ator, tanto no cinema como no teatro, é que ele consegue impor sua personalidade a seus personagens, continua sendo ele próprio nas personificações as mais diversas.

Foi dessa constatação que partiram as reflexões sobre o desempenho do ator, teorizações que distinguem duas atitudes fundamentais e opostas por parte dele: *colocar-se na pele do personagem* ou *desempenhar sem encarná-lo.*

O "método" de Stanislavski representa a codificação da primeira atitude: o ator deve entrar no corpo e na alma do personagem (naturalismo). A tradição stanislavskiana foi perpetuada pelo Actor's Studio, escola de arte dramática fundada em Nova York, em 1947, por Lee Strasberg e Elia Kazan, que preconiza a identificação tão completa quanto possível da personalidade profunda do ator com seu personagem, conduzindo essa busca a uma naturalidade sustentada pela riqueza da vida interior do ator.

Ao contrário, a segunda atitude foi defendida pela maior parte dos outros teóricos. Para Diderot ("Paradoxo sobre o comediante"), o ator deve de certo modo se dividir em dois, servindo-se mais de seu julgamento do que de sua sensibilidade na criação do personagem. Segundo Meyerhold, ele deve rejeitar todo processo de identificação e elaborar conscientemente o personagem (construtivismo). Também Brecht preconiza que o ator não se identifique com o personagem, mas mantenha um *distanciamento* em relação a ele, criando no espectador a impressão de que o está elaborando diante de seus olhos. Essa atitude foi definida por Sacha Guitry, numa fórmula famosa, como sendo para o comediante "a faculdade de fazer os outros partilharem de sentimentos que ele não experimenta".

Mas foi Robert Bresson, em suas *Notas sobre o cinematógrafo*, que sem dúvida levou mais longe a reflexão sobre o desempenho específico dos atores de cinema, daqueles que ele chama seus "modelos", que são não profissionais "encontrados na vida" e que devem "ser em vez de parecer", contribuindo para "opor ao relevo do teatro o plano do cinematógrafo"[17].

---

17. *Op. cit*, pp. 10 e 24.

4
AS ELIPSES

Jacques Feyder escreveu que "o princípio do cinema é sugerir", e já se afirmou muitas vezes que o cinema é a arte da elipse. Com efeito, quem pode mais, pode menos. Capaz de mostrar tudo e conhecendo o formidável teor de realidade que impregna tudo o que aparece na tela, o cineasta pode recorrer à alusão e fazer-se entender com meias-palavras.

Aliás, a elipse faz parte necessariamente tanto do fato artístico cinematográfico como das outras artes, pois, desde que haja atividade artística, há *escolha*. O cineasta, como o dramaturgo e o romancista, escolhe elementos significativos e os ordena numa obra.

Já vimos que a imagem é simultaneamente uma decantação e uma reconstrução do real: operação semelhante ocorre ao nível da obra considerada em sua totalidade.

Do ponto de vista do enredo dramático, essa operação recebe o nome de *decupagem*, e a elipse é seu aspecto fundamental. A noção de decupagem, extremamente importante, mas que permanece virtual para o espectador, não entra em nosso estudo senão sob a forma das elipses – e também da *montagem*, que representa seu aspecto complementar (em última instância, a montagem não é mais que uma pura técnica de acoplamento, desde que a decupagem tenha sido feita com precisão suficiente). A decupagem é uma operação analítica e a montagem, uma operação sintética, mas seria mais correto afirmar que uma e outra são as duas faces da mesma operação.

A descoberta da elipse representa um passo importante no progresso da linguagem cinematográfica. O mais antigo exemplo que encontrei está num filme dinamarquês de 1911: uma trapezista ciumenta causa a morte de seu parceiro infiel não o segurando durante um salto, mas tudo o que vemos do drama é o trapézio a se balançar vazio (*Den Kvindelige Daemon* – A filha do diabo, de Robert Dinesen); numa cena de *Enganar e perdoar* (De Mille, 1915), projetam-se sobre um prisioneiro as sombras das grades de sua cela; em *Barabbas* (Feuillade, 1919), a cena de uma execução capital é vista através das reações no rosto das testemunhas.

Tal capacidade de evocação em meias-palavras é um dos segredos do espantoso poder de sugestão do cinema. Eis alguns exemplos particularmente bem-sucedidos:

Todos se lembram da cena famosa de *Casamento ou luxo?* (Chaplin) em que o herói reencontra a mulher que outrora amou: ele ignora o que foi sua vida privada desde a separação, mas, como ela não está casada, acredita poder retomar o idílio interrompido; mas eis que, no momento em que ela abre uma gaveta, um colarinho de homem cai no chão. – O aviador de *Os melhores anos de nossas vidas* (Wyler) desperta, após uma orgia noturna, numa cama que não conhece, e não se lembra de nada; indagando onde possa estar, examina o leito: é um leito de mulher, ricamente decorado de seda e tule, de um luxo quase de mau gosto; e de repente, num gesto inquieto, ele leva a mão ao bolso da calça para verificar seus dólares. – *Monsieur Verdoux* (Chaplin) convenceu uma de suas mulheres a retirar seu dinheiro do banco, e o vemos à noite no momento em que dá a ela boa-noite; na manhã seguinte, desce todo alegre à cozinha e dispõe na mesa duas xícaras para o desjejum: mas súbito, num gesto que manifesta seu desprezo, retira uma das xícaras. – No início de *Une si jolie petite plage* (Yves Allégret), é por saltar instintivamente o degrau quebrado da escada antes que a empregada o alerte do perigo que nos certificamos de que o personagem interpretado por Gérard Philipe já morou no hotel. – Em *Punhos de campeão* (Wise), a jovem esposa, certa da derrota de seu marido, não foi assistir à luta de boxe; caminhando pela cidade, chega a um terraço que domina a entrada de um túnel de automóveis e, acreditando desfeitos seus sonhos de vida feliz, rasga lentamente o bilhete que não usou e atira fora os pedaços. Tomando então seu lugar e seu ponto de vista, a câmera nos mostra, num longo plano fixo em *plongée*, os pedaços de papel caindo sobre os veículos que mergulham no túnel; e é exatamente a impressão de veleidades de suicídio, de um suicídio por *preterição*, que nos transmite essa admirável sequência.

A decupagem consiste em escolher os fragmentos de realidade que serão criados pela câmera. Num nível mais elementar, traduz-se pela supressão de todos os tempos fracos ou inúteis da ação. Se quisermos mostrar um personagem deixando seu escritório para ir para casa, faremos uma ligação "no movimento" do homem fechando a porta do escritório e em seguida abrindo a de sua casa, com a condição, naturalmente, de que não se passe nada de importante para a ação durante o trajeto: como tudo o que vemos na tela deve ser significativo, não se irá mostrar o que não o é, a menos que por razões precisas o diretor queira dar uma impressão de lentidão, ociosidade, tédio, às vezes de inquietação, e mais comumente o sentimento de que "vai acontecer alguma coisa": planos bastante longos e aparentemente destituídos de qualquer ação produzem de fato tal impressão (veremos isso a propósito da montagem). Assim, em *La paura* (Rossellini), vemos Ingrid Bergman atravessar interminavelmente as oficinas de uma fábrica e chegar finalmente a um laboratório: ela resolveu suicidar-se[1].

Ao lado dessas elipses inerentes à obra de arte, há outras que eu chamaria de *expressivas*, porque visam um efeito dramático ou porque são acompanhadas geralmente de uma significação simbólica.

Elipse de estrutura

São motivadas por razões de construção do enredo, isto é, razões *dramáticas*, no sentido etimológico da palavra.

---

1. A elipse de planos normalmente úteis à compreensão visual do enredo pode criar efeitos interessantes. É assim que Eisenstein e Pudovkin elidem propositalmente o instante decisivo de um gesto para nos mostrar apenas o esboço (um soldado ergue o sabre) e o resultado (um outro tomba, em *Tempestade sobre a Ásia/ Potomok Chingis Kahn* – Pudovkin): tal decupagem possui uma grande força de evocação. Eis um exemplo análogo, porém mais sutil, em *A nova Babilônia* (Kozintsev & Trauberg), pouco antes de explodir a insurreição da Comuna, no momento em que as mulheres vão a Montmartre para impedir o exército de levar os canhões: vê-se primeiro uma mulher sozinha, depois várias, depois uma multidão, mas elas não são vistas chegando, e como dão a impressão de brotar do chão, esse efeito de montagem traduz perfeitamente a perplexidade e a impotência do oficial encarregado de transportar as peças de artilharia. Vemos em tais exemplos que a elipse implica ao mesmo tempo os conceitos de ritmo e de símbolo.

É por isso que, nos filmes de intriga policial, deve-se deixar o espectador ignorar um certo número de elementos que condicionam seu interesse pelo rumo da ação: por exemplo, a identidade do assassino. Na cena inicial de *Rancor/Crossfire* (Dmytryk), assistimos a uma luta que se desenrola em parte no escuro e cujos protagonistas nos são desconhecidos; uma lâmpada de cabeceira, derrubada durante a luta, ilumina-lhes apenas as pernas.

Mais comumente a elipse tem por objetivo dissimular um instante decisivo da ação para suscitar no espectador um sentimento de espera ansiosa, o chamado *suspense*, que os diretores americanos tanto prezam. Encontramos um ótimo exemplo em *No tempo das diligências* (Ford): prepara-se um duelo entre um jovem corajoso e três bandidos na rua principal de uma cidadezinha do oeste; mas a câmera transporta-se para um *saloon* onde os frequentadores aguardam atentos ao início da luta. Ouvem-se tiros, a porta então se abre e um dos bandidos aparece, mas, tendo dado alguns passos, cai morto no chão, para logo em seguida chegar o herói, são e salvo. Alguns dos jovens desencaminhados de *Putievka v gizn* – O caminho da vida (Ekk) são separados por bondes que se interpõem ao grupo conduzido pelo educador, desaparecendo de nossos olhos durante um bom momento: quando enfim os bondes se põem em marcha, vemos que os rapazes não aproveitaram essa circunstância para tentar escapar. Há um jogo de cena semelhante em *Hotel do Norte/Hôtel du Nord* (Carné), no momento em que o rapaz, acreditando ter matado a mulher que amava, quer atirar-se debaixo de um trem do alto de uma ponte; nesse instante passa uma composição que nos oculta o jovem; quando a fumaça do trem se dissipa, vemos que ele não teve coragem de se lançar no vazio. Também em O terceiro homem (Reed) encontramos um bom efeito de *suspense*: o porteiro, quando está para fazer revelações ao amigo de Harry Lime, volta-se para a câmera, deixando transparecer no rosto o medo ante a visão de alguém que o diretor não nos mostra, mas logo saberemos que veio assassiná-lo para impedi-lo de falar. Porém, eis um exemplo mais belo e vigoroso: em *A carne e o diabo/Flesh and devil* (Brown), da sugestão de um duelo entre o marido e o amante passamos diretamente e sem transição a um plano da jovem esposa provando roupas de luto com um sorriso nos lábios.

A elipse pode ainda ser exigida pela sustentação dramática do enredo e tenta evitar uma ruptura da unidade de tom omitindo um incidente que não se adapta ao clima geral da cena. Em *Roma, cidade aberta* (Rossellini), por exemplo, um padre da Resistência é obrigado a bater com uma frigideira no doente a quem supostamente vai ministrar a extrema--unção para justificar sua presença na casa sem levantar suspeitas da polícia; o filme não nos mostra esse gesto, que teria arruinado a intensidade dramática do episódio; ele apenas nos é sugerido pela sequência, e a intromissão dessa nota discretamente cômica contribui *então* para a distensão do espectador.

As elipses mencionadas acima são de certo modo *objetivas*, pois é para o espectador que alguma coisa é dissimulada. Vejamos agora as que poderiam ser chamadas de *subjetivas*, quando o *ponto de escuta* de um personagem nos é dado para justificar a elipse do som.

A heroína de *Desencanto* (Lean), perturbada pela partida do homem que começara a amar, vê-se importunada por uma vizinha tagarela no trem que a leva de volta para casa: um primeiro plano do rosto desta mulher oferece então o ponto de vista de Laura, que não "escuta" mais os mexericos da outra, passando o seu monólogo interior para o primeiro plano sonoro; a elipse das palavras da vizinha importuna corresponde ao desinteresse da heroína e, portanto do espectador, por sua vacuidade. De maneira semelhante, Pudovkin, numa cena de *O desertor/Desertir* que se passa num bonde, não nos deixa ouvir o ruído do veículo porque a atenção dos viajantes está voltada para outra coisa. Em *Chtchors* (Dovjenko), um soldado, transtornado pelo fragor da batalha, tapa as orelhas, e a cena torna-se silenciosa. Em *O fugitivo/I am a fugitive from a chain gang* (Le Roy), o personagem principal não ouve mais os latidos dos cães de seus perseguidores quando mergulha num lago (também a câmera está debaixo d'água).

Temos enfim elipses que poderiam ser chamadas de *simbólicas*, em que a dissimulação de um elemento da ação não tem uma função de suspense, mas reveste-se de uma significação mais profunda.

Em *A patrulha perdida/The lost patrol* (Ford), um esquadrão de soldados britânicos é assediado num forte em pleno deserto; uns após os outros, vão sendo mortos, incapazes de qualquer defesa, por inimigos árabes que não se veem jamais, salvo nas últimas cenas: isso torna sensível o caráter muito particular da guerra de guerrilhas, em que o inimigo ataca sem se mostrar e em seguida desaparece. Também no momento em que termina *A longa viagem de volta/The long voyage home* (Ford), o navio cargueiro é metralhado por um avião de caça alemão que permanece invisível, estando toda a sequência mergulhada numa atmosfera de fatalidade e impotência[2].

Campeão da *litotes*[*] Bresson frequentemente costuma enquadrar apenas as pernas dos atores (ou as patas dos cavalos), e faz troça dos aficionados do suspense mostrando (embora a trilha sonora substitua as imagens) uma cena de fuga da polícia em que só aparecem os pés do ladrão sobre os pedais da bicicleta (*L'argent*).

Finalmente, fora de qualquer categoria, eis uma admirável elipse encontrada em *Casamento ou luxo?* (Chaplin): durante uma sessão de massagem, uma amiga, verdadeira língua de víbora, conta a Maria fofocas mundanas que a fazem sofrer; não vemos o rosto de Maria e sim, em primeiro plano e ao longo de toda a cena, o da massagista, onde se reflete, com uma impressionante riqueza de nuances, toda a gama dos sentimentos, que vão do estupor à indignação.

Elipses de conteúdo

São motivadas por razões de *censura social*. Com efeito, há uma série de gestos, atitudes e acontecimentos penosos ou delicados que os tabus sociais ou as normas da censura até recentemente proibiam de mostrar. A morte, a dor violenta, os ferimentos horríveis, as cenas de tortura ou assassinato eram em geral dissimuladas ao espectador e substituídas ou sugeridas de diversas formas.

Primeiramente, o acontecimento pode ser oculto, no todo ou em parte, por um elemento material: em *Gardiens de phare* (Grémillon), uma dramática luta de morte entre um pai e seu filho enlouquecido pela mordida de um cão raivoso nos é em parte dissimulada por uma porta que bate sob as rajadas de vento; em *A um passo da eternidade/From here to eternity* (Zinnemann), a câmera permanece fixa sobre um monte de caixas, atrás das quais tem lugar uma luta de faca: toda a atenção do espectador dirige-se então para a trilha sonora, que faz o papel de contraponto explicativo.

---

2. Poder-se-ia alegar que John Ford recorreu a essa elipse talvez simplesmente porque não tinha avião à sua disposição. Mas se foi assim, que importa? O gênio consiste também na arte de dominar as contingências. Ao filmar *Casamento ou Luxo?*, cuja ação se passa na França, Charlie Chaplin não tinha vagões franceses à mão: limitou-se assim a mostrar os reflexos das luzes do trem sobre o rosto de sua heroína. O achado era genial e o efeito espantoso.

[*] Figura de retórica, em que se afirma alguma coisa pela negação do contrário. (N. T.).

O acontecimento também pode ser substituído por um plano do rosto do autor do gesto ou das testemunhas: em *A caixa de Pandora/Die Buchse der Pandora* (Pabst), é no rosto espantado de Louise Brooks que lemos que ela acaba de ferir mortalmente seu amante; em *O boulevard do crime* (Carné), o assassinato do conde de Montray por Lacenaire nos é mostrado através do rosto estupefato do cúmplice do assassino; em *The cruel sea/O mar cruel* (Frend), acompanhamos através do rosto angustiado de um marinheiro o naufrágio de um petroleiro incendiado; e em *O cangaceiro* (Lima Barreto) é o espetáculo de um homem arrastado por um cavalo a galope que percebemos através do horror das testemunhas, cujos rostos são mostrados em primeiro plano.

Em terceiro lugar, o acontecimento pode ser substituído por sua sombra ou reflexo: permanece visível, mas de forma indireta, e o caráter secundário da representação atenua a violência realista. Em *Scarface, vergonha de uma nação* (Hawks), por exemplo, o famoso massacre de São Valentim entre dois grupos rivais de gângsteres nos é mostrado apenas pelas silhuetas dos assassinos e das vítimas projetadas numa parede; em *Pacto sinistro* (Hitchcock), uma cena de assassinato aparece refletida e deformada numa das lentes de um par de óculos caído ao chão que a câmera focaliza em primeiro plano.

Também acontece muitas vezes de o objeto da elipse ser substituído por um plano de detalhe mais ou menos simbólico, cujo conteúdo evoca o que se passa "fora de cena". Assim, em *Variété* (Dupont), uma mão que se abre e deixa cair uma faca é o suficiente para entendermos que o homem acaba de ser apunhalado por seu adversário; compreendemos que o herói de *Sem novidade no front/All quiet on the western front* (Milestone) acaba de ser morto porque sua mão, que se estendia para fora da trincheira na direção de uma borboleta, subitamente fica inerte; do mesmo modo, de uma pessoa morrendo vemos apenas, em *Que viva México!* (Eisenstein), um chapéu de mulher rolando pelo chão – em *Os malditos/Les maudits* (Clément), uma cortina cujas argolas são arrancadas uma após outra sob o peso da vítima que nela se pendura desesperadamente – em *Macadam* (Blistène), a manivela de uma porta levadiça girando solta – em *A dama de Xangai* (Welles), o balanço sutil do receptor do telefone, ao pé do qual um homem acaba de cair. De uma amputação, Hitchcock nos mostra, depois de consumada, apenas o sapato, agora inútil, que é lançado ao mar (*Um barco e nove destinos/Lifeboat*). Num registro cômico, desta vez, vemos uma briga através da montagem rápida de fotos de boxeadores em posição de ataque (*Gift horse*, Compton Bennett).

A imagem pode ainda ser substituída por uma evocação sonora (voltaremos a falar disso no capítulo reservado ao som no cinema): um homem avança em direção a outro tendo na mão uma faca que a câmera mostra em primeiro plano, depois a imagem escurece e ouve-se uma espécie de grito musical que evoca a penetração da lâmina na carne (*Cilada mortífera/Murder by contract*, Lerner). Eis agora uma bela montagem simbólica, visual e sonora ao mesmo tempo, da morte de Mustafá em *Putievka v gizn* – O caminho da vida (Ekk): primeiro plano de mãos lutando para alcançar um punhal – plano do sol se pondo (ouvem-se arquejos, em seguida um grito) – plano de um lago (coaxar de rãs) – escurecimento – o mesmo lago, na manhã seguinte (canto dos pássaros) – o cadáver sobre os trilhos.

Por fim, a elipse pode incidir sobre um elemento sonoro. Em *Les bonnes femmes* (Chabrol), os gritos (virtuais) da jovem estrangulada são substituídos pelos apelos, estranhos e impassíveis, de um pássaro. Mas às vezes há um recurso à música para a criação de efeitos líricos: a admirável sequência final de *Moi universiteti* – Minhas universidades (Donskoi) nos mostra o jovem Górki encontrando à beira-mar uma mulher em trabalho de parto; em vez dos gritos da parturiente, ouvimos uma frase musical dilacerante, enquanto na tela vemos as ondas lançando-se contra os rochedos. Efeito semelhante em *Os últimos cinco/Five* (Arch Oboler), em que a música substitui os gritos da parturiente, cujo rosto se funde com imagens de ondas furiosas.

Vejamos agora as proibições bem mais caracterizadas que pesavam sobre a representação de certos acontecimentos e os símbolos que eventualmente permitiam sugeri-los antes de ser abolida a censura.

A gravidez foi durante muito tempo um assunto tabu: embora haja inúmeros filmes em que a heroína se declara grávida (*Obsessão* – Visconti, *Roma, cidade aberta* – Rossellini, *Adúltera* – Autant-Lara, *Mônica e o desejo/Sommaren med Monika* – Bergman), bem menos numerosos são aqueles em que se vê uma mulher cujo corpo adquire as formas características de uma próxima maternidade (*Terra* – Dovjenko, *A linha geral* – Eisenstein, *O arco-íris/Raduga* – Donskoi – o cinema soviético não tem pudores nessa questão, e a maternidade cumpre aí um papel ideológico importante – *Farrebique* – Rouquier, *Salt of the earth* – Herbert Biberman, *Viagem à Itália/Viaggio in Italia* – Rossellini).

Quando não é visível, a gravidez pode ser sugerida de várias formas: vontade de morder uma maçã (*L'amore*, Rossellini)*, vontade de vomitar (A menina dos cabelos brancos, Wang Pin e Tchuei-Wha), desmaio (*Os boas-vidas*, Fellini).

Raramente o parto é visto no cinema (salvo em filmes excepcionais, como *Nous voulons un enfant* – Queremos um filho, de O'Fredericks e Lauritzen, e Darás à luz sem dor – Fabiani) e o nascimento é sempre indicado pelos primeiros gritos do recém-nascido.

Caso interessante a assinalar é o de certas elipses devidas a tabus sociais particularmente poderosos, o que não impede, aliás, alguma curiosidade obscena: o dos sentimentos incestuosos, por exemplo (*Pension Mimosas* – Feyder, *O pecado original* – Cocteau, *Les enfants terribles* – Melville), ou o da homossexualidade, problema que era evocado em raros filmes e de maneira mais ou menos dissimulada: homossexualidade masculina (*Relíquia macabra* – Huston, *Obsessão* – Visconti, *Rancor* – Dmytryk, *O salário do medo* – Clouzot, *L'air de Paris* – Carné, *Os trapaceiros/Les tricheurs* – Carné, *De repente, no último verão/Suddenly last summer* – Mankiewicz, *Último tango em Paris/Last tango in Paris* – Bertolucci, *Um dia muito especial/Una giornata particolare* – Scola, *Zazie dans le métro* – Male, *Rocco e seus irmãos/Rocco e i suoi fratelli* – Visconti) e feminina (*A caixa de Pandora* – Pabst, *Senhoritas de uniforme/Mädchen in uniform* – Sagan, *Crime em Paris/Quai des Orfèvres* – Clouzot)[3].

Quanto ao ato sexual, é um acontecimento que participa da maior parte dos filmes, mas é mais difícil de se mostrar, apesar da ousadia de certos realizadores (*E Deus criou a mulher/Et Dieu créa la femme* – Vadim, *Os amantes/Les amants* – Malle, *A fonte da donzela/Jungfrukällan* – Bergman). Era sugerido de diversas formas:

– por uma imagem mais ou menos simbólica, não pertencente ao contexto e introduzida por montagem: uma corda de violão que se rompe (*Clandestinas da noite/Marchand de filles* – Cloche), imagens de explosões e torrentes de água para sugerir um touro cobrindo uma vaca (*A linha geral*, Eisenstein);

---

* Filme exibido no Brasil em duas partes: *A voz humana* e *O milagre*. (N. T.)
3. O tabu da homossexualidade foi sendo aos poucos quebrado pela liberalização dos costumes, a partir dos anos 1960: temos hoje *A gaiola das loucas/La cage aux folles* – Molinaro, numa visão cômica, e *L'homme blessé* – Chéreau, num registro dramático. O tabu das drogas tem resistido mais: em 1969, na França, *More* (Barbet Schroeder) ainda enfrentava problemas com a censura.

– por uma imagem mais ou menos simbólica, não pertencente ao contexto da ação: uma onda espumante (*A rede* – Fernández, *Mônica e o desejo* – Bergman, *Le bois des amants* – Autant-Lara); rastros luminosos de balas num tiroteio noturno (*Destinées* – Christian Jaque, Delannoy, Pagliero); fogos de artifício (*Ladrão de casaca/To catch a thief* – Hitchcock); um trem penetrando num túnel (*Intriga internacional/North by northwest* – Hitchcock).

Mas a maioria das elipses sobre o sexo obedecem a um movimento da câmera que, após mostrar as primeiras carícias amorosas, parece afastar-se discretamente. É comum então a cena terminar num escurecimento; a câmera pode também se fixar sobre um elemento material, com o qual o diretor nos faz compreender (através de uma fusão encadeada) que um certo lapso de tempo decorreu (um cinzeiro vazio, depois cheio; o gotejar da chuva sobre uma vasilha com água, a mesma vasilha depois que a chuva cessou, em *A besta humana* – Renoir) ou que os protagonistas estão ocupados com alguma coisa (o arranhar monótono de um disco que, tendo chegado ao final, continua girando, em *Rotation* – Rotação, de Staudte); a câmera pode ainda dirigir-se para um objeto que pertence igualmente à ação e se acha revestido de um valor simbólico ou alusivo: um colar rompido cujas contas se esparramam no chão (*Êxtase/Extase* – Machaty), uma gravura que representa um clarim dando ordem de ataque (*Boudu sauvé des eaux* Renoir), uma estampa graciosa do século XVIII (*Vivamos hoje/Édouard et Caroline* – Becker), o fogo na lareira evocando a chama da paixão (*Adúltera* – Autant-Lara), uma estrela-do-mar que, no contexto, simboliza o amor dos dois heróis (*Águas tempestuosas* – Grémillon).

Enfim, a passagem do *vous ao tu*[*] é um "truque" infalível para dar a entender o que se passou.

Para terminar esta árida análise com uma nota mais alegre, não resisto à tentação de citar um texto em que Elmer Rice ironiza os mistérios que outrora cercavam a procriação no universo cinematográfico hollywoodiano: "A vida em Purilia", diz ele, "provém de uma fonte ignorada, e, se não posso defini-la, posso ao menos certificar que ela não é a consequência de uma união sexual... Apresso-me a dizer que, mesmo não sendo o resultado dessa união, o nascimento é sempre provocado por um casamento"[4].

---
[*] Referência específica ao contexto da língua francesa, em que *vous* e *tu* se empregam coloquialmente, mas o último representa uma marca de intimidade. (N. T.)
4. *Voyage à Purilia*, p. 83.

17. *A greve* (Sergei Eisenstein, 1924).

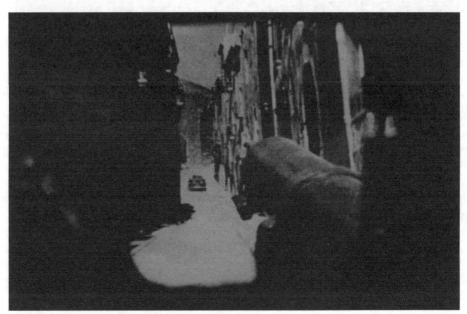

18. *Espoir (Sierra de Teruel)* (André Malraux, 1939).

19. *Harakiri* (Masaki Kobayashi, 1963).

20. *O bandido Giuliano* (Francesco Rosi, 1960).

Quem pode mais, pode menos. A elipse deve cortar sem, contudo emascular. Sua vocação não é tanto suprimir os tempos fracos e os momentos vazios quanto sugerir o *sólido* e o *pleno*, deixando fora de cena (fora do jogo) o que a mente do espectador pode suprir sem dificuldade. Robert Bresson, grande praticante da ascese e da litotes, recomenda, em suas *Notes sur le cinématographe*, que se atente para "o que se passa nas articulações", evitando-se o supérfluo ("Esteja seguro de ter esgotado tudo o que se comunica através da imobilidade e do silêncio"), assim como o redundante ("Quando um som pode substituir uma imagem, deve-se suprimir a imagem ou neutralizá-la"). Uma bela lição de *estilo*, esta que ele (se) dá: "Não corra atrás da poesia. Ela penetra sozinha através das articulações (elipses)"[5].

---

5. *Op. cit.*, pp. 25, 28, 61 e 35.

5
LIGAÇÕES E TRANSIÇÕES

Este capítulo é a continuação direta do precedente. Um filme é feito de várias centenas de fragmentos cuja continuidade lógica e cronológica nem sempre é suficiente para tornar seu encadeamento perfeitamente compreensível ao espectador; ainda mais que, na narração fílmica, a cronologia muitas vezes é desrespeitada e a representação do espaço sempre foi das mais audaciosas.

Na ausência (eventualmente) de continuidade lógica, temporal e espacial, ou pelo menos para maior clareza, o cinema é obrigado a recorrer a ligações ou transições plásticas e psicológicas, tanto visuais quanto sonoras, destinadas a constituir as articulações do enredo.

Os procedimentos técnicos de transição constituem o que poderíamos chamar de uma *pontuação*, por analogia com os processos correspondentes da escrita: mas é evidente que essa analogia é puramente formal, pois não podemos encontrar nenhuma correspondência significativa entre os dois sistemas. Num filme, as transições têm por objetivo assegurar a fluidez da narrativa e evitar os encadeamentos errôneos (quebra de eixo).

Vejamos uma nomenclatura desses procedimentos de transição.

A mudança de plano por corte: é a substituição brutal de uma imagem por outra, sendo a transição mais elementar, mais comum, e a mais essencial também: o cinema tornou-se uma arte no dia em que se aprendeu a juntar, cortando e colando, fragmentos inicialmente separados no momento da filmagem; a decupagem e a montagem pressupõem essas duas operações primárias. O corte é empregado quando a transição não tem valor significativo por si mesma, quando corresponde a uma simples mudança de ponto de vista ou a uma simples sucessão na percepção, sem indicar (em geral) tempo transcorrido nem espaço percorrido – e sem interrupção (também em geral) da trilha sonora.

O *início em fusão* e o *final em escurecimento* (ou *fade-out*, simplesmente) em geral separam as sequências umas das outras e servem para marcar uma importante mudança de ação secundária, ou uma passagem de tempo, ou ainda uma mudança de lugar. O *fade-out* representa uma sensível interrupção da narrativa e é acompanhado de um corte na trilha sonora: após tal transição, convém redefinir as coordenadas temporais e espaciais da sequência que se inicia. É a mais marcante de todas as transições e corresponde a uma mudança de capítulo.

A *fusão* consiste na substituição de um plano por outro pela sobreposição momentânea de uma imagem que aparece sobre a precedente, que desaparece. Tem sempre, salvo raras exceções, a função de significar um escoamento do tempo, fazendo substituir gradualmente dois aspectos temporalmente diferentes (em direção ao futuro ou ao passado, conforme o contexto) de um mesmo personagem ou objeto[1]. No início de *A regra do jogo/La règle du jeu* (Renoir), por exemplo, uma fusão nos faz passar de Geneviève falando com amigos para a mesma personagem conversando com outra pessoa e em outro lugar; já citei anteriormente a transição temporal sobre uma vasilha que recebe a água da chuva (*A besta humana*, Renoir). A fusão pode também ter apenas o papel de atenuar o corte direto, a fim de evitar saltos muito brutais quando se encadeiam vários planos de um mesmo assunto: é o que acontece na série de planos cada vez mais próximos da janela iluminada do castelo, no início de *Cidadão Kane* (Welles).

É preciso mencionar, por fim, a fusão sonora: assim, a música que acompanha o mergulho da professora no passado é invadida pelos ruídos da rua quando ela volta à realidade (*Os filhos de Hiroshima*, Shindo); do ruído que fazem os pés de Marc pisando no vidro espalhado, no chão do apartamento bombardeado, passamos ao que é feito por Boris,

---

1. Essa elipse temporal pode eventualmente ser acompanhada de uma mudança de lugar, mas o acento recai sempre sobre a passagem do tempo.

chafurdando na lama do campo de batalha (*Quando voam as cegonhas*, Kalatozov).

O *chicote*: fusão de um tipo especial, consiste em passar de uma imagem à outra por meio de uma panorâmica muito rápida, efetuada sobre um fundo neutro, que aparece *flou* na tela. É pouco empregada por ser muito artificial. Encontramos um exemplo desse tipo em *Cidadão Kane*, no momento em que as relações se azedam entre o magnata e sua primeira esposa: uma série de cenas curtas, ligadas por chicotes, nos mostram a evolução do amor ao hábito, daí à indiferença e por fim à hostilidade.

As *janelas* e as *íris*: uma imagem é pouco a pouco substituída por outra que desliza de algum modo sobre ela (seja lateralmente, seja à maneira de um leque) – ou então a substituição da imagem se faz sob a forma de uma abertura circular que aumenta ou diminui (*íris*). Esses procedimentos felizmente são pouco utilizados, pois materializam de maneira desagradável, aos olhos do espectador, a existência da tela enquanto superfície quadrangular. A íris foi empregada, sobretudo na época do cinema mudo: a *abertura em íris* (muito usada por Griffith) corresponde a um alargamento do campo através de um *travelling* de recuo a partir do elemento mais importante da imagem, e o *fechamento em íris*, a um *travelling* para frente (virtual) que evidencia um detalhe, cercando-o progressivamente de preto.

As ligações baseiam-se tanto numa analogia plástica quanto numa analogia psicológica.

Ligações de ordem plástica

A) *Analogia de conteúdo material*, isto é, quando a identidade, a homologia ou a semelhança fundam a transição: a passagem de uma carta das mãos de seu autor às do destinatário (*Soberba/The magnificent Ambersons* – Welles); de um trem de brinquedo a um comboio real (*Trágica perseguição*, De Santis); de um postal da cantora Lola-Lola à cantora em carne e osso no palco do cabaré (*O anjo azul*, Sternberg).

Eis uma mais sutil, com o auxílio da trilha sonora, que começa antes de aparecer a imagem correspondente: a passagem de uma gravura que mostra um soldado tocando clarim para uma banda municipal

(*Boudou sauvé des eaux*, Renoir), da trombeta de um arcanjo em estátua para as de uma banda militar (*Manniskor i stad/O ritmo da cidade* – Sucksdorf).

B) *Analogia de conteúdo estrutural*, ou seja, similitude da composição interna da imagem, entendida num sentido mais estático: a imagem de um jato de vinho escapando de um barril dá lugar (por substituição em leque) à dos camponeses saindo em multidão de um baile popular (*Senhorita Júlia/Frolen Julie* – Sjöberg); passa-se da imagem de uma bailarina girando à dos círculos da chuva numa poça d'água (*Os assassinos estão entre nós*, Staudte).

C) *Analogia de conteúdo dinâmico*, quando baseada em movimentos análogos de personagens ou objetos: são as *ligações no movimento*, isto é, a ligação entre os movimentos idênticos de dois seres diferentes ou do mesmo ser em dois momentos sucessivos de seu deslocamento. Por exemplo: passagem do fugitivo ao perseguidor nos *westerns*; da bota de um soldado morto lançada fora da trincheira para uma bota nova que um operário de indústria de calçados joga numa pilha (*Okraina*, Boris Barnet); de um homem batendo no cavalo para uma mulher batendo no filho (*Arsenal*, Dovjenko)[2]. Mas vejamos uma expressão melhor: a criação de uma relação de casualidade fictícia (uma garrafa vazia atirada longe por um bêbado – uma vidraça estraçalhada pelas pedras dos manifestantes, em *A morte de um ciclista/Muerte de un ciclista* – Bardem); a aproximação de duas imagens-choque (uma garrafa colocada violentamente sobre a mesa de um bar – uma faca arremessada que se crava num poste, em *O selvagem/The wild one* – Benedek); a introdução de uma analogia sonora (em *Os 39 degraus/The 39 steps* – Hitchcock, uma mulher, ao descobrir um cadáver, abre a boca para emitir um grito... que é substituído pelo apito de um trem saindo de um túnel; há aqui a combinação de uma analogia sonora e visualmente dinâmica, sendo a trajetória do grito, por assim dizer, substituída e continuada pelo curso do trem).

---

2. Uma ligação muito audaciosa desse tipo ocorre em *Intriga internacional* (Hitchcock): o herói puxa a mulher do precipício (vista em *plongée*) – ele a suspende no beliche do vagão-leito (vista em *contra-plongée*).

Ligações de ordem psicológica

A analogia que justifica a aproximação não aparece de forma direta no conteúdo da imagem, sendo o pensamento do espectador o que efetua a ligação. A esse tipo pertencem primeiramente as transições mais elementares, ou seja, as mudanças de plano baseadas no *olhar*; a técnica é evidente no *campo-contracampo* (a conversa entre dois personagens mostrados alternadamente), mas justifica também a maioria das relações que, em seguida à imagem de um personagem que *olha*, mostram *o que ele vê* ou *o que ele procura ver*; nesse último caso, é o pensamento do personagem que está na base da relação (melhor dizendo: sua tensão mental): trata-se de uma espécie de *campo-contracampo mental*[3].

A) *Analogia de conteúdo nominal*: justaposição de dois planos nas condições anunciadas: no primeiro, são designados ou evocados um indivíduo, um lugar, uma época, um objeto, que aparecem no plano seguinte, após um sinal de pontuação qualquer. Dir-se-á, por exemplo: "Onde está Bernard?", "Vou para Veneza", "Foi em 1925", e a cena seguinte introduz a pessoa, o lugar e a época anunciados. Em *Le ciel est à vous* (Grémillon), o marido declara: "Quando os negócios estiverem indo bem, instalaremos um letreiro luminoso", e a cena seguinte abre com um plano do letreiro brilhando sobre a garagem[2]. De uma forma mais sutil, em *Mãos vermelhas/Goupi mains rouges* – Becker, depois de se falar de guilhotina no diálogo, o plano seguinte mostra um personagem atravessando uma estreita passagem dominada por uma sombra em diagonal que evoca a lâmina da guilhotina.

B) *Analogia de conteúdo intelectual*: o elemento intermediário pode ser o pensamento de um personagem: ao entrar de manhã no quarto do professor, a governanta surpreende-se por encontrar o leito vazio e interroga-se; o plano seguinte mostra então Rath estendido no leito da cantora (*O anjo azul*, Sternberg); uma jovem pensa com sofrimento (primeiro plano de seu rosto) no pai, que a criada acabou de chamar de bêbado, e uma fusão introduz um plano do pai caído diante de uma garrafa de

---

3. Ao lado das transições baseadas no olhar, é preciso assinalar uma transição *olfativa*: Douglas Fairbanks, com uma cara de gula, aspira um cheiro no ar; a seguir, uma fusão *flou* introduz a imagem de pãezinhos sendo cozidos (*O ladrão de Bagdá/The thief of Bagdad* – Walsh).
4. Em *Os mil olhos do dr. Mabuse/Die tausend Augen des Dr. Mabuse* – Lang, tal encadeamento oferece ao espectador perspicaz uma indicação preciosa sobre a verdadeira identidade do referido Mabuse.

vinho no quarto ao lado (*Les inconnus dans la maison*, Decoin); nesses dois exemplos, o conteúdo mental do personagem é de certo modo materializado visualmente[5].

Mas o elemento intermediário pode ser também o pensamento do espectador, ou, mais precisamente, uma ideia sugerida ao espectador pelo cineasta graças à criação, por exemplo, de uma relação de causalidade fictícia ou simbólica (em *Antes do dilúvio/Avant le déluge* – Cayatte, vemos um grupo de antissemitas escrever num muro "Morte aos judeus"; após um primeiro plano da inscrição, sucede a imagem do jovem judeu assassinado na banheira por seus cúmplices)[6], ou de um encadeamento psicológico que anuncia a sequência da ação: "Eu me vingarei", diz Helena, e sua imagem dá lugar (através de uma fusão acompanhada na trilha sonora por um ritmo de sapateado) à da jovem dançarina que será o instrumento involuntário de sua vingança (*Les dames du Bois de Boulogne*, Bresson).

Caso especial, o *plano de cobertura* representa uma interrupção momentânea do fluxo dramático pela inserção de uma imagem fixa e neutra, destinada a evitar um *salto de imagem* entre dois movimentos. Encontramos uma utilização constante e específica desse recurso em Ozu, naquilo que Noel Burch chama de *plano-travesseiro* "por analogia com a *palavra-travesseiro* da poesia japonesa clássica": é um plano fixo "em forma de natureza-morta" (plano de cenário natural sem personagens) inserido entre duas sequências, tendo por finalidade introduzir o cenário da sequência seguinte e indicar uma mudança de espaço e de tempo. Esses planos *vazios*, bastante enigmáticos para o espectador ocidental que os percebe, estão não obstante carregados de uma intensa poesia visual[7].

---

5. Poderíamos definir igualmente uma *analogia de atitude psicológica* que se traduz por uma expressão idêntica de rostos, por exemplo, um ceticismo hostil (rostos "fechados"): passamos dos camponeses olhando o sacerdote incapaz de fazer cair a chuva para outros diante de um objeto desconhecido, a nova desnatadeira (*A linha geral*, Eisenstein).
6. Plano cortado por Cayatte na versão definitiva do filme, a que foi apresentada no Festival de Cannes de 1954, após uma exibição com exclusividade em Paris.
7. *Pour un observateur lontain*, pp. 175-183, e Tadao Sato, *op.cit.*, p. 190.

6
METÁFORAS E SÍMBOLOS

Ao examinar as características gerais da imagem, afirmei que ela entrava em relação dialética com o espectador num complexo afetivo--intelectual, e a significação que adquiria na tela dependia, em última análise, quase tanto da atividade mental do espectador quanto da vontade criadora do diretor. Ora, uma das fontes, talvez a principal, da relativa liberdade de interpretação do espectador reside no fato de que *toda realidade, acontecimento ou gesto é símbolo – ou, mais precisamente, signo – em algum grau*. Vimos igualmente que a *significação de uma imagem depende muito do confronto com as imagens vizinhas*. É o exame desses dois fatos fundamentais que irá nos ocupar neste capítulo.

Tudo o que é mostrado na tela tem, portanto, um sentido e, na maioria das vezes, uma segunda significação que só aparecem através da reflexão; poderíamos dizer que toda imagem *implica* mais do que *explicita*: o mar pode simbolizar a plenitude das paixões (*A noite de São Silvestre*, Pick), um punhado de terra representa o enraizamento à terra natal (*A mãe*, Pudovkin) e um simples aquário de peixes vermelhos iluminado ao sol pode ser a imagem da felicidade (*Okasan – Mamãe*, Mikio Naruse). É por isso que a maior parte dos filmes de qualidade admite vários níveis de leitura, conforme o grau de sensibilidade, imaginação e cultura do espectador. O mérito de tais filmes está em sugerir, para além do imediatismo dramático de uma ação, por mais profunda e humanamente apaixonante que seja, sentimentos ou ideias de ordem mais geral. Na gênese dessa significação segunda, o símbolo desempenha um papel muito importante. A utilização do símbolo no cinema consiste em recorrer a uma imagem capaz de sugerir ao espectador mais do que lhe pode oferecer a simples percepção do conteúdo aparente. A propósito da imagem fílmica é possível, com efeito, falarmos de um *conteúdo aparente* e um *conteúdo latente* (ou ainda, de um *conteúdo explícito* e um *conteúdo implícito*), sendo o primeiro direta e imediatamente legível e constituindo o segundo (eventual) o sentido simbólico que o diretor quis dar à imagem ou aquele que o espectador reconhece por si mesmo.

De maneira geral, o uso do símbolo no filme consiste em substituir um indivíduo, um objeto, um gesto ou um acontecimento por um *signo* (trata-se então da elipse simbólica que vimos antes), ou em fazer brotar uma segunda significação, seja pela aproximação de duas imagens (*metáfora*), seja por uma construção arbitrária da imagem ou do acontecimento que lhe confere uma dimensão expressiva suplementar (símbolo propriamente dito)[1].

As metáforas

Chamo de metáfora a *justaposição* por meio da montagem de duas imagens que, confrontadas na mente do espectador, irão produzir um choque psicológico, choque este que deve facilitar a percepção e a assimilação de uma ideia que o diretor quer exprimir pelo filme. A primeira dessas imagens é em geral um elemento da ação, mas a segunda (cuja presença cria a metáfora) pode ser retirada também da ação e anunciar a sequência do enredo, ou então constituir um fato fílmico sem nenhuma relação com a ação, tendo valor apenas pelo confronto com a imagem precedente.

Podemos definir vários tipos de metáforas:

A) *Metáforas plásticas*: baseiam-se numa analogia de estrutura ou tonalidade psicológica presente no conteúdo puramente representativo

---

1. Por analogia com as figuras de retórica correspondentes. *Metáfora*: consiste em substituir a significação própria de uma palavra por uma outra que não convém a essa palavra senão em virtude de uma comparação mental. *Símbolo*: imagem que serve para designar convencionalmente alguma coisa.

das imagens. Em *A greve/Stachka*, Eisenstein faz um paralelo entre as feições de alcaguetes da polícia, tendo como indicativo nomes de animais, e a imagem dos animais em questão; aproximação semelhante aparece em *A linha geral*, também de Eisenstein, entre o rosto gordo e inexpressivo de uma mulher e um peru, e em *A propos de Nice* (Vigo), entre uma mulher pernóstica e uma avestruz de ar desdenhoso e solene.

Um efeito mais sutil encontramos nos planos das águas tranquilas do mar aproximados à imagem de uma criança adormecida (*O fim de São Petersburgo*, Pudovkin), nos planos dos rostos atentos e inquietos dos marinheiros aguardando o ataque, confrontados aos das máquinas paradas (*O encouraçado Potemkin*, Eisenstein), das imagens de explosões que assinalam a alegria dos trabalhadores à chegada da água benfazeja (*Zemliá jajdiot* – A terra tem sede, Iúri Raizman), os pés cansados de uma mulher do povo atravessando a Ponte Carlos IV de Praga, após um dia de trabalho, confrontados aos pés de uma estátua de Cristo nessa famosa ponte (*So ist das Leben* – Assim é a vida, Junghans).

Eis agora a metáfora cômica, baseada numa analogia de estrutura e de movimento: para escapar da polícia, Mackie deixa o salão da casa na ponta dos pés – uma estátua, com o pé levantado, é exibida no meio do salão (*A ópera dos pobres*, Pabst); os empregados de uma fiação rindo às gargalhadas – uma peça mecânica, num curto e rápido movimento vertical de vaivém, dá a impressão de que está rindo (*Krujeva* – As rendas, Iutkevitch)[2].

B) *Metáforas dramáticas*: desempenham um papel mais direto na ação, proporcionando um elemento explicativo útil para a condução e a compreensão do enredo. *A greve* contém um exemplo famoso: a imagem de operários metralhados pelo exército czarista é justaposta a uma cena de matadouros que mostra animais decapitados (aqui o segundo termo da metáfora não pertence à ação); no mesmo filme, vemos a justaposição de um capitalista utilizando-se de um espreme dor de limão e tropas preparando-se para atacar os grevistas. Em *Outubro*, também de Eisenstein, o chefe do governo provisório, Kerenski, é confrontado pela montagem a uma estatueta de Napoleão, querendo o diretor simbolizar com isso suas ambições; depois, imagens de harpistas sucedem-se às de um

---

2. Exemplo de transposição visual de uma metáfora verbal, o *mar de telhados*: um barco de papel destaca-se, por sobreposição, num panorama de telhados parisienses agitados por ondas fictícias sugeridas pela oscilação da câmera (*Entracte*, Clair).

dirigente antibolchevique que vai discursar, a fim de que se compreenda que o orador busca apenas fazer adormecer a vigilância revolucionária do povo. Em *So ist das Leben* – Assim é a vida, a morte da velha é sugerida por imagens da revoada de pombos e *flashes* de ondas furiosas. Ter-se-á notado que o segundo termo de algumas dessas metáforas (os animais, os harpistas, as ondas) não se relaciona com a ação do filme e é introduzido de forma totalmente arbitrária: eis uma característica bastante ousada do cinema mudo soviético e daquilo que Eisenstein chamava de *montagem das atrações*. Enfim, num registro irônico, vejamos um exemplo tomado de Hitchcock: durante a conversa entre uma atriz e um lorde, a imagem de um prato de queijo e um copo de vinho intervém subitamente, num *flash* muito breve, para simbolizar a vulgaridade da interlocutora (*Assassinato/ Murder*).

C) *Metáforas ideológicas*: sua finalidade é fazer brotar na consciência do espectador uma ideia cujo alcance ultrapassa largamente o quadro da ação do filme, implicando uma tomada de posição mais vasta sobre os problemas humanos. A abertura de *Tempos modernos* (Chaplin) é célebre – a imagem de um rebanho de ovelhas em marcha, seguida pela de uma multidão saindo de uma estação de metrô; em *A propôs Nice* (Vigo), um desfile de soldados é sucedido pelo plano dos túmulos de um cemitério; em *Tempestade sobre a Ásia* (Pudovkin), os minuciosos preparativos indumentários dos oficiais ingleses que vão se encontrar com o Grande Lama, a quem pretendem impressionar pelo porte, são comparados ironicamente com a limpeza e o polimento das estátuas do templo onde serão recebidos. Exemplo pungente vemos em *Nova terra/Nieuwe Gronden* (Jori Ivens), quando a imagem de um garoto subnutrido é confrontada à da destruição de cereais durante a crise de 1930.

Em *A mãe* (Pudovkin), encontramos enfim uma das mais belas metáforas do cinema, aliás, simultaneamente plástica, dramática e ideológica: ela se estende por uma boa parte do filme, comparando uma manifestação de grevistas na época czarista com o descongelamento de um rio na primavera. O símbolo nasce da similitude evidente entre os blocos de gelo que se rompem no começo da primavera e o fluxo dos operários arrastados por sua tomada de consciência diante da autocracia. Ernest Lindgren escreveu, a propósito dessa admirável sequência, palavras que traduzem perfeitamente seu sentido e seu alcance: "... O conjunto da sequência que descrevi é na verdade construído sobre a combinação de um certo número de ações distintas. Quatro delas pertencem ao próprio drama: a fuga do filho e seu encontro com a mãe, a revolta geral na prisão, a manifestação dos operários na cidade e a ação empreendida pelo exército para esmagar o movimento. Por trás do drama principal, há ainda duas outras ações secundárias: primeiro, as cenas da primavera, a água impetuosa das fontes e dos rios, as crianças rindo e brincando e as poças d'água refletindo o céu no chão lamacento; em segundo lugar, como elemento mais particular do aparecimento da primavera, os blocos de gelo descendo inexoravelmente o rio, ora calma e lentamente, ora chocando-se entre si. O movimento da sequência em sua totalidade constrói-se sobre a mistura desses elementos parciais opostos uns aos outros, com inter-relações extremamente sutis e variadas. Os planos da primavera são reintroduzidos para exprimir a alegria do prisioneiro. O mesmo tema reaparece no pensamento dos prisioneiros sentados na cela comum; retorna nas cenas da manifestação e dos soldados refletidos nas poças d'água da estrada. O gelo sobre o rio é um desenvolvimento natural do tema da primavera, adquirindo então uma importância particular por si mesmo. Há uma similitude evidente, plasticamente falando, entre o movimento do gelo e o da manifestação em marcha; um e outro começam lentamente, vão adquirindo força aos poucos, e, por fim, tal como os blocos de gelo que se chocam contra os pilares da ponte, a marcha dos operários transforma-se em desastre junto da mesma ponte e termina no caos e na confusão. Mas o gelo participa também naturalmente da cena e desempenha um papel realista no desenrolar da ação, já que o filho consegue escapar sobre um bloco de gelo, ficando temporariamente a salvo"[3].

Após ter visto o papel ideológico da metáfora, convém estudar seu *mecanismo psicológico*: abordamos assim alguns problemas que reencontraremos ao falar da montagem. A metáfora nasce do choque de duas imagens, sendo que uma é o termo de comparação e a outra o objeto da comparação, a coisa comparada; se nos reportarmos aos exemplos citados, veremos que o objeto da comparação é sempre um ou vários seres humanos, enquanto o termo da comparação é sempre um animal ou um objeto (avestruz, harpa, ovelhas, blocos de gelo, etc.): é normal que sempre se ponha em causa o rosto ou o gesto humanos, franzidos, investidos de uma tonalidade particular através do confronto – primeiro, porque o fato humano é

---

3. *The art of the film*, p. 86.

extremamente maleável, seguramente mais do que o objeto ao qual se refere; segundo, porque ele nos concerne e nos interessa mais do que qualquer outra realidade.

Procuremos pôr em evidência o mecanismo da metáfora estudando a que abre *Tempos modernos*. A visão do rebanho instaura em nós um campo de consciência de uma certa qualidade que corresponde à ideia sugerida por tal imagem: curiosidade divertida, atenção um tanto distraída. A imagem seguinte da multidão humana, ao contrário, traz um elemento bem diferente: ficamos logo muito mais *interessados, concernidos* por essa imagem que constitui um fato humano, donde o estabelecimento em nós de uma tonalidade psicológica muito mais densa, muito mais tensa. Há, portanto, um aumento da tensão mental: o sentido da aproximação das duas imagens aparece logo e conclama ao riso; mas a elevação de tom impede o riso de se manifestar e transforma-o num sorriso um pouco triste; o efeito obtido, longe de ser francamente cômico, é antes amargo, desiludido, enfim, bastante pessimista. Em compensação, é provável que a disposição inversa das duas imagens tivesse um caráter cômico bem mais nítido, devido à queda de tensão psicológica que teria suscitado.

Vemos assim que as duas imagens interagem mutuamente: a segunda adquire um "tom" e um "sentido" em função da coloração mental instaurada pela primeira e reage, por sua vez, sobre o "tom" e o "sentido" desta. Em resumo, o *sentido* da imagem nasce da confrontação dos dois planos; quanto ao seu *tom*, será trágico se houver aumento de tensão de um plano a outro (os soldados – os túmulos) e cômico no caso contrário (o orador – as harpas). Mas será a dominante psicológica e dramática do filme que dará à metáfora, em última instância, sua tonalidade exata: assim, uma metáfora com tendência cômica num filme trágico (o orador – as harpas) e uma metáfora com tendência trágica num filme cômico (ou, no caso mencionado, satírico: os soldados – os túmulos) irão adquirir um tom amargo e grave, e não abertamente risível.

Os símbolos

Há símbolo propriamente dito quando a significação não surge do choque de duas imagens, mas reside na *imagem enquanto tal*; ocorre em planos ou cenas pertencentes sempre à ação e que se acham investidos, além de sua significação direta, de um valor maior e mais profundo. Pode originar-se de várias maneiras, que passo agora a examinar.

A) *Composição simbólica da imagem*: trata-se de uma imagem em que o diretor reuniu mais ou menos arbitrariamente dois fragmentos de realidade para fazer brotar de seu confronto uma significação maior e mais profunda que o simples conteúdo material. Podemos distinguir diversos tipos:

– *personagem diante de um cenário*: as figuras dos afrescos de uma igreja russa parecem ser as testemunhas ameaçadoras da confusão de uma menina (*Groza* – A tempestade, Vladímir Petrov); o príncipe Kurbski, indagando-se se irá trair Ivan, tem sua silhueta recortada ante um olho enorme[4] na parede de uma capela (*Ivan, o Terrível*, Eisenstein); um pequeno empregado, de aparência lastimável, gesticula diante de um amplo e majestoso afresco do Renascimento (*O capote*, Lattuada); na frente dos monstros marinhos de um aquário, Elsa suplica a Michel que fuja com ela para livrar-se de um marido cruel (*A dama de Xangai*, Welles). Exemplos mais rebuscados: saindo da maternidade com um filho e abandonada pelo marido, uma mulher, ao passar diante de uma igreja, é fotografada de tal maneira que sua cabeça parece envolvida pela auréola do mártir (*O garoto*, Chaplin); Kerenski, filmado em *contra-plongée*, dá a impressão satírica de ter na cabeça uma coroa de louros erguida por uma estátua acima dele (*Outubro*, Eisenstein); o sádico, olhando uma vitrina, tem o rosto cercado pelo reflexo de fileiras de facas que simbolizam sua sanha assassina (*M, o vampiro de Düsseldorf*, Lang);

– *personagem com objeto*: citei anteriormente o belo enquadramento de *Esposas ingênuas* (Stroheim), em que a barra de um leito parece pesar sobre o espírito de uma mulher atormentada; enquadramento idêntico em *Lola Montés* (Ophuls), durante uma longa cena em que a heroína evoca a tristeza de sua vida, sendo seu rosto constantemente cortado pelo cano de aquecimento instalado na carruagem; efeito semelhante encontramos ainda em *A tortura do silêncio/I confess* (Hitchcock): escutando as várias testemunhas, o jovem padre acusado de assassinato é enquadrado várias vezes em plano médio, destacando-se, num canto da tela e em primeiro plano, a extremidade de uma barra metálica: a presença obsessiva desse

---

4. Equivalente do simbolismo hugoliano: "O olho estava no túmulo e olhava para Caim".

objeto torna fisicamente sensível o drama que se passa no personagem; também no mesmo filme, o padre, percorrendo a cidade antes de se entregar à polícia, é visto em certo momento em *plongée* distante, enquanto no primeiro plano vemos uma estátua de Cristo carregando a cruz. Efeito mais sutil, a navalha de barba agitada pelo amante parece (pelo efeito da perspectiva) cortar o pescoço do marido, futura vítima (*Obsessão*, Visconti); vemos o mesmo enquadramento com a luva que o policial veste cuidadosamente diante do homem que irá estrangular (*A marca da maldade/Touch of evil*, Welles);

– *duas ações simultâneas*: durante o casamento dos protagonistas, vemos pela janela aberta passar na rua um enterro, símbolo do erro dessa união que acabará com a morte trágica dos dois (*Ouro e maldição*, Stroheim); na cena de duplas núpcias de *Toni* (Renoir), à alegria geral dos convidados contrapõe-se o desespero de Josépha e Toni, ambos obrigados, pelas circunstâncias, a esposar alguém que não amam, apesar de seu amor recíproco; na sequência final de *O amor de uma mulher/L'amour d'une femme* (Grémillon), a jovem que chora a perda do amor com a partida do engenheiro tem sua dor agravada pelo palavrório inconsciente da nova professora que lhe fala de sua felicidade. Num registro cômico, temos a cena da ópera em *O milhão/Le million* (Clair): os dois artistas, que se detestam, cantam um dueto de amor, fazendo reflexões descorteses à parte, enquanto os dois amantes, escondidos atrás de um elemento do cenário, tomam para si as palavras inflamadas da canção. Por fim, encontramos no surpreendente e pouco conhecido *Il sole sorge ancora* – O sol ainda se levanta, Vergano, uma admirável sequência: no momento em que os nazistas conduzem à morte o padre e um outro membro da Resistência, os camponeses vão se reunindo à sua passagem até formarem uma multidão enorme; o padre então começa a recitar litanias da Virgem, a que os camponeses respondem com um fervor crescente, que contrasta com o pânico do inimigo;

– *ação visual combinada com um elemento sonoro*: o rosto da jovem atriz que o marido acaba de matar por ciúme projeta-se diante da tela onde ela canta "Tive apenas um amor, foste tu" (*Prix de beauté*, Genina); a dor de um prisioneiro que perdeu seu melhor amigo é sugerida pelo ranger da carroça que ele empurra e onde se encontra o cadáver (*Veliki utechitel* – O grande consolador – Kulechov); um ladrão descobre um cadáver ensanguentado e fica mudo de horror, enquanto fora dali se ouve o uivar de um cão (*La tête d'un homme*, Duvivier); um homem retira o prego que marginais enterraram nas suas costas: procura conter a dor, mas uma sirene ao longe parece gritar por ele (*O bruto/El bruto* – Buñuel); um soldado é morto apertando entre os dentes o fio telefônico que fora encarregado de consertar: restabelecida a comunicação, escuta-se em *off* o anúncio da vitória (*Veliki perelom* – A volta decisiva – Ermler); uma lenta panorâmica mostra as ruínas da sede do Reich nazista em Berlim, enquanto ouvimos a voz de Hitler prometendo paz e felicidade ao povo alemão (*Alemanha, ano zero/Germania, anno zero* – Rossellini); no momento em que o jardineiro examina a piscina onde talvez se encontre um cadáver, a professora assassina ensina a seus alunos o verbo *to find*, encontrar (*As diabólicas/Les diaboliques* – Clouzot); cantando o cântico "Tua é a vitória para sempre", uma jovem olha com rancor a cega que conquistou o coração de seu noivo (*Sinfonia pastoral/La symphonie pastorale* – Delannoy);

– *inscrição sublinhando o sentido de uma ação ou situação*: há bons exemplos em *A ópera dos pobres* (Pabst), quando os miseráveis de Londres, fazendo fila para obter, por dinheiro, a autorização que lhes permitirá mendigar, veem-se dominados ironicamente pela fórmula bíblica inscrita na parede: "É dando que se recebe"; também em *Intolerância* (Griffith), quando a câmera, seguindo os grevistas que fogem dos tiros da milícia patronal, revela a inscrição – "Hoje o mesmo que ontem". *Cidadão Kane* começa com um movimento de câmera que faz aparecer o cartaz "Proibida a entrada", símbolo da impossibilidade de penetrar na intimidade de um indivíduo. Em *Acossado* (Godard), cartazes de filmes antecipam o destino fatal do herói: "Viver perigosamente até o fim", "Pior será a queda";

– *inclusão de um elemento exterior à ação*: sobre um primeiro plano do rosto da heroína recebendo um beijo, portas que se abrem (em sobreposição) sugerem que ela conseguiu libertar-se de sua frigidez (*Quando fala o coração*, Hitchcock).

B) *Conteúdo latente ou implícito da imagem*: é a forma mais pura e mais interessante do símbolo. Consiste numa imagem que participa da ação e aparenta não conter outras implicações, mas cujo conteúdo acaba adquirindo, de uma forma mais ou menos clara e para além de sua significação imediata, *um sentido mais geral*. Devo distinguir aqui, como fiz para as metáforas, três grandes categorias de símbolos:

– *símbolos plásticos*: trata-se de planos em que o movimento de um objeto ou um gesto – ou sua ressonância afetiva – pode evocar uma realidade de outra ordem. O cinema soviético oferece numerosos exemplos desse simbolismo afetivo puro: em *O encouraçado Potemkin*, nos minutos que precedem a ordem de ataque contra os rebeldes que se protegem debaixo de um toldo, um certo número de planos (a roda de proa do encouraçado, uma bandeira com os brasões imperiais, um clarim) concorre com sua fixidez para reforçar a impressão de viva inquietação e espera impotente da tripulação; em seguida, iniciado o ataque, um plano que representa uma bandeira que tremula ao vento introduz um valor épico para acentuar o caráter da cena; do mesmo modo, em *Tempestade sobre a Ásia* (Pudovkin), a imagem de uma caixa de moedas caindo ao chão, e depois as de um aquário e um vaso de flores espatifando-se, constituem, por sua natureza de imagens-choque (primeiros planos breves e movimento muito rápido), uma espécie de contraponto plástico às cenas de violência que acompanham. Em *Othello* (Iutkevich), durante o longo monólogo em que Iago manifesta suas intenções criminosas, fogos de artifício espocam silenciosamente no céu atrás dele, como que para sublinhar a violência de seus propósitos. Mas eis um caso mais explícito: ainda em *O encouraçado Potemkin*, à imagem do médico lançado ao mar segue-se um primeiro plano de seu pincenê, que, retido por um cordame durante a queda, balança-se na ponta de um fio, evocando no espírito de Eisenstein a marionete ridícula e sinistra que fora esse homem, valendo-se de seu título de médico para afirmar que a carne cheia de vermes era própria para o consumo[5]; uma revoada de pombos simboliza de alguma maneira a partida da alma de um morto (*O martírio de Joana d'Arc* – Dreyer, *So ist das Leben/Assim é a vida*, Junghans; *L'espoin* – Malraux); em *Farrebique* (Rouquier), durante o enterro do avô, vemos as sarças embaraçando-se nas rodas do veículo como que para reter entre elas o homem que passou toda a sua vida no meio da natureza; em *Sinfonia pastoral* (Delannoy), os papéis que voam para todos os lados quando o pastor abre a porta de seu escritório simbolizam ao mesmo tempo a fuga da jovem e a surpresa inquieta do homem; em *Miort vii dom* – Recordação da casa dos mortos (Fiódorov), durante a conversa entre Dostoiévski e o chefe de polícia, a imagem, repetida várias vezes, de um

---

5. Eisenstein observa que se pode ver aqui o equivalente da *sinédoque*, que consiste em tomar a parte pelo todo, procedimento bastante usado no cinema exatamente por seu valor sugestivo.

lustre cujos pingentes de cristal se agitam tilintando torna perceptível a tensão da atmosfera da cena; no filme anteriormente citado de Iutkevitch, Otelo, atormentado pelo ciúme, é filmado em meio a redes de pescadores, dando a impressão de estar preso num labirinto.

Vejamos exemplos com efeitos sonoros: o descarrilamento do trem blindado alemão de *A batalha dos trilhos/La bataille du rail* (Clément) termina com o plano de um acordeão caindo sobre os destroços dos vagões, com uma cascata de notas estridentes e dissonantes, à imagem da morte inútil de homens sacrificados por uma causa injusta; em *Volúpia de matar/The sniper* (Dmytryk), uma prostituta bêbada dá um chute numa lata de conservas que é lançada com estrépito ladeira abaixo, imagem deplorável dessa mulher; por fim, a admirável sequência da entrada do trem na estação, em *Poslednaia notch* – A última noite (Raizman), contém um belo contraponto sonoro: o apito da locomotiva no silêncio da grande plataforma deserta simboliza de forma vigorosa a atenta inquietação dos homens à espreita;

– *símbolos dramáticos*: são aqueles que desempenham um papel direto na ação, fornecendo ao espectador elementos úteis para a compreensão do enredo; símbolos desse tipo são frequentes e geralmente bastante elementares: um candelabro que se apaga significa a morte de um personagem (*O mantô* – Kozintsev & Trauberg); Napoleão, voltando da ilha de Elba, traça seu plano de batalha contra o exército inglês na Bélgica; ao final da discussão, atira contra o mapa o cortador de papel que tem na mão e este se crava sobre um nome que a câmera nos mostra: Waterloo (*Madame Walewska*, Brown); uma jovem decide casar com um velho que a corteja, mas eis que uma marcha militar anuncia o retorno do belo legionário que ela ama: a jovem ergue-se subitamente, mas o colar que o homem lhe ofertara fica preso no encosto da cadeira, rompe-se e esparrama as pérolas no chão (*Marrocos/Morocco* – Sternberg); um homem, deixando cair inadvertidamente na lareira uma foto da mulher que foi sua amante, esboça um gesto para retirá-la das chamas, mas logo muda de ideia e a vê queimar com indiferença (*O garoto*, Chaplin); sobre um pequeno grupo de agitadores operários que discutem um plano de ação, vemos uma mão (a do chefe de polícia) fechar-se em superposição (*A greve*, Eisenstein); à imagem de uma jovem assediada pela corte insistente e interessada que lhe faz um oficial, superpõe-se a de uma aranha tecendo a sua teia (*A dama de espadas/The queen of spades* – Dickinson).

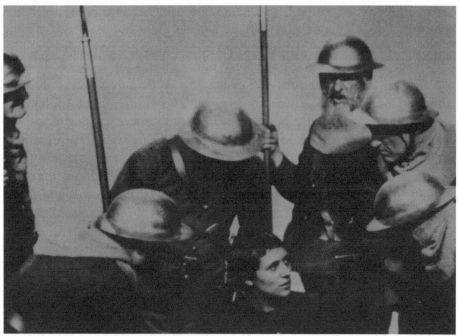

21. *O martírio de Joana d'Arc* (Carl Dreyer, 1928).

22. *Cinzas e diamantes* (Andrzej Wajda, 1958).

23. *Soberba* (Orson Welles, 1942).

24. *A sombra de uma dúvida* (Alfred Hitchcock, 1943).

Um pouco menos "legível", eis uma chaleira a ferver exprimindo a tensão crescente num grupo, que irá culminar num assassinato (*Dura lex* – Kulechov), e a leiteira que transborda para simbolizar o desejo sexual do casal (*Crime em Paris*, Clouzot); o salto quebrado do sapato e o passo claudicante traduzindo a degradação moral de uma mulher (*Casamento ou luxo?* – Chaplin), *O ouro de Nápoles/L'oro di Napoli* – De Sica); durante uma violenta discussão com o marido, uma mulher passa um creme para tirar a maquiagem, e a brutalidade com que esfrega o rosto manifesta sua confusão interior (*Quem matou Leda?/A double tour* – Chabrol); em *Obsessão* (Visconti), aparece subitamente à protagonista uma mulher que tem à mão uma podadeira e cujo rosto permanece à sombra: seria a Morte, *sua* morte?[6]

Mas podem haver também efeitos bem mais elaborados. Um excelente exemplo, em *Ouro e maldição* (Stroheim): Marcus, amigo do jovem casal, furioso por ter perdido o dinheiro ganho por Trina graças ao bilhete de loteria que deu a ela, resolve reaver aquela quantia por todos os meios, e sua vontade maligna se exprime por um plano repetido várias vezes na sequência, mostrando um gato quê tenta alcançar dois pássaros apavorados numa gaiola. Símbolo um pouco mais sutil é a morte do canarinho na sequência inicial de *O Anjo Azul* (Sternberg): o incidente serve sem dúvida para mostrar o caráter sentimental do professor, mas seguramente é também uma prefiguração de sua morte no fim do filme, ele mesmo um ser tão frágil quanto o canário; a impressão de presságio trágico contida nesse acontecimento insignificante é reforçada, nas primeiras visitas do professor a Lola-Lola, pela presença insistente e silenciosa de um palhaço, que não é senão o símbolo da próxima derrocada de Rath. Em *Tempestade sobre a Ásia* (Pudovkin), há um jogo de cena bastante estranho, mas singularmente vigoroso: notamos que o soldado inglês, ao levar o prisioneiro mongol para o fuzilamento, toma o cuidado de não pisar nas poças d'água; ao voltar, porém, uma de suas polainas solta-se e arrasta-se na lama, o que ele não consegue mais evitar: seu comportamento simboliza com força o transtorno mental do soldado, a quem repugna e indigna a execução que foi obrigado a praticar.

Recordemos enfim o papel simbólico que podem desempenhar o som (um homem, arruinado e desesperado, escuta em *off* os apelos dos crupiês, simbolizando a paixão do jogo que o assalta, em *Le joueur* –

---

6. Não esquecer o papel simbólico do cenário e dos elementos naturais, anteriormente analisado.

Autant-Lara) e a cor (em *Heimat* – Terra natal, Reitz, filmado majoritariamente em preto e branco; a cor intervém para acentuar os tempos fortes da ação).

– *símbolos ideológicos*: assim chamados porque servem para sugerir, repito, ideias que ultrapassam os limites da história na qual se inserem. Em *L'espoir* (Malraux), uma formiga que passeia sobre a mira de uma metralhadora parece simbolizar a inocência da vida natural confrontada ao monstruoso mecanismo da guerra; e pode-se ler uma significação um pouco análoga na sequência famosa em que o camponês, embarcado num avião para indicar a localização de um aeroporto inimigo, não reconhece mais sua terra natal, vista do alto. Em *Outubro*, no momento em que o Palácio de Inverno é tomado pelos operários revolucionários, Eisenstein mostra-nos um relógio onde diversos mostradores indicam as horas locais nas grandes capitais, querendo dizer-nos que esse acontecimento irá mudar a história do mundo. Em *Ladrões de bicicletas/Ladri di biciclette* (De Sica), o operário Ricci prepara-se para afixar um cartaz de Rita Hayworth, quando roubam sua bicicleta: conhecendo as opiniões do cineasta e de seu roteirista Zavattini, veremos sem dificuldades que esse cartaz é o símbolo da profusão de imagens imbecilizantes e corruptas que Hollywood despeja sobre as telas do mundo, imagens cujo luxo e falsidade só se equiparam à miséria material e moral de uma grande quantidade de seres humanos. Quando a jovem operária de *Le point du jour* (Daquin) comenta, a propósito do muro da mina: "Quando eu era pequena, acreditava que não havia nada atrás desse muro", é evidente que o diretor Louis Daquin está exprimindo sua concepção da sociedade e que esse muro enorme e intransponível simboliza a lamentável divisão da sociedade em classes antagônicas. Ao ser levado ao cemitério o jovem tratorista de *Terra* (Dovjenko), morto por um contrarrevolucionário, uma mulher, na passagem do cortejo, é acometida pelas primeiras dores do parto: assim a vida nasce incessantemente da morte, tema frequente no cinema soviético, onde homens desaparecem na batalha revolucionária enquanto outros nascem para preparar as futuras colheitas. Quando, no final de *Trágica perseguição* (De Santis), o antigo deportado, que o desemprego e a miséria haviam feito ingressar num bando de gângsteres, compreende seu erro e retoma voluntariamente para junto de seus camaradas camponeses, que lhe devolvem a liberdade e o perseguem amistosamente, atirando torrões de terra em direção aos campos pacíficos da pátria libertada: é quase uma purificação, um exorcismo imposto pelos trabalhadores da cooperativa àquele que, por seu desvio criminoso, havia traído sua terra; através desse símbolo dentro do espírito do cinema soviético, De Santis exprime uma espécie de participação vital entre a terra e os homens que vivem de uma substância. Numa perspectiva não realista, cabe citar este efeito bastante original encontrado em *Oblomok imperii* – Ruínas do império (Ermler): quando o amnésico recupera seu passado, vemo-lo (em *flashback*) encontrar-se face a face, no campo de batalha, com um soldado alemão que tem o seu rosto, que é ele próprio; do mesmo modo, os agentes de ligação, os telefonistas, os artilheiros de cada lado, todos são ele: com isso o diretor nos faz entender que na guerra os homens combatem contra si mesmos, já que por natureza são todos irmãos. Vejamos enfim um dos mais audaciosos e emocionantes símbolos (apesar de seu caráter não realista) da história do cinema, contido em *Arsenal* (Dovjenko): no fim do filme, quando a greve dos operários do arsenal é esmagada pelo exército czarista, o homem que liderou o movimento avança frente ao pelotão de execução: metralhado à queima-roupa, ele, no entanto não cai, mas descobre o peito como para mostrar aos soldados que o que vive nele é uma ideia mais forte do que a morte[7].

Percebe-se dessa forma que a força e a eficácia do símbolo serão tanto maiores quanto menos visível ele for de início, quanto menos fabricado e artificial parecer. É evidente, porém, que as possibilidades da expressão simbólica dependem do estilo e do contexto, e que um símbolo fantasmagórico como aquele de *Arsenal*, que acabo de citar, só é imaginável e admissível no universo quase surrealista de Dovjenko. Seja qual for, o processo normal do símbolo é sempre fazer surgir uma significação secundária e latente sob o conteúdo imediato e evidente da imagem.

Ora, existem filmes – muito poucos, para falar a verdade – que revelam uma curiosa subversão dos valores e um flagrante desconhecimento da natureza realista do cinema. Esses filmes transformam a aparência diretamente legível da ação (primeiro grau de inteligibilidade de um

---

7. Vigorosos efeitos simbólicos podem ser obtidos pela superposição de planos, cada um retomando a ação um pouco antes do instante em que o precedente a deixou. O exemplo mais famoso encontra-se em *Ivan, o Terrível* (Eisenstein), quando são despejadas peças de ouro sobre a cabeça do novo czar: o efeito obtido é uma espécie de dilatação da duração para acentuar a solenidade do instante. O mesmo procedimento e a mesma impressão em *O encouraçado Potemkin*, quando, após o incidente da carne apodrecida, um dos marinheiros quebra no chão um prato que contém a inscrição: "Dai-nos o pão de cada dia". Também na famosa cena de Kerenski subindo a grande escadaria (em Outubro), a superposição sublinha ironicamente a ambição do personagem e nos leva a pensar que ele jamais alcançará seu objetivo. Em *O fim de São Petersburgo* (Pudovkin), o mesmo efeito, aplicado à subida do elevador onde se encontra o capitalista, enfatiza o poder e a pompa do indivíduo.

filme) num simples suporte, artificialmente criado para que fique subentendido um sentido simbólico (segundo grau de inteligibilidade), que assume um lugar de primeira importância. Tais filmes infringem a "regra do jogo" cinematográfica, que pretende que a imagem seja primeiro uma peça de realidade diretamente significativa, e depois, acessória e facultativamente, a mediadora de uma significação mais profunda e geral. Ao fazer isso, expõem-se a vários perigos, principalmente o de uma ação artificial e inverossímil.

É o que transparece particularmente nos filmes *escritos* (e eventualmente dirigidos) por poetas, como Jacques Prévert e Jean Cocteau, porque eles tendem a transpor diretamente para a tela os símbolos e os mitos de seu universo poético. O rico conteúdo mítico ou metafísico rompe então o frágil invólucro realista concebido para a circunstância e aparece em primeiro plano com todas as suas inverossimilhanças duramente acentuadas pelo coeficiente de realidade que impregna tudo o que vemos na tela: tal é o motivo, por exemplo, do fracasso de *As portas da noite* (Carné), cujo cenário rocambolesco é impiedosamente desmascarado pelo contexto realista que se lhe quis imprimir. Do mesmo modo, no que diz respeito à interpretação, o mito transparece no personagem: Jules Berry, que em *Trágico amanhecer/Le jour se leve* (Carné) impressionara ao encarnar um personagem que era evidentemente o Diabo, torna-se o Demônio explícito em *Os visitantes da noite/Les visiteurs du soir* (do mesmo Carné), perdendo parte de sua fascinante e inquietante presença; assim também, em *As portas da noite*, Jean Vilar é o Destino antes de ser um mendigo, e a verossimilhança de seu personagem ressente-se disso; o mesmo constatamos a propósito da Morte personificada por Maria Casarès em *Orfeu/Orphée* (Cocteau).

Está aí o perigo de querer verter os mitos no molde do universo *realista*: acaba-se criando uma realidade fílmica cuja significação realista é secundária em relação à significação *simbólica*; o caráter profundamente "documentário" do cinema registra então, de forma incômoda e imediata, o conteúdo que deveria permanecer secundário e que, vasculhado pelo olho implacável da câmera, aparece em todo o seu paradoxo e sua fragilidade.

Sob esse aspecto, a atitude mais coerente e fecunda consiste, ao que me parece, em entregar-se deliberadamente e sem reticências à fantasia: é o caso de *A bela e a fera/La belle et la bête* (Cocteau), *Entre a mulher e o diabo/La beauté du diable* (Clair), *O homem que vendeu a alma* (Autant-Lara), *O mágico de Oz/The wizard of Oz* (Fleming).

7
OS FENÔMENOS SONOROS

Poderá parecer estranho que me vejam dedicar aqui um capítulo especificamente aos fenômenos sonoros. Seria errado, com efeito, fazer do som um meio de expressão à parte dos outros e considerá-lo uma simples dimensão suplementar oferecida ao universo fílmico, quando sabemos que o advento do cinema falado modificou profundamente a estética do cinema. Além disso, já fiz frequentes alusões aos componentes sonoros da linguagem fílmica nos capítulos anteriores. As páginas que seguem, portanto, têm a finalidade de recordar alguns dados históricos, estabelecer princípios gerais destinados a mostrar a extrema importância da contribuição sonora, para então retomar de maneira sistemática o estudo dos meios de expressão sonoros.

É sabido que o cinema se tornou *sonoro*, e depois *falado*, um pouco por acaso em 1926, quando uma produtora americana, a Warner, encontrando-se à beira da falência, tentou como solução desesperada esta saída, diante da qual as outras empresas recuavam por temerem um fracasso comercial[1]. O público logo acolheu com entusiasmo a novidade, apesar de muitas das maiores personalidades do cinema (críticos e diretores) manifestarem ceticismo ou hostilidade. "Os *talkies*?", declarou Chaplin, "podem dizer que os detesto! Eles vão acabar com a arte mais antiga do

---
1. Ver sobre o assunto a excelente *Histoire économique du cinéma*, de Baechlin.

mundo, a arte da pantomima. Aniquilam a grande beleza do silêncio". As reservas feitas por René Clair foram bem mais ponderadas, e o futuro iria em breve mostrar que o autor de *História de um chapéu de palha/ Un chapeau de paille d'Italie* (1927) era perfeitamente capaz de dominar a técnica sonora: "Importa acima de tudo", dizia ele, "buscar ações inteiramente compreensíveis pela imagem. A palavra deve ter apenas um valor emotivo, permanecendo o cinema uma expressão internacional falada por imagens. A linguagem de cada povo lhe dará simplesmente uma coloração musical".

Mas a tomada de posição historicamente mais interessante, e talvez a mais fecunda para o porvir, foi a que exprimiram Eisenstein, Pudovkin e Alexandrov em seu famoso manifesto de 1928[2]. Os três cineastas soviéticos começam por manifestar um temor que foi o de todas as boas cabeças da época: "O filme sonoro", escrevem, "é uma faca de dois gumes, e é provável que seja utilizado conforme a lei do menor esforço, isto é, simplesmente para satisfazer a curiosidade do público". Mas o maior perigo é talvez a invasão do cinema "pelos dramas da alta literatura e outras tentativas de teatralização na tela. Utilizado desse modo, o som destruirá a arte da montagem, elemento fundamental do cinema. Pois toda adição de som a frações de montagem intensificará ainda mais essas frações, e isso inegavelmente em detrimento da montagem, que produz seu efeito não por fragmentos, mas, acima de tudo, juntando ponta com ponta esses fragmentos". Ao mesmo tempo, porém, os três autores viam com perspicácia a riqueza da contribuição sonora e sua necessidade ante as insuficiências do cinema mudo. "O som, tratado enquanto elemento novo da montagem (e como elemento independente da imagem visual), introduzirá inevitavelmente um recurso novo e extremamente afetivo para exprimir e resolver os problemas complexos que nos desafiam até o presente e que não temos podido resolver em virtude da impossibilidade de achar uma solução contando apenas com elementos visuais". Por fim, exprimiam a ideia essencial de seu manifesto, a do "contraponto orquestral": "A utilização do som à guisa de contra ponto frente a um fragmento de montagem visual irá oferecer novas possibilidades de desenvolver e aperfeiçoar a montagem. As primeiras experiências com o som devem ser orientadas para sua 'não coincidência' com as imagens visuais. Esse

---

2. Cf. Marcel Lapierre, *Anthologie du cinéma*, pp. 243-246. O manifesto apareceu a 5 de agosto de 1928 na revista *Jizn Iskustva*.

método de ataque produzirá a sensação almejada que levará, com o tempo, à criação de um novo contraponto orquestral de imagens-visões e imagens-sons".

Pudovkin tentou aplicar esses princípios num filme intitulado *Prostoi sluchai* – A vida é bela, que continha audaciosos efeitos sonoros baseados na "não coincidência" entre imagem e som. Eis dois exemplos, relatados pelos que viram o filme na época (1930): "Em dado momento, uma mãe chora a perda de seu filho; em vez de nos fazer ouvir os soluços da pobre mulher, Pudovkin colocou a voz de uma criança a fim de sugerir diretamente que o homem por quem se chora é sempre, para a mãe, um *menino*. Noutra cena, uma mulher inclina-se na janela de um vagão para despedir-se do marido; de repente, lembra-se que esqueceu de dizer a ele algo importante; a confusão da partida, a emoção, impedem-na de se lembrar exatamente do que se trata; em sua mente, ela tem a impressão de que as rodas do trem começam a girar, que giram cada vez mais depressa, que o comboio acelera a marcha para afastá-la do marido antes que ela tenha podido dizer-lhe essa coisa importante. E o espectador, que ouve o ruído do trem partindo, dá-se conta de que tudo não passa de um temor da heroína, uma vez que, na tela, vê o trem imóvel e a mulher, que continua inclinada à janela do vagão"[3].

Contudo, foi no filme seguinte, *Desertor* que Podovkin pôde colocar efetivamente em prática as ideias lançadas no manifesto. Esse filme contém vários exemplos de utilização do som em "não coincidência": já citei anteriormente a sequência do bonde silencioso, e mais adiante veremos a descrição do emprego da música na mesma perspectiva. Quanto ao "contraponto orquestral de imagens-visões e imagens-sons", a realização mais perfeita aparece nas sequências de montagem rápida, em particular na de um navio em construção: com uma extraordinária destreza, Pudovkin superpôs aos *flashes* visuais toda uma gama sonora extremamente rica e variada, e a estrepitosa sinfonia dos ruídos do trabalho humano converge com o fluxo torrencial das imagens para um contraponto atordoante que exprime com raro vigor uma impressão de atividade febril.

---

3. Relatado por Marcel Lapierre, *Les cent visages du cinéma*, p. 603. Infelizmente, em meados de 1929, as técnicas de som ainda não estavam suficientemente desenvolvidas na Rússia para permitir uma perfeita realização dos efeitos sutis e complicados que desejava o autor. Por outro lado, o filme foi objeto de intensas críticas por parte das autoridades e dos primeiros espectadores devido à sua obscuridade. Com isso, apenas no final de 1932, numa versão muda e sob o título de *Um caso simples/Prostoi sluchai*, é que o filme foi liberado para distribuição geral.

Devemos sublinhar o quanto é injustificado o desdém com que certos cineastas e teóricos consideraram o cinema falado em suas origens. É falso tomar o cinema mudo como uma espécie de necessidade estética. Pesquisadores de vários países efetuaram, desde as origens, projeções sonoras antes que a técnica de inscrição do som na película fosse empregada. É admissível pensar que o cinema teria se tornado sonoro e falado bem antes, caso a indústria tivesse se interessado pelo problema, e nada permite afirmar qualquer necessidade estética do cinema mudo. O som faz parte, sem dúvida, da essência do cinema, por ser, como a imagem, um fenômeno que se desenvolve no tempo.

Eisenstein escreveu: "O som não foi introduzido no cinema mudo: saiu dele. Surgiu da necessidade que levou nosso cinema mudo a ultrapassar os limites da pura expressão plástica". Para André Bazin, "o filme mudo constituía um universo *privado* de som, donde os múltiplos simbolismos destinados a compensar essa deficiência". Os diretores achavam-se diante de um duplo problema:

– representar visualmente a percepção de um som por um personagem. Ao lado do procedimento que consiste em mostrar um indivíduo espichando a orelha e em seguida fazer ver a fonte do ruído, existe um outro menos rudimentar, a superposição, que, por sua própria natureza, representa uma espécie de *compenetração perceptiva*: ao primeiro plano da orelha de um homem que escuta superpõe-se a imagem de uma mulher andando num corredor (*Variété*, Dupont); um rosto com a superposição de uma mão batendo à porta (*So ist des Leben – Assim é a vida*, Junghans); um grupo de operários marchando alegremente ao som de um acordeão, cuja imagem aparece superposta a eles em primeiro plano (*A greve*, Eisenstein); um garoto cantando, com a partitura de *Oh Suzanna!* (*Os bandeirantes/The covered wagon*, Cruze);

– tornar sensível o som enquanto tal. Não devemos esquecer, certamente, que os filmes mudos comportavam um acompanhamento musical: quando a partitura de *Oh Suzanna!* aparecia na tela, o acompanhante tocava a melodia no piano (quando não era uma orquestra a executá-la), o mesmo acontecendo com a *Marselhesa* cantada no Clube dos Jacobinos (*Napoléon*, Gance). Mas esta era uma solução de certo modo fácil, e é claro que os filmes mudos, ao menos para os melhores diretores, deveriam bastar-se em si mesmos. Em grande número deles, encontramos tentativas de *visualização* dos sons, sobretudo através do primeiro plano.

Sendo o homem uma totalidade, evidentemente seus diversos órgãos perceptivos estão ligados, e é bem difícil ver um canhão disparando sem escutar *psiquicamente* a detonação. Ora, o primeiro plano, elevando ao máximo, como vimos, a atenção e a tensão mental do espectador, favorece essa *osmose perceptiva*.

Assim, por exemplo, desde 1914, em *The avening conscience*, Griffith recorre a repetidos primeiros planos de um lápis batendo numa mesa e de um pé martelando o chão para tornar sensível o batimento de coração que persegue obstinadamente o assassino do conto fantástico de Edgar Poe e que o levará a trair-se. De forma semelhante, Eisenstein, em *Outubro*, acumula primeiros planos de botas de cossacos dançando até tornar perceptíveis suas batidas cadenciadas; pouco depois, uma série de cortes rápidos de uma metralhadora disparando induz o espectador a ouvir seu ruído mortífero. Em *Fièvre* (Delluc), o *leitmotiv* visual do porto e dos barcos desempenha o papel de "fundo sonoro". Em *Eldorado*, L'Herbier torna ensurdecedora a atmosfera de um cabaré através da superposição de primeiros planos dos instrumentos de música, enquanto Epstein materializa as pancadas de um relógio por meio de palpitações, por assim dizer, da fotografia (*La chute de la Maison Usher*). Encontramos em *Napoléon* (Gance) um efeito audacioso: durante o ataque dos franceses às fortalezas de Toulon, todos os homens que tocavam os tambores são mortos, e é uma chuva de granizo, batendo nos instrumentos abandonados, que toma seu lugar para dar o toque de avançar. Um rufar de tambores é visualizado por *flashes* de relâmpagos e ondas em fúria (*Taras trjasilo* – Os tártaros, Tchardinin); o ruído de uma máquina de costura, por *flashes* de uma metralhadora atirando (*Oblomok imperii*, Ermler), aplausos, por imagens de explosões (*O desertor*, Pudovkin). Por fim, eis um trecho do roteiro de Gance para seu Napoléon onde percebemos nitidamente o desejo do diretor de tornar sensível o toque a rebate que soava em Paris:

Quatro primeiros planos diferentes de sinos.
....
Quatro outros planos de sinos, maiores, muito rápidos.
....
Mais quatro planos de sinos, mais rápidos e maiores ainda.
....
Cem sinos em quatro segundos, misturados.

Esses exemplos de "efeitos sonoros silenciosos", se é que se pode chamá-los assim, evidenciam o impasse em que se achavam os realizadores no fim do cinema mudo e os meios desesperados que tinham de empregar para compensar a ausência de fenômenos sonoros.

Amputada de uma dimensão essencial, a imagem muda precisava fazer-se duplamente significativa. A montagem assumia então um papel considerável na linguagem fílmica, pois era-se obrigado a intercalar constantemente no enredo planos *explicativos* destinados a fornecer ao espectador o motivo daquilo que seus olhos viam. Se, por exemplo, o diretor desejava mostrar os operários deixando a fábrica no fim da jornada de trabalho, via-se na obrigação de intercalar na cena um primeiro plano da sirene da fábrica soltando vapor. Ou então, se quisesse fazer "ouvir" um pianista tocando Debussy, devia introduzir o plano de uma folhagem ou de águas tranquilas. A imagem tinha então que assumir sozinha uma pesada tarefa explicativa além de sua significação própria: intercalação de planos ou montagem rápida destinadas a sugerir uma impressão sonora (lembre-se dos exemplos de *Outubro*)[4].

Ao contrário, o som coloca à disposição do filme um registro descritivo bastante amplo. De fato, pode ser utilizado como *contraponto* ou *contraste* em relação à imagem, e, em qualquer dessas rubricas, de maneira *realista* ou *não realista* – o que proporciona ao diretor, como iremos ver adiante, *quatro modos possíveis de organização das relações imagem-som*, ao invés da imagem única do filme mudo. Além disso, o som pode vir não apenas de uma fonte visível na tela, mas também de uma situada *fora de campo* (som em *off*). Vejamos desde já um exemplo das ricas possibilidades de expressão que oferece o som inteligentemente usado. Em *Mercado de ladrões/Thieves highway* (Dassin), uma prostituta é perseguida por dois assassinos; ela consegue escapar e esconde-se num depósito; não a ouvindo mais correr, os dois homens detêm-se para escutar. Temos então o plano seguinte: a mulher escondida, seu rosto exprimindo o mudo terror; o silêncio é completo em volta, mas ao longe o apito de um barco rasga a noite com apelos que são como gritos de angústia: eis um bom exemplo de som utilizado em contraponto realista *off* com valor simbólico.

---

4. Parece que a montagem rápida (*flashes*) no cinema mudo corresponde frequentemente à intenção de transmitir uma impressão *sonora*: com efeito, a montagem rápida é absolutamente não realista quando pretende aplicar-se à visão (não vemos apenas poucas coisas de cada vez devido à limitação de nosso campo de visão – e, em todo caso, jamais em semelhante ritmo), mas, em compensação, ela exprime admiravelmente bem a confusão sonora do universo real (os sons afluem em massa aos nossos ouvidos de todos os pontos do espaço, superpondo-se e mesclando-se num ambiente compacto e permanente).

Doravante, a imagem reconquista seu verdadeiro valor realista graças ao ambiente sonoro; muitos efeitos subjetivos são lançados na trilha sonora (as superposições de conteúdos da memória são substituídas por *vozes off*, por exemplo), e, para voltar ao que foi mencionado, o espectador ouve realmente o apito, e Debussy basta-se a si mesmo; a montagem impressionista torna-se praticamente inútil, na medida em que era um substituto do som; o primeiro plano quase desaparece enquanto elemento explicativo, limitando-se a uma função psicológica e dramática; por fim, a montagem diminui de importância em proveito da profundidade de campo, já que o filme pode exprimir-se por blocos de realidade concreta e total.

Em resumo, vejamos quais são as diversas contribuições do som ao cinema:

– *o realismo* ou, melhor dizendo, a *impressão de realidade*: o som aumenta o coeficiente de autenticidade da imagem; a credibilidade – não apenas material, mas estética – da imagem é literalmente multiplicada por dez: o espectador reencontra de fato essa polivalência sensível, essa compenetração de todos os registros perceptivos que nos impõe a presença indivisível do mundo real;

– a *continuidade sonora*: enquanto a imagem de um filme é uma sequência de fragmentos, a trilha sonora restabelece de certo modo a continuidade, tanto ao nível da simples percepção quanto ao da sensação estética; a trilha sonora é efetivamente, por natureza e necessidade, bem menos fragmentada que a imagem: em geral é relativamente independente da montagem visual e muito mais de acordo com o "realismo" no que concerne ao ambiente sonoro; de resto, o papel da música é primordial como fator de continuidade sonora ao mesmo tempo material e dramática;

– *a utilização normal da palavra* permite suprimir essa praga do cinema mudo que são os intertítulos; libera em parte a imagem de seu papel explicativo para que possa consagrar-se à sua função expressiva, tornando inútil a representação visual de coisas que podem ser ditas ou, melhor ainda, evocadas – a voz em *off*, finalmente, abre ao cinema o rico domínio da psicologia em profundidade ao tornar possível a exteriorização dos pensamentos mais íntimos (*monólogo interior*);

– *o silêncio* é promovido como valor positivo, e sabemos o papel dramático que ele pode desempenhar como símbolo de morte, ausência, perigo, angústia ou solidão. O silêncio, melhor do que a intervenção de uma música, é capaz de sublinhar com força a tensão dramática de um momento: basta recordar o silêncio atento dos milhares de operários reunidos durante os preparativos de teste da nova turbina (*Vstretchnii* – Contraplano, Ermler & Iutkevitch), do tique-taque do relógio martelando o silêncio que precede a deflagração do inferno atômico (*Os filhos de Hiroshima*, Shindo) ou o silêncio absoluto que acompanha o roubo em *Rififi/Du Rififi chez les hommes* (Dassin). Num nível mais elevado, perceberemos o lugar considerável que ocupa o silêncio no universo de Bresson e a nobreza que lhe confere (especialmente em *Le journal d'un curé de campagne*)[5];

– *As elipses possíveis do som ou da imagem*, em virtude de seu dualismo. E famosa esta elipse de *Sob os tetos de Paris/Sous les toits de Paris* (Clair): dois personagens discutem atrás de uma porta envidraçada sem que, no entanto, o sentido de suas palavras nos escape, um ataque discreto de René Clair contra o cinema falado; elipse idêntica encontra-se em *Desencanto* (Lean), no momento em que Alec pressiona Laura para vir à sua casa: um diálogo talvez supérfluo nos é poupado sem que a compreensão do filme em absoluto seja prejudicada; também em *A morte de um ciclista* (Bardem) não escutamos as palavras do cantor à heroína: elas são cobertas pela música do cabaré, sendo tanto mais inúteis quanto sabemos perfeitamente do que se trata; ainda o mesmo efeito em *O quadragésimo primeiro/Sorok pervii* (Tchukhhrai), durante o relato das aventuras de Robinson Crusoé pelo jovem oficial: não ouvimos suas palavras, apenas uma música forte, e vemos reflexos do sol sobre o mar superpondo-se ao rosto radiante de Mariutka, Uma elipse de imagem, se é que podemos dizer assim, aparece em *Sob os tetos de Paris* (Clair), quando uma briga à noite nos é indica da apenas pelos ruídos depois de quebrada a lâmpada que iluminava a cena. Finalmente, em *A besta humana* (Renoir), os dois amantes escutam com angústia os passos de um homem na escada, acreditando ser o marido, enquanto em *Scarface, vergonha de uma nação* (Hawks) e em *M, o vampiro de Düsseldorf* (Lang) identificamos ao assassino pela cantilena que assobia no momento de seus crimes;

– a *justaposição da imagem e do som em contraponto ou em contraste, a não coincidência* (realista ou não), e o *som em off* permitem a criação de todo tipo de metáforas e símbolos, dos quais voltarei a falar adiante;

---

5. "O cinema mudo já figurava o silêncio, mas o sonoro pode traduzi-lo por ruído, enquanto o mudo traduzia o silêncio em silêncio. O mudo punha o silêncio em cena. O sonoro concede-lhe a palavra" (E. Morin, *Le cinéma ou l'homme imaginaire*, p. 141). – "O cinema sonoro inventou o silêncio" (R. Bresson, *op. cit.*, p. 47).

– por fim, a *música*, enquanto não justificada por um elemento da ação, constitui um material expressivo particularmente rico.

Os ruídos

Os fenômenos sonoros dividem-se em duas grandes categorias, sendo uma reservada à música não determinada por um elemento da ação, e compreendendo a outra os ruídos de qualquer espécie.

Podemos distinguir nesta última:

– Os *ruídos naturais*: todos os fenômenos sonoros que percebemos na natureza virgem (ruídos do vento, do trovão, da chuva, das ondas, da água corrente, gritos de animais, cantos de pássaros, etc.);

– Os *ruídos humanos*, nos quais é preciso diferenciar: os *ruídos mecânicos* (máquinas, carros, locomotivas, aviões, ruídos de rua, de fábricas, de estações, de portos); as *palavras-ruído*: é o fundo sonoro humano, muito nítido nas versões originais em que as palavras não têm para nós qualquer sentido; o som das palavras faz parte integrante da atmosfera autêntica de um filme, transmite-lhe aquela "coloração musical" de que falava René Clair e, finalmente, a *música-ruído*: a dos filmes musicais, por exemplo, ou a que é produzida por uma estação de rádio (geralmente não passa de um fundo sonoro, mas pode adquirir um valor simbólico).

Os ruídos, tais como acabo de definir, podem ser utilizados primeiramente de forma "realista", ou seja, conforme à realidade: ouviremos apenas os sons produzidos pelos seres ou coisas que aparecem na tela ou que, sabemos, acham-se nas proximidades, sem que haja nenhuma intenção particular na justaposição imagem-som (corresponderia a tomadas de cena e de som simultâneas, sem "montagem" posterior). Todos conhecemos o importante papel dos ruídos em muitos grandes filmes e "documentários": penso no estrondo das ondas em *O homem de Aran/ Man of Aran* (Flaherty), nos murmúrios da floresta de *Louisiana story* (também de Flaherty), no barulho dos trens em *A besta humana* (Renoir) ou em *Correio noturno/Nightmail* (Wright), nos ruídos da rua (*Cidade nua*, Dassin; *Manniskor i stad – O ritmo da cidade*, Sucksdorf) ou das fábricas (*Vstretchnii* – Contraplano, Ermeler & Iutkevitch; *Le point dujour*, Daquin). Os ruídos da atividade humana possuem naturalmente tal valor dramático que certos filmes dispensam música.

Mas o som, por mais realista, raramente é utilizado de forma bruta: "No começo do cinema sonoro, registravam-se praticamente todos os sons que o microfone podia captar. Mas logo se percebeu que a reprodução direta da realidade dava uma impressão confusa e que os sons deveriam ser 'selecionados', da mesma forma que as imagens"[6]. De fato, frequentemente olhamos alguma coisa e prestamos atenção num som que provém dali; ou então estamos demasiado concentrados para perceber os sons que chegam aos nossos ouvidos: por essas razões, um sincronismo contínuo, ao invés de ser realista, produz um efeito antinatural.

Mas não resta dúvida de que o som nem sempre é um simples complemento da imagem e que a montagem permite empregos mais audaciosos, sobretudo através da "não coincidência" recomendada por Pudovkin. É possível obter efeitos sonoros que contenham valor simbólico, e isso sob as duas formas que já definimos: a metáfora e o símbolo propriamente dito.

Conforme vimos antes, a *metáfora* consiste em comparar (no interior de uma mesma imagem ou no confronto de duas imagens) um conteúdo visual e um elemento sonoro, destinando-se este último a sublinhar a significação do primeiro pelo valor figurado e *simbólico* que possui; de certo modo, o som entra em contra ponto mais ou menos direto com a imagem: assim, a respiração curta de um homem angustiado é aproximada ao resfolegar de uma locomotiva (*Êxtase*, Machaty), enquanto os silvos de vapor de outra locomotiva acompanham a agitação ruidosa de soldados que partem para o *front* (*Okraina*, Barnet) ou a alegria dos rapazes no dia da inauguração da via férrea que construíram (*Putievka v gizn* – O caminho da vida, Ekk); e, ainda, os guinchos das gaivotas que parecem zombar do garoto, após terem comido os peixes que ele pescou (*Manniskor i stad* – O ritmo da cidade, Sucksdorf).

A utilização "não realista" do som (isto é, em não coincidência com a imagem) produz um outro tipo de metáfora bem mais original. Em *Mascarade* (Willi Forst), relinchos superpõem-se à imagem de um burguês rindo, gritos de gansos à de meninas, grunhidos de porcos à de três bêbados derreados, e cacarejos de galinhas à de garotas de *musichall* tagarelando; em *Milagre em Milão/Milagro a Milano* (De Sica), as palavras de dois capitalistas que discutem pela posse de

---
6. René Clair, *Réflexion faite*, pp. 145-146.

uma terra transformam-se pouco a pouco em latidos; em *O milhão*, René Clair superpõe à briga de homens que disputam uma jaqueta os apitos de uma imaginária partida de *rugby*; efeito cômico parecido encontra-se em *Idylle à la plage* (Storck), quando a imagem de um homem que salta de moita em moita para se aproximar de sua namorada sem ser visto pela mãe dela é sonorizada por ruídos de tiros e explosões: por azar a mãe percebe sua presença e lança-lhe um olhar furioso... dublado por uma rajada de metralhadora! Num curta-metragem cômico de Michel Gast, *Les frères brothers en week-end*, no momento em que um homem aperta a campainha de uma casa ouve-se o ruído de uma caixa de descarga.

Enfim, vejamos um exemplo onde, pelo caráter rebuscado da comparação, entramos já na esfera do símbolo: em *Farrebique* (Rouquier), na cena da morte do avô, ouve-se o ruído de uma árvore derrubada sob os golpes dos lenhadores.

Os *símbolos* apresentam mais interesse do ponto de vista da linguagem fílmica. Chamo de símbolo, por analogia com o símbolo visual, todo fenômeno sonoro que tende a adquirir, para além do significado da imagem e de suas aparências realistas e imediatamente expressivas, um valor mais amplo e profundo. No momento da execução dos ferroviários de *A batalha dos trilhos* (Clément), por exemplo, os apitos das locomotivas gritam sua cólera e seu desejo de vingança aos ouvidos do inimigo; em *Anna Karênina* (Clarence Brown), o som estridente e lancinante do martelo de um verificador de trens abate-se sobre a dor da heroína; o apito do expresso que atravessa a estação desempenha o mesmo papel face ao desespero de Laura (*Desencanto*, Lean) e os ruídos de uma estação de triagem parecem acentuar o aborrecimento de dois amantes obrigados a se esconder num sórdido hotel de periferia (*Crimes d'alma/ Cronaca di un amore* – Antonioni). Quando o protagonista de *Sindicato de ladrões* (Kazan) confessa a Edie que foi ele que atraiu o irmão para a cilada que lhe custou a vida, a sirene de um rebocador põe-se a uivar nas proximidades (impedindo que o espectador escute suas palavras): Edie leva então as mãos à cabeça e desata a chorar, explicando-se seu gesto tanto pelo ruído ensurdecedor da sirene quanto pelo horror da revelação, sendo o primeiro apenas o contraponto do segundo, num jogo de cena de raro poder dramático. Em *As portas da noite* (Carné), a abertura de *Egmont*[*], que o burguês colaboracionista escuta em surdina no rádio enquanto narra suas "infelicidades", acentua o impudor grandiloquente

25. *Ivan, o Terrível* (Sergei Eisenstein, 1946).

26. *A regra do jogo* (Jean Renoir, 1939).

27. *Cidadão Kane* (Orson Welles, 1940).

desse personagem; uma função semelhante da música-ruído vemos em *Roma, cidade aberta* (Rossellini), quando uma música de jazz anima de forma quase desumana a dor do homem que acaba de ver a mulher que amava sendo morta.

Encontramos, por fim, alguns empregos "não realistas" do som com efeito subjetivo e/ou simbólico: em *O grande amor de Beethoven/Un grand amour de Beethoven* (Gance), um assobio lancinante materializa a surdez nascente do compositor, mas quando um garoto aparece na imagem não se ouve mais o assobio; Gance nos faz compreender assim que esse ruído é uma impressão puramente *subjetiva* do compositor. Mais tarde, imagens ruidosas (moinho, lavadeiras, sinos) aparecem mudas, porque são vistas por Beethoven surdo.

Em *Cidadão Kane*, a iluminação de cena, que se extingue num *decrescendo* dilacerante, exprime a derrocada de Susan, incapaz de suportar por mais tempo a vida de cantora fracassada que lhe impõe o marido; em *Okraina* (Barnet), à imagem do cadáver de Nicolas fuzilado no *front* da luta revolucionária vem superpor-se o canto de um grupo de bolcheviques desfilando vitoriosamente numa cidade da retaguarda; efeito análogo encontramos em *A besta humana* (Renoir): quando o chefe da estação descobre o cadáver de sua mulher assassinada, ouve-se (embora a disposição dos respectivos locais normalmente não o permita) a canção *Le petit coeur de Ninon*, interpretada por um cantor no salão de baile, como um comentário irônico ao trágico destino da jovem mulher.

A música

A música é sem dúvida a contribuição mais interessante do cinema falado. Não obstante, partituras musicais já haviam sido escritas para filmes da fase muda: Saint-Saens compôs uma peça para *L'assassinat du duc de Guise* (Calmettes & Le Bargy); Ildebrando Pizetti, para *Cabiria* (Pastrone); Henri Rabaud, para *Le miracle des loups* (Raymond Bernard); Erik Satie, *Entracte* (Clair); Arthur Honneger, para *La roue* (Gancep)[7]. Mas tratava-se aqui de música escrita para o acompanhamento de filmes e não de música de filme no sentido exato da pala-

---

* Drama escrito por Goethe e musicado por Beethoven. (N.T.)

vra, pois o princípio da correspondência rigorosa entre imagem e som ainda não era realizado tecnicamente nem reconhecido esteticamente. De resto, essas partituras escritas especialmente para filmes são casos excepcionais. Podemos supor também que os diretores mais exigentes e mais conscientes das possibilidades de sua arte compunham seus filmes de tal maneira que a inclusão de um acompanhamento musical fosse inútil. Ou seja, que eles exprimiam pela imagem equivalentes plásticos visuais daquilo que a música poderia significar no plano sonoro. É assim que os planos de ondas que vêm morrer na praia, retomados várias vezes em *A Noite de São Silvestre* (Lupu Pick) como uma espécie de *leitmotiv* plástico, representam sem dúvida um equivalente visual de uma possível partitura de caráter lírico[8], isto é, um contraponto ao drama das imagens e ao mesmo tempo a introdução de um elemento psicológico preciso (desejo de exprimir a grandeza e a universalidade desse drama humano – ou, ainda, de significar a impassibilidade da natureza diante das paixões humanas). Mas fica claro que a imagem do mar introduz um elemento visual que contém significação precisa e imediata, e que sua presença coloca ao espectador um problema de decifração intelectual, enquanto a música age apenas sobre os sentidos, como fator de intensificação e aprofundamento da sensibilidade.

Na época do cinema mudo, cada sala dispunha de um pianista ou de uma orquestra encarregados de acompanhar as imagens com eflúvios sonoros baseados numa partitura especialmente composta para essa finalidade, ou com indicações fornecidas, às vezes de maneira bem precisa, pela empresa produtora. Na passagem para o sonoro, o mesmo continuou acontecendo, mas desta vez sem o concurso de instrumentistas. Elmer Rice descreve de forma espirituosa essa febre musical: "O ar estava cheio de sons melodiosos – eu diria até: saturado; grandes ondas, doces harmonias eram despejadas ao redor de nós, sobre nós. A música nos envolvia, nos cercava. Teríamos podido apalpá-la, quase vê-la, tão dominador era seu ritmo. Que o leitor se imagine embalado, a cada instante de sua existência, no estado de vigília ou de sono, por uma música que o envolve como uma roupa acariciante. Isso funciona como uma droga estupefaciente, uma intoxicação crônica, uma embriaguez contínua; é algo irresistível e funesto; o cérebro mais equilibrado e o organismo mais

---

7. Essa partitura serviu de base ao movimento sinfônico *Pacific 231*, composto pelo autor em 1928.
8. "Seguidamente a música me toma como um mar" (Baudelaire).

robusto acabam se esgotando"[9]. As imagens eram enfeitadas de paráfrases musicais cujo espírito e propósito foram assim definidos por Adorno e Brecht: "O rugido do leão da Metro Goldwyn Mayer revela o segredo de toda música de cinema: o sentimento de triunfo pela existência do cinema e da própria música de cinema também. É como se a música insuflasse de antemão no espectador o entusiasmo em que o filme o fará mergulhar"[10]. E Bresson observou: "Quantos filmes mal remendados pela música! Inunda-se um filme de música. Impede-se de ver que não há nada nessas imagens"[11].

É lamentável que muitos diretores desconhecessem o valor dramático do silêncio e procurassem apenas inundar seus filmes sob o fluxo da eloquência sonora. De qualquer modo, o diretor musical torna-se uma figura importante a partir do cinema falado: juntamente com o diretor de fotografia, é o principal criador da plástica cinematográfica. Compositores como Maurice Jaubert, Georges Auric, Joseph Kosma, Georges Delerue (todos esses franceses), Hanns Eisler, Kurt Weill, Nino Rota e Giovanni Fusco, entre outros, souberam escapar do perigo que acabei de assinalar e fizeram da música de filme um gênero autônomo e perfeitamente válido no plano artístico.

Nunca seria demais insistir sobre o caráter totalmente "não realista" do universo fílmico no que concerne à música. Ao contrário do universo real, "ele contém perpetuamente uma música cuja atmosfera lhe empresta uma dimensão *sui generis* e que perpetuamente o enriquece, comenta, corrige e às vezes até dirige: em todo caso, contribui de perto para organizar sua duração"[12]. A música é, portanto um elemento particularmente específico da arte do filme, e não é de surpreender que desempenhe um papel tão importante e às vezes pernicioso: "Em certos casos, a significação 'literal' das imagens resulta ser extremamente tênue. A sensação torna-se 'musical'; a tal ponto que, quando a música a acompanha de fato, a imagem obtém da música o melhor de sua expressão ou, mais precisamente, de sua sugestão. Quando isso acontece, a imaginação predomina e, do ponto de vista da língua, o signo se perde"[13]. Existe de fato um perigo real de ver a música suplantar e, portanto, debilitar, emascular a imagem, o que o diálogo também

---

9. *Voyage à Purilia*, pp. 27-28.
10. *Musique de cinéma*, pp. 68-69.
11. *Op. cit.*, p. 137.
12. E. Souriau, *L'univers filmique*, p. 24.

faz com muita frequência. É paradoxal que numa arte tão poderosamente realista, que dispõe desse meio de expressão sem ambiguidade que é a imagem, os diretores sintam tão frequentemente a necessidade de narrar a ação também pela música: eles a reduzem assim a um papel de paráfrase literal, de pleonasmo permanente[14]. "Semelhante procedimento", escreve Maurice Jaubert, "atesta um desconhecimento total da própria essência da música. Esta desenvolve-se de uma maneira contínua, segundo um ritmo organizado no tempo. Fazê-la acompanhar servilmente fatos ou gestos que são, agora, *descontínuos*, que não obedecem a um ritmo definido, mas a reações fisiológicas e psicológicas, significa destruir aquilo pelo qual ela é música, para reduzi-la a seu elemento primeiro, inorgânico, o som"[15]. Portanto, a música deve virar as costas a todo acompanhamento servil da imagem e, muito pelo contrário, procurar, numa concepção global de seu papel, "explicitar plenamente as implicações psicológicas e verdadeiramente existenciais de certas 'situações' dramáticas"[16].

Chegamos assim a uma primeira concepção da música de filme, concepção "sintética", eu diria, que busca "concentrar a atenção do espectador-ouvinte na situação *enquanto totalidade*"[17]. A frase de Pudovkin de que "o assincronismo é o primeiro princípio do filme sonoro", poderia servir-lhe de epígrafe. O diretor cita a propósito o exemplo de seu filme O desertor, para o qual o compositor Chaporin escreveu uma partitura que tentava evitar toda paráfrase da imagem: buscando assim ilustrar a sequência final, em que vemos uma manifestação operária inicialmente reprimida pela polícia, mas que depois derruba as barreiras e sai vitoriosa, o compositor não escreveu um acompanhamento primeiro trágico e a seguir triunfante, mas colocou ao longo de toda a sequência um tema que exprime a coragem resoluta e a certeza tranquila da vitória. "Qual

---

13. G. Cohen-Séat, *Essai sur les principes*..., p. 130.
14. O acompanhamento musical empregado muito frequentemente nos filmes não passa de uma repetição do diálogo... Acreditaria bem mais no contraponto em matéria de acompanhamento de filmes. Juntamente com as palavras "Eu te amo", acho que deveria se colocar uma música que dissesse: "Pouco me importa". Tudo o que cerca essas palavras deveria ser composto de elementos contrários, seria mais eficaz (Jean Renoir, *in Cinéma 55*, n.° 2, p. 34). "A música raramente se funde com a imagem, na maioria das vezes serve apenas para adormecer o espectador e impedir que ele aprecie claramente o que vê. Pensando bem, sou contra o 'comentário musical', ao menos em sua forma atual. Vejo aí algo de velho, rançoso". (Antonioni, *in Cahiers du Cinéma*, n.° 112, outubro/1960).
15. *Esprit*, 1.° de abril de 1936.
16. Hanns Eisler *in Critique*, n.° 37, junho de 1949.
17. Hanns Eisler, *idem*.

o papel da música aqui?", escreve Pudovkin. "Assim como a imagem é uma percepção objetiva dos acontecimentos, a música exprime a apreciação subjetiva dessa objetividade. O som lembra ao espectador que, a cada derrota, o espírito combatente recebe um novo impulso para a luta até a vitória final"[18].

Partindo dos mesmos princípios formulados em seu manifesto comum, Eisenstein chegou, no entanto, a uma concepção diferente, mais *analítica*, do papel da música de filme. Sua célebre teoria do "contraponto audiovisual" está fundada, com efeito, numa exigência de concordância rigorosa dos efeitos visuais e dos motivos musicais. Para ele, a decupagem-música deve preceder a decupagem-imagem e servir de esquema dinâmico. Ao realizar *Alexandre Nevski*, Eisenstein fixou definitivamente a montagem apenas quando Prokófiev terminou sua partitura; ele queria que a linha melódica fosse estritamente paralela às linhas de força plásticas da imagem: assim, à encosta abrupta de um rochedo corresponde uma queda do agudo para o grave na melodia. É preciso admitir, porém, que essa concordância é puramente formal, pois a queda na melodia se produz *no tempo*, enquanto a encosta do rochedo é perfeitamente estática. O paralelismo só é visível na partitura[19], e o ouvinte não pode ter nenhuma consciência disso, mas tal concordância se inscreve na noção de *montagem vertical*, pela qual Eisenstein definiu a relação imagem-som baseada na harmonização das linhas instrumentais da partitura com o que ele chama de um outro *alcance*, o das "imagens visuais sucedendo-se e correspondendo ao movimento da música, e vice-versa"[20].

Deve-se observar, aliás, que, se a partitura está estritamente submetida à imagem no plano rítmico puro, manifesta, em compensação, uma completa liberdade do ponto de vista dramático: portanto, sejam quais forem suas diferenças, as duas atitudes participam finalmente da mesma concepção geral da música de filme, aquela que podemos denominar *música-ambientação* em oposição à *música-paráfrase*.

Mas, antes de ir mais a fundo na questão, é indispensável definir e ilustrar um certo número de utilizações possíveis da música a um nível elementar, ou seja, como acompanhamento de efeitos, de cenas

---

18. *On film technique*, pp. 192-193.
19. Ver os gráficos publicados em anexo de *The film sense* e a argumentação de Eisenstein sobre esse ponto em *Le film: as forme/son sens*, p. 318 ss.
20. *Op. cit.*, p. 256.

ou sequências precisas e limitadas no desenrolar de um filme. Ela pode então ser chamada a desempenhar vários papéis:

A) *Papel rítmico*:

– *Substituição de um ruído real* (o deslizar aéreo da saraivada de flechas durante a batalha de *Alexandre Nevski*; o ruído dos aviões em voo em *Aerograd*, Dovjenko; o barulho da tempestade *À beira do mar azul/ Samago sinego moria* – Barnet; a explosão da bomba atômica em *Os filhos de Hiroshima*, Shindo) *ou virtual*: em *Trois télégrammes* (Decoin), o capitão, vendo passar o carro de bombeiros e não ouvindo seu sinal tradicional, julga-se vítima de uma alucinação (a música faz ressoar apenas um discreto pim-pom); em *Os melhores anos de nossas vidas*, o ex-aviador revive suas lembranças de guerra na carcaça de uma Fortaleza Voadora: um vibrato de violinos sugere então o arranque sucessivo dos quatro motores que a câmera vai mostrando em sequência através de uma panorâmica.

– *Sublimação de um ruído ou de um grito*: refiro-me a um ruído ou grito que se transforma pouco a pouco em música. Por exemplo: ouvimos muitas vezes o ruído do vento ou do mar transformando-se numa frase musical que pretende ser lírica[21]. Mas a música também tem frequentemente a função de substituir um grito cuja violência obriga a eludir: já citei o caso dos gritos de uma parturiente sublimados numa frase musical dilacerante (*Moi universiteti* – Minhas universidades, e *O arco-íris/ Raduga*, ambos de Donskoi); efeito semelhante em *Veliki grajdanine* – O cidadão importante (Ermler), onde o grito de uma mulher que descobre um cadáver é substituído por um tema estridente e trágico.

– *Realce de um movimento ou de um ritmo visual ou sonoro*: pode ser o caso de um simples movimento material (em *Cidade nua*, Dassin, a queda do gângster do alto de uma das torres de uma ponte de Nova York é acompanhada por um *decrescendo* que termina num golpe de tambor) ou de um ritmo: o trotar cadenciado do cavalo do fiacre que leva Juliette ao castelo de Barba-Azul é habilmente sublinhado por um tema alegre de Kosma (*Juliett ou la clé des songes* – Carné); na sequência final de *As portas da noite* (também de Carné), a música acompanha, num contraponto trágico, o ranger das solas de sapato de Guy avançando para a

---

21. Mesmo nos filmes realistas, os ruídos (de rua, por exemplo) podem ser substituídos por uma partitura musical (*Ascensor para o cadafalso*, Malle).

morte sobre os trilhos da ferrovia; por fim, a música acentua, com uma marcação regular, os esforços vigorosos do *Homem de Aran* (Flaherty) quebrando pedras. Pode ocorrer que a música valorize o ritmo da montagem: em *Camaradas/La belle équipe* (Duvivier), acordes de igual duração sublinham solenemente a sucessão de diversos planos fixos que mostram a baixela e as comidas preparadas para a inauguração do restaurante.

Em todos esses exemplos, há um contraponto música-imagem no plano do movimento e do ritmo, uma correspondência métrica exata entre o ritmo visual e o ritmo sonoro. O papel que a música desempenha aqui lhe é particularmente apropriado (na medida em que ela é movimento no tempo, como a imagem fílmica), mas permanece bastante limitado e, para todos os efeitos, pouco fecundo.

B) *Papel dramático*

Neste caso, a música intervém como contraponto psicológico para fornecer ao espectador um elemento útil à compreensão da *tonalidade humana* do episódio. Tal concepção é evidentemente a mais difundida: portanto, darei aqui apenas exemplos precisos e limitados de sua ação.

Ao criar a *ambientação* e sublinhar os episódios, a música é capaz de sustentar uma ação – ou duas ações paralelas, dando a cada qual uma coloração particular: em *Alexandre Nevski*, o tema alegre e triunfal dos russos e o tema pesado e grotesco dos teutônicos desenvolvem-se alternadamente e acabam interferindo no momento do choque dos dois exércitos. Ela também pode enfatizar a dominante psicológica, desempenhando um papel metafórico: uma música de valsa acompanha os gestos de um guarda de trânsito (*O desertor*), uma espécie de bramido exprime a cólera do povo à chegada dos prisioneiros teutônicos (*Alexandre Nevski*), uma canção irônica acompanha o andar claudicante de um indivíduo (*À beira do mar azul*, Barnet), um tema triunfal ressoa enquanto o herói atravessa o gigantesco e febril canteiro de obras de uma barragem (*Ivan*), um rufar de tambores acompanha as entradas de uma mulher autoritária e rabugenta (*Amantes sob medida/Monsieur Ripois* – Clément). Enfim, a música pode intervir sob a forma de um *leitmotiv* simbólico que evoca a presença, num personagem, de uma ideia fixa, uma obsessão. Por exemplo: a descoberta científica (*O homem do terno branco/ The man in the white suit* – Mackendrick), a bebida (*Farrapo humano* – Wilder), o dinheiro (*Grisbi, ouro maldito* – Becker), o assassinato

(*A sombra de uma dúvida* – Hitchcock, *la vie criminelle d'Archibald de la Cruz* – Buñuel), a obsessão sexual (*O bruto*, Buñuel), a loucura (*Quando fala o coração*, Hitchcock). E o leitmotiv pode desempenhar um papel obsessivo por sua repetição (*O terceiro homem* – Reed, *A ilha nua/Hadaka no shima* – Shindo).

C) *Papel lírico*:

A música pode finalmente contribuir para reforçar a importância e a densidade dramática de um momento ou de um ato, dando-lhe uma dimensão lírica como só ela é capaz de engendrar: a abertura de uma janela ao sol e à felicidade (*Êxtase*, Machaty; *O ouro de Nápoles*, De Sica), a descoberta de um aquário de peixes vermelhos que simboliza, também, a felicidade (*Mamãe*, Naruse), a menininha que descobre sua mãe morta (*Ele era uma menina*, Eyssimont), o rejuvenescimento de Fausto (*O homem que vendeu a alma*, Autant-Lara).

O que acabamos de ver são exemplos musicais incidindo sobre momentos precisos e limitados de uma ação. Mas é óbvio que a imensa maioria das partituras de filmes é concebida como um acompanhamento permanente e servil, animado de pretensões dramáticas ou líricas: é o que chamo de *música-paráfrase*, que se limita a criar uma repetição sonora e incessante da linha dramática visual e constitui, pois, um pleonasmo[22].

O cinema americano nos habituou a esses dilúvios musicais em que o acompanhamento manifesta tal servilismo que quase se poderia ver o filme de olhos fechados: Richard Hageman, Miklos Rozsa, Dimitri Tiomkin ou Max Steiner cansaram de fazer isso.

Em vista disso, creio que a música deveria funcionar apenas como *totalidade* e não se limitar a dobrar, a amplificar os efeitos visuais: é o que chamo de *música-ambientação*. Ela deve participar discretamente (e sua ação será tanto mais eficaz e bem-sucedida quanto se fizer ouvir sem chamar a atenção) na criação da tonalidade geral, estética e dramática, da obra. "Não vamos ao cinema para ouvir música. Queremos que ela aprofunde em nós uma impressão visual. Não lhe pedimos que nos 'explique' as imagens, mas que lhes acrescente uma ressonância de natureza especificamente dissemelhante... Não lhe pedimos que seja 'expressiva' e que junte seu sentimento ao dos personagens ou do diretor, mas que seja 'decorativa', unindo seu próprio arabesco ao que nos propõe a tela...

---

22. Jean Cocteau a definiu como uma "música de mobiliário".

A música, como a decupagem, a montagem, o cenário e a direção, deve contribuir para tornar clara, lógica e verdadeira a bela história que deve ser todo filme. Tanto melhor se o fizer discretamente, outorgando ao filme uma poesia suplementar, a sua própria"[23]. Aqui, portanto, a música busca produzir uma impressão global sem parafrasear a imagem: age então por sua tonalidade (maior ou menor), por seu ritmo (expansivo ou contido), por sua melodia (alegre ou grave). Nesta segunda concepção, infinitamente mais adequada e fecunda, do papel da música, os êxitos são diversos e múltiplos.

Vejamos primeiro o recurso a obras já compostas. Entre muitos outros exemplos, citarei a utilização por Melville, para *Les enfants terribles*, de concertos de Bach e Vivaldi, obras que dão uma dimensão sonora admiravelmente adequada ao drama áspero e despojado de Cocteau. Confrontadas com as imagens de *Le carrosse d'or* (Renoir), as mesmas sonoridades metálicas e intelectualizadas de Vivaldi conferem desta vez um tom de suprema graça a uma história em que a crueza disputa com a ironia. Lembremos, aliás, que Renoir já havia recorrido aos clássicos para o acompanhamento de *A regra do jogo* e que, lá também, o êxito fora total. Reencontramos aqui a aplicação dos princípios psicológicos que defini a propósito das metáforas: a imagem e a música, influenciando-se reciprocamente de um modo difícil de definir *a priori*, adquirem uma tonalidade particular resultante de sua justaposição, o que explica que as partituras de Vivaldi possam tomar cores tão diferentes. Assim também, a *Quarta sinfonia* de Brahms (*Tierra sin pan*, Buñuel), a *Terceira* e a *Quinta* de Mahler (*Morte em Veneza/Death in Venice* – Visconti) e a *Sétima* de Bruckner (*Sedução da carne/Senso* – Visconti) combinam com a dimensão trágica das imagens, enquanto as partituras de Mendelssohn, Wagner e Schubert, confrontadas num Contraste simbólico à terrível sátira de *L'age d'or* (Buñuel), acrescentam à violência corrosiva das imagens a grandiloquência de uma pompa que se torna irrisória. Talvez o privilégio da "disponibilidade" absoluta esteja reservado à música clássica por ser ela muito pouco lírica, pouco marcada por uma tonalidade dominante, pouco "engajada" na efusão dos sentimentos, e, por isso, dotada de uma qualidade eminentemente desejável no cinema: a discrição dramática e a neutralidade afetiva[24].

---

23. Maurice Jaubert, *art. cit.*, pp. 117-119.

A utilização do *jazz*, muito em moda de uns tempos para cá, a ponto de tornar-se rapidamente um lugar-comum, aproxima-se de algum modo à dos clássicos, na medida em que o *jazz* recupera o despojamento e a objetividade de um Bach: refiro-me ao *cool jazz* dos compositores modernos, pois o *hot* é por demais carregado de cor e afetividade para poder cumprir o mesmo papel. Não esqueçamos, porém, que cabe a Jean Painlevé o mérito de ter sido talvez o primeiro a compreender a força evocadora do *jazz*: em seus documentários *Le vampire* e *Assassins d'eau douce*, utilizou músicas de Duke Ellington para criar um contraponto chocante e selvagem à violência das imagens.

Após os primeiros marcos fixados pelas partituras de Shorty Rogers para *O selvagem* (Benedek, 1952) e *O homem do braço de ouro/The man with the golden arm* (Preminger, 1955), nos Estados Unidos, devemos a Vadim (*Aconteceu em Veneza/Sait-on jamais*) e a Malle (*Ascensor para o cadafalso*), ambos de 1957, a utilização racional e inteligente do *jazz* moderno como contraponto permanente a uma ação visual. As improvisações de John Lewis e seu Modern Jazz Quartet para *Aconteceu em Veneza*, de Miles Davis para *Ascensor para o cadafalso* e posteriormente de Art Blakey e seus jazz Messengers para *As ligações amorosas/Les liaisons dangereuses* (Vadim) e de Martial Solal para *Acossado* (Godard) deram ao jazz foros de nobreza em matéria de acompanhamento musical de filmes.

O recurso ao clássico e ao *jazz* obedece ao que chamo de *música-ambientação*, que não se reduz evidentemente a esses dois aspectos. Assim utilizada, a música limita-se a criar uma espécie de ambiente sonoro, de atmosfera afetiva, intervindo como *contraponto* livre e independente à *tonalidade* psicológica e moral (angústia, violência, tédio, esperança, exaltação, etc.) do filme considerado em sua totalidade, e não em cada um de seus episódios.

A partitura de Hanns Eisler para *Nova terra* (Ivens), versão sonora do filme *Zuyderzee* do mesmo diretor, foi o primeiro grande êxito dentro dessa perspectiva: agindo, sobretudo por seu valor rítmico, ela multiplica o dinamismo da montagem e exalta o trabalho humano

---

24. "O desejo de utilizar música já existente e denominada clássica como música de filme veio-me, acredito, por duas razões. Primeiro, por um certo temor do sentimentalismo. Tenho um pouco de medo disso, e não resta dúvida de que os músicos clássicos nos dão um exemplo de pudor na expressão que me ajuda muito...". Jean Renoir *in cinéma 55*, n.º 2, p. 34).

até a epopeia[25]. Quase ao mesmo tempo, Maurice Jaubert escrevia a maravilhosa partitura de *L'Atalante*, que contribuiu para dar às imagens de Jean Vigo sua inesquecível dimensão insólita e poética – antes de destacar-se de novo em *Cais das sombras* e *Trágico amanhecer*, ambos de Carné. A música de Prokófiev para *Alexandre Nevski* marca também uma etapa importante, como disse antes. Mas devo ainda citar algumas outras partituras que se destacaram posteriormente: a de Jean Grémillon (compositor e cineasta ao mesmo tempo) para *Le six juin à l'aube*, de Jean-Jacques Grunenwald para *Journal d'un curé de cammpagne* (Bresson), a de Nino Rota para *Os boas-vidas* (Fellini), a de Alain Romans para *As férias do sr. Hulot/Les vacances de M. Hulot* (Tati) e a de Jean Wiener para *Grisbi, ouro maldito* (Becker). Recordemos ainda que Hanns Eisler fez uma sensacional reaparição nas telas com a partitura de *Nuit et brouillard* (Resnais): o caráter ao mesmo tempo ágil e glacial de sua música consegue avivar, a ponto de tornar fisicamente dolorosa, a atrocidade das imagens.

Mas a grande revelação-revolução nesse domínio deve-se ao compositor italiano Giovanni Fusco, autor das músicas de vários filmes de Antonioni e de *Hiroshima, meu amor* (Resnais).

Giovanni Fusco recusa sistematicamente todo papel e todo compromisso dramatizante da música: ele a faz intervir apenas nos momentos mais importantes do filme (que nem sempre são os mais cruciais da ação aparente, mas aqueles decisivos na evolução psicológica dos personagens) como uma espécie de fundo sonoro bastante limitado em sua duração[26], muito discreto em seu volume, recusando qualquer facilidade melódica, e absolutamente neutro no plano sentimental: sua função, penso eu, é somente dilatar o complexo espaço-duração e acrescentar à imagem um elemento de ordem sensorial[27], mas que procede mais do intelecto que da afetividade.

A música intervém geralmente sob a forma de um *solo* de instrumento (piano, sax) e é de uma extrema discrição; sua recusa de toda

---

25. A partitura de Kurt Weill para *A ópera dos três vinténs*, de Brecht, reutilizada na versão cinematográfica de Pabst, havia aberto o caminho.
26. Nos filmes de Antonioni, a partitura não dura mais que dez ou quinze minutos.
27. Na medida em que o *estético*, como vimos, provém da *sensação*. Aliás, as profundas relações que unem música e cinema têm sido afirmadas por todos os teóricos da estética: "O cinema", escreve Roland Manuel a propósito de Grémillon, "é o lugar de encontro da plástica em sentido próprio e da música em sentido amplo". E ainda: "A música, mesmo sendo uma linguagem, fala apenas sua própria linguagem".

paráfrase servil da ação corresponde a uma vontade de *desdramatização* da música de filme[28]; age como totalidade afetiva, como uma espécie de mensagem secundária que se dirige antes ao inconsciente.

Em *Hiroshima, meu amor*, a música ocupa um lugar quantitativamente mais importante, mas com função análoga, intervindo acima de tudo por sua beleza pura. Poderíamos dizer que, recusando seguir os passos da ação e sublinhar sua tonalidade sentimental, a música guarda suas distâncias em relação ao realismo natural da imagem, assim como os diálogos líricos de Marguerite Duras guardam as suas ante o realismo forçado das palavras habituais: há sem dúvida aqui, por parte do diretor (Resnais), o desejo de dar a cada um desses três elementos essenciais do filme (imagem, música, palavra) sua autonomia própria e sua eficácia específica; daí, talvez, o excepcional poder de sedução da obra[29]. Para alguns de seus próprios filmes (*India song, Son nom de Venise dans Calcutta désert*, etc.), Marguerite Duras encontrou em Carlos d'Alessio um compositor cuja música refinada e calorosa contribui em muito para sua *música* pessoal.

As mesmas observações parecem válidas para a música de certos filmes japoneses, ainda que o nosso conhecimento muito limitado da música e do cinema japoneses não nos permita afirmar com precisão uma originalidade ou uma anterioridade indiscutíveis: seja como for, a partitura de Fumio Hayasaka para *Contos da lua vaga/Ugetsu monogatari* (Mizoguchi), por exemplo, aproxima-se bastante das de Fusco por sua concepção[30].

O ponto de escuta

A representação da percepção do som pelos personagens depende daquilo que é chamado de seu *ponto de escuta* (por analogia com o *ponto*

Registremos aqui os efeitos líricos produzidos pelas *canções* (quando são de grande qualidade, como as de Brecht e Kurt Weill em *A ópera dos pobres* ou as de Prévert e Kosma em *Aubervilliers*), pelos corais (*Alexandre Nevski*, o final de *Águas tempestuosas* – Grémillon e de *O quadragésimo primeiro* – Tchukhrai) ou por versos escondidos num ritmo rápido e entrecortado que se assemelham a uma melodia (*Correio noturno* – Wright).

28. Da mesma forma que a música de Debussy é *desdramatizada* em relação à de Wagner.
29. Ver Henri Colpi, *La musique d'Hiroshima*, em *Cahiers du Cinéma* n.º 103, janeiro de 1960.
30. Desde os anos 1930 (os filmes de Mizoguchi o comprovam), o cinema japonês parece ter partido para uma concepção muito "moderna" da música de filme (partitura pouco abundante e não parafraseando a ação visual).

de vista). Em princípio, e em nome do realismo da representação audiovisual, há coincidência entre o ponto de escuta e o ponto de vista, tanto para os personagens quanto para o espectador. Mas pode acontecer que este ouça o som através do ponto de escuta de um personagem: de maneira *subjetiva* (no exemplo citado de *Desencanto*, Lean) ou de maneira *objetiva* (no exemplo de *A besta humana*, Renoir), ou então que um ponto de escuta lhe seja mostrado como surdo (terceiras pessoas não ouvem as palavras do fantasma em *O fantasma apaixonado/The ghost and Mrs. Muir*, Mankiewicz); pode ocorrer ainda que o espectador escute os sons antes dos personagens (os clarins da cavalaria salvadora nos *westerns*, por exemplo), como se ele devesse saber a razão pela qual a imagem lhe mostra personagens prestando subitamente atenção na escuta e manifestando seus sentimentos – o que constitui uma das ingênuas convenções perceptivas a que os cineastas se creem obrigados.

Pois é quase sempre a partir da imagem que o som adquire seu valor dramático, através da representação de seus efeitos no rosto e no comportamento dos personagens que o escutam. É isso o que Michel Chion enfatiza, com razão, ao afirmar que "é um engano achar que o som é mais 'autônomo' quando situado fora do campo visual"; pelo contrário, "é a imagem que, a seu bel-prazer, lhe dá e lhe retira todo impacto"[31]. Mas se o som aparece frequentemente como o primo pobre da imagem, não é apenas por esse motivo, mas também porque, face ao realismo natural da imagem, ostenta muitas vezes seu irrealismo, caricaturalmente ilustrado pelas técnicas de pós-sincronização e dublagem, que acabam dando a um ator uma voz diferente da sua (Renoir via a dublagem como "uma monstruosidade, uma espécie de desafio às leis humanas e divinas") e suprimindo a perspectiva sonora original. Daí a necessidade, manifestada pelo *cinema direto*, de restituir a verdade do espaço sonoro em concordância com a do espaço visual, através da coincidência exata (estando o microfone acoplado na câmara) entre o ponto de escuta e o ponto de vista do espectador.

---

31. *Le son au cinéma*, p. 56.

8
A MONTAGEM

Ao examinar a montagem, chegamos ao núcleo deste estudo. A montagem constitui, efetivamente, o fundamento mais específico da linguagem fílmica, e uma definição de cinema não poderia passar sem a palavra "montagem". Digamos desde já *que a montagem é a organização dos planos de um filme em certas condições de ordem e de duração.*

Antes de prosseguir, quero estabelecer uma distinção importante, que, além de seu interesse estético, me permitirá traçar as coordenadas históricas: trata-se da diferença entre *montagem narrativa* e *montagem expressiva*. Chamo de montagem narrativa o aspecto mais simples e imediato da montagem, que consiste em reunir, numa sequência lógica ou cronológica e tendo em vista contar uma história, planos que possuem individualmente um conteúdo fatual, e contribui assim para que a ação progrida do ponto de vista dramático (o encadeamento dos elementos da ação segundo uma relação de causalidade) e psicológico (a compreensão do drama pelo espectador). Em segundo lugar, temos a montagem expressiva, baseada em justaposições de planos cujo objetivo é produzir um efeito direto e preciso pelo choque de duas imagens; neste caso, a montagem busca exprimir por si mesma um sentimento ou uma ideia; já não é mais um meio, mas um fim: longe de ter como ideal apagar-se diante da continuidade, facilitando ao máximo as ligações de um plano a outro, procura, ao contrário, produzir constantemente efeitos de ruptura no pensamento do espectador, fazê-lo saltar intelectualmente para que seja mais viva nele a influência de uma ideia expressa pelo diretor e traduzida pelo confronto dos planos. O modelo mais famoso de montagem expressiva é a *montagem das atrações*, cujo mecanismo já foi examinado no capítulo das metáforas e sobre a qual voltarei a falar.

A montagem narrativa pode se reduzir ao mínimo necessário. Por exemplo: em *Festim diabólico/Rope*, Hitchcock levou a simplificação da montagem a um grau insuperável, já que o filme comporta apenas *um único plano por rolo* e, do ponto de vista do espectador, inclusive um único plano em todo o filme, sendo as junções de rolos praticamente invisíveis por terem lugar sobre um fundo escuro (as costas de um personagem, um armário, uma parede). Um filme "normal" contém cerca de 500 a 700 planos. Um filme como *Antoine e Antonieta/ Antoine et Antoinette* (Becker), com seus 1.250 planos, constitui uma exceção bastante notável, ao passo que *Os boas-vidas* (Fellini) ou *As férias do sr.Hulot* (Tati), característicos pela lentidão (intencional) de ritmo, não contam com mais de 400 planos aproximadamente. *Obsessão* (Visconti) e *A regra do jogo* (Renoir), para uma duração de duas horas e quinze minutos e duas horas, respectivamente, contêm menos de 350 planos[1].

No fim do cinema mudo e no começo do falado, o frenesi da montagem expressiva chegava às vezes ao delírio: filmes como *Vostaniieribakov*— A revolta dos pescadores (Piscator) e *Oblomokimperii* (Ermler) contêm seguramente mais de 2.000 planos e *O desertor* (Pudovkin) teria 3.000, segundo afirma Jay Leyda. Esses filmes são típicos da grande época da *montagem impressionista*: o diretor procurava transmitir ao espectador impressões penetrantes recorrendo à montagem ultrarrápida; hoje é um recurso praticamente desaparecido, pois se achava estreitamente ligado à estética do cinema mudo[2].

---

1. A evolução recente de um certo cinema de *autor* caracteriza-se pelo recurso sistemático ao plano-sequência, frequentemente ligado à grande duração do filme: citarei *Memórias de uma mulher de sucesso/Souvenirs d'en France* (André Téchiné), *Jeanne Dielman, 23 Quaidu Commerce, 1080 Bruxelles* (Akerman) e *No correr do tempo/Im lauf der Zeit* (Wim Wenders). Essa evolução foi preparada pelas pesquisas de alguns mestres do *underground*, em particular Andy Warhol e Michael Snow, que já há algum tempo vêm realizando filmes extremamente longos (chegando a seis ou oito horas de duração, no caso de Warhol) e contendo pouquíssimos planos (às vezes um só), e sempre planos fixos.

2. Convém precisar, todavia, que nem todos os filmes dessa época se submetiam à estética da montagem; juntamente com a vanguarda francesa, o cinema soviético foi talvez o único a levar a montagem a seu paroxismo: nem o cinema alemão, nem o sueco, nem o americano se interessaram por esse estilo.

Na maioria dos casos, uma montagem *normal* pode ser considerada caracteristicamente *narrativa*; já a montagem muito rápida ou muito lenta é antes de tudo expressiva, pois o ritmo da montagem desempenha então um papel diretamente psicológico, conforme veremos adiante. Mas é evidente que não há uma separação nítida entre os dois tipos: há efeitos de montagem que ainda são narrativos e, no entanto, já possuem um valor expressivo: é o caso de muitos dos exemplos citados nos capítulos sobre as ligações e as metáforas. É, portanto a *montagem narrativa*, ou seja, a montagem considerada em relação ao filme como um todo (ou em suas sequências), que será objeto do presente capítulo.

É indispensável proceder a um breve histórico do aparecimento e da evolução da montagem. Examinei anteriormente as etapas da liberação da câmera; ora, a invenção e os progressos da montagem estão diretamente ligados a isso. Méliès, preso pela fixidez de sua câmera, não compreendeu a natureza da montagem nem suspeitou suas possíveis contribuições. Aindaem 1904, em *Le voyage à travers l'impossible*, comete graves erros de montagem imputáveis à sua óptica teatral: "Primeiro, mostra os passageiros no interior do vagão: o trem para, o vagão esvazia-se completamente. Na cena seguinte, na plataforma da estação, a multidão espera o trem: ele chega, para, e os passageiros da cena precedente descem de novo"[3]. O progresso decisivo coube ao inglês George Albert Smith: em seus filmes rodados em 1900 (*Grandma's reading glass, As seen through a telescope*), intercala primeiros planos, justificados pelo tema, nos planos médios ou gerais: trata-se de uma montagem no sentido próprio do termo, por haver mudança de ponto de vista. No mesmo ano, seu compatriota James Williamson roda *Attack on a Chinese mission station*, primeiro exemplo de uma narrativa propriamente cinematográfica. Ela é, escreve Georges Sadoul, "incomparavelmente mais evoluída que qualquer filme americano ou francês dessa época. A ação transporta-se com facilidade de um lugar a outro. (...) A heroína, em perigo, corre à sacada para agitar seu lenço, e, em seguida, somos transportados ao exterior da missão, uma planície aonde o belo oficial vem galopando em seu socorro. (...) Williamson usava um procedimento que não é concebível no teatro e descobria um dos grandes recursos do cinema: a alternância das ações desenvolvendo-se simultaneamente em

---

3. Sadoul, *Le cinéma*, p. 148.
4. *Histoire général du cinéma*, tomo II, pp. 180-182.

dois lugares afastados"[4]. Cumpria-se assim um progresso decisivo, a utilização de uma *narrativa* baseada numa continuidade temporal, em espaços diferentes, mas contíguos.

É também a Williamson, principal representante, juntamente com Smith, do que Sadoul chama de "a escola de Brighton", que devemos o primeiro *filme de perseguição, Stop thief*/Pare o ladrão, que contém uma montagem alternada entre perseguidores e perseguido. "Mas se os pioneiros de Brighton foram os primeiros a colocar as condições elementares da montagem", escreve Jean Mitry, "é ao americano Edwin Porter que cabe o mérito de ter-lhe dado um sentido", em *The life of an American fireman* (1902) e, sobretudo em *O grande roubo do trem/Great train robbery* (1903), "que pode ser considerado o primeiro filme realmente cinematográfico"[5] pela fluidez e pela coerência da narrativa. A partir daí, estava inventado o essencial do cinema, a *montagem narrativa*, que se opõe radicalmente à decupagem do enredo em cenas semelhantes às situações de teatro.

Mas caberá a Griffith o avanço decisivo na linguagem fílmica. Desde 1911, em *The lonedale operator*, e depois em *The musketeers of Pig Alley*, ele pratica com destreza a montagem alternada e utiliza toda a gama dos planos, inclusive primeiros planos de objetos (detalhes) e primeiros planos de rostos. "Se não foi ele o inventor da montagem nem do primeiro plano (...), pelo menos foi o primeiro a saber organizá-los e fazer deles um *meio de expressão*"[6], observa Mitry. E Sadoul demonstra-o em sua análise de *Enoch Arden*, onde, diz ele, Griffith "desdobrou plenamente, pela primeira vez, os recursos de seu estilo. A perseguição não tinha mais qualquer função nesse filme, mas o autor conservava um procedimento nascido da perseguição: a justaposição de cenas curtas passadas em lugares diferentes. O vínculo entre essas cenas não era mais constituído pela sucessão simultânea no tempo, nem pelo deslocamento do herói no espaço, mas por uma comunidade de pensamento, de ação dramática. Vemos assim EnochArden em sua ilha deserta e sua noiva Annie Lee, que o espera, alternarem-se na tela,

---

5. *Esthétique et psychologie du cinéma*, tomo I, pp. 274-275.
6. *Idem*, p. 276. Kulechov, cuja opinião não pode ser contestada em matéria de montagem, escreve: "O primeiro diretor que utilizou a montagem como um elemento de criação cinematográfica foi Griffith... Os americanos da época da Primeira Guerra Mundial e dos anos seguintes (Ince, De Mille, Vidor, Griffith, Chaplin) foram os melhores cineastas do mundo, e os técnicos e artistas de cinema de todo o mundo aprenderam as bases de sua arte com o cinema norte-americano" (*Traité de la réalisation cinématographique*, p. 41).

em primeiro plano, numa montagem rápida que traduz a angústia da separação de dois seres que se amam"[7].

Com isso realizava-se o segundo progresso decisivo, a descoberta da *montagem expressiva*, que comporta aqui a utilização dos dois tipos de montagem, que chamo de *alternada* (baseada na simultaneidade temporal das duas ações) e *paralela* (baseada numa aproximação simbólica), e de que encontramos outro exemplo no célebre *The avening conscience* do mesmo Griffith, com a alternância da jovem chorando a partida do rapaz que ela ama e do velho lamentando ao mesmo tempo sua juventude perdida. Essa montagem expressiva, em que a sucessão dos planos não é mais ditada apenas pela necessidade de contar uma história, mas também pela vontade de causar um choque psicológico no espectador, são os soviéticos que irão levar ao apogeu, sob a forma de um terceiro avanço decisivo — a *montagem intelectual* ou *ideológica*.

O principal teórico-prático desse tipo de montagem foi Eisenstein, que aplica ao cinema (em *A greve*) a noção de *atração* tomada de seu mestre Meyerhold, e a emprega em seus espetáculos de *agit-prop* para o proletariado culto, comparando-a ao estilo do caricaturista George Grosz e às fotomontagens de Rodtchenko. Ele a define assim: "É todo momento agressivo — isto é, todo elemento teatral que faz o espectador sentir uma pressão sensorial ou psicológica (...) de modo a produzir esta ou aquela emoção-choque". A *montagem das atrações*, prossegue ele, deriva seu nome de duas palavras, "uma oriunda da indústria" ("acoplamento das peças de máquinas") e "a outra do *music-hall*" ("entrada em cena de palhaços excêntricos"), e seu objetivo é "uma '*mise-en-scène*[*] ativa" em vez do "reflexo estático de um acontecimento", bem como a "orientação do espectador para o sentido desejado, através de uma série de pressões calculadas sobre seu psiquismo". Posteriormente, sua prática evoluiu para a noção mais ampla daquilo que poderíamos chamar de montagem reflexa. Ele escreveu em 1945: "Se conhecesse Pávlov melhor naquela época, eu a teria chamado de *teoria dos excitantes estéticos*"[8]. O mais impressionante exemplo de montagem das atrações é a famosa sequência de *A greve* que justapõe o massacre dos operários pelo exército e uma cena de degolamento de um animal no matadouro; por outro lado,

---

7. *Op. cit.*, pp. 555-556.
[*] Aqui entendida como a direção, a concepção de trabalho do diretor. (N. E.)
8. *Réflexions d'un cinéaste*, p. 16. — *Le film: sa forme, son sens*, pp. 15-17. — *Au-delà des étoiles*, pp. 127-130.

28. *Intolerância* (David Griffith, 1916).

29. *Metropolis* (Fritz Lang, 1926).

30. *O gabinete do dr. Caligari* (Robert Wiene, 1920).

31. *A noite de São Silvestre* (Lupu Pick, 1923).

podemos encontrar em *Outubro* e *A linha geral* (mas não em *O encouraçado Potemkin*) exemplos de *montagem reflexa*, sendo a noção enriquecida, com o advento do cinema falado, pelos conceitos de *contraponto audiovisual* e *montagem vertical*.

Podemos interromper aqui esse histórico da montagem: tudo está dito a partir de 1925. Devemos precisar, porém, que o frenesi da montagem dita "impressionista" (por analogia com a técnica de fragmentação em manchas coloridas dos pintores de mesmo nome, mas por analogia ainda maior com a música que busca produzir uma viva impressão sensorial), no final do cinema mudo, explica-se pelas razões que já mencionei a propósito dos fenômenos sonoros. Essa estética da montagem tem duas razões profundas: o desejo de explorar ao máximo a montagem rápida, que foi a grande descoberta dos anos 1920, e, em segundo lugar, a necessidade de a imagem compensar a ausência da trilha sonora e do registro expressivo extremamente rico que ela haveria de proporcionar alguns anos mais tarde. Prova esta que o cinema contemporâneo viu desaparecer completamente esse gênero de montagem, que subsiste no máximo ao nível das ligações e transições e em certos procedimentos de elipse.

Mas o que vem a ser a montagem? A que necessidade ela responde? "A montagem por planos sucessivos", escreve J-P. Chartier, "corresponde à percepção usual por movimentos de atenção sucessivos. Do mesmo modo que temos a impressão de ter continuamente uma visão global do que se oferece ao nosso olhar porque a mente constrói essa visão com os dados sucessivos da retina, numa montagem benfeita a sucessão dos planos também passa despercebida por corresponder aos movimentos normais da atenção, construindo para o espectador uma representação de conjunto que lhe dá a ilusão da percepção real"[9]. Essa correta descrição leva-me a tentar definir o mecanismo psicológico sobre o qual se baseia a montagem.

Fundamentos psicológicos da montagem

Sem considerar, por enquanto, os diversos tipos de relações entre os planos (o que veremos mais adiante), como se justifica, da maneira mais imediata e geral, a passagem de um plano a outro?

---
9. *Bulletin de l'IDHEC*, n.º 3, junho de 1946.

Podemos admitir que a sucessão dos planos de um filme funda-se no *olhar* ou no *pensamento* (ou, mais simplesmente, na *tensão mental*, já que o olhar é apenas a exteriorização exploradora do pensamento) dos personagens ou do espectador.

Sendo-nos dado um personagem que aparece num plano, o plano seguinte poderá mostrar:

1. o que ele vê real e presentemente;

2. o que ele pensa, o que ele faz surgir de sua imaginação ou de sua memória (por exemplo: a imagem em fusão de enforcados aparecendo nas vergas, como premonição da sorte que aguarda os marinheiros caso se amotinem, em *O encouraçado Potemkin*; a imagem do soldado alemão morto, em *Hiroshima, meu amor*);

3. o que ele procura ver, aquilo para o qual ele se volta mentalmente (o desconhecido subindo a escada, que os amantes temem ser o marido, em *A besta humana*, Renoir);

4. alguma coisa ou alguém que está fora de sua visão, de sua consciência ou de sua memória, mas que lhe concerne de alguma forma (os perseguidores dos assaltantes, que se aproximam deles sem serem vistos, em *O grande roubo do trem*, Porter).

Nos casos 1 e 2, a ligação entre os planos é justificada ao nível do próprio personagem; nos casos 3 e 4, é por intermédio do espectador que se faz a ligação. O que autoriza então tal paralelo entre a consciência do espectador e a do personagem? É que um e outro se confundem em virtude da identificação perceptiva do espectador com o personagem, fenômeno fundamental do cinema[10].

Se chamarmos de *dinamismo mental* o fator de ligação entre os planos, a tensão psicológica coloca em evidência a noção complementar de *dinamismo visual*, também compreendida como fator de ligação: trata-se de todas as relações baseadas diretamente na continuidade do movimento da imagem; mas já vimos que o movimento visual é apenas uma

---

10. Aliás, nem é preciso recorrer a essa explicação psicológica, se pensarmos que a obra só existe, enquanto totalidade expressiva, na consciência do espectador: um filme é somente uma sequência de fragmentos da realidade cuja ligação dramática e cuja unidade significativa provêm daquele que percebe.

Veremos mais adiante (página 229) a análise de um audacioso efeito de montagem utilizado por René Clément numa primeira versão de *Le château de verre*: a introdução brutal, no *presente* de dois amantes, de um plano *futuro* que mostra a jovem morta num acidente de avião (acidente que efetivamente acabará ocorrendo); ora, o efeito era incompreensível porque não havia entre os planos nenhuma ligação mental possível, nem na consciência dos personagens nem na do espectador, mas apenas na do cineasta.

forma exteriorizada e realizada da tensão mental e obedece ao mesmo determinismo.

Portanto, quer a ligação esteja fundada no dinamismo mental (tensão psicológica) ou no visual (movimento), a montagem baseia-se no fato de que cada plano *deve preparar, suscitar, condicionar* o seguinte, contendo um elemento que pede uma resposta (interrogação do olhar, por exemplo) ou uma realização (esboço de um gesto ou de um movimento, por exemplo) que o plano seguinte irá satisfazer.

A montagem (ou seja, a progressão dramática do filme, em suma) obedece, assim, exatamente a uma lei de tipo dialético: cada plano comporta um elemento (*apelo* ou *ausência*) que encontra resposta no plano seguinte: a tensão psicológica (*atenção* ou *interrogação*) criada no espectador deve ser satisfeita pela sequência dos planos. A narrativa fílmica surge então como uma série de sínteses parciais (cada plano é uma unidade, mas uma unidade incompleta) que se encadeiam numa perpétua superação dialética[11].

Definições e regras

O PLANO

Tecnicamente falando e do ponto de vista da filmagem, consiste no fragmento de película impressionado desde que o motor da câmera é acionado até que tenha parado; — do ponto de vista do montador, o pedaço de filme entre dois cortes de tesoura e, depois, entre duas *emendas*; — e finalmente, do ponto de vista do espectador (o único que nos interessa aqui), o pedaço de filme entre duas ligações.

Uma definição psicológica e estética do plano é bem mais delicada, mas resulta diretamente do que foi dito antes acerca da montagem: digamos que o *plano é uma totalidade dinâmica em devir* que contém sua própria negação e sua superação dialéticas, ou seja, que ao incluir uma ausência, um apelo, uma tensão estética ou dramática, suscita o plano seguinte, que irá realizá-los, integrando-os visual e psicologicamente.

---

11. Todas as ligações elementares de planos numa mesma cena explicam-se sem dificuldade por essa lei da tensão mental: de uma cena ou de uma sequência à outra, a ligação pode ser de ordem infinitamente mais complexa (vimos isso no capítulo sobre as ligações); mas, se admitirmos que toda ligação repousa sobre uma relação lógica, veremos que a sucessão das partes de um filme é comandada pelas interrogações do espectador sobre o desenrolar da história e que a construção do filme deve responder claramente a essas interrogações, sob pena de permanecer incompreensível.

Cena e sequência

A cena é determinada mais particularmente pela unidade de lugar e de tempo: falaremos, por exemplo, da cena da carne apodrecida em *O encouraçado Potemkin* (observar a analogia com uma cena ou uma situação numa peça de teatro); já a sequência é uma noção especificamente cinematográfica: consiste numa *sucessão* de planos cuja característica principal é a unidade de ação (por exemplo, a sequência do fuzilamento nas escadarias, no mesmo filme) e a unidade orgânica, isto é, a estrutura própria que lhe é dada pela montagem[12].

A fim de criar uma impressão de continuidade que dissimule a fragmentação criada pela divisão em cenas e sequências (e particularmente pelo *fade-out*), considera-se indispensável que cada cena ou sequência inicie numa atividade já em andamento e termine numa atividade que prossegue, de modo a sugerir que a ação continua mesmo quando a câmera a abandona: assim, uma cena de baile irá começar e terminar sempre com uma dança em andamento. Orson Welles muitas vezes recorreu a imagens-choque para abrir suas sequências, como os primeiros planos do jornal cinematográfico, do cantor negro e do papagaio berrando, em *Cidadão Kane*. Da mesma forma, os finais de sequência indicarão que a ação continua: em *Soberba* (Welles), o longo diálogo entre Lucy e George, na noite em que se conhecem, termina com sua entrada na dança, ao som de uma música particularmente dinâmica.

Assim como a composição da imagem não deve supor que todo o universo exterior tenha cessado de existir, cenas e sequências também devem aparecer como fragmentos da continuidade causal provisoriamente trazidos à luz.

Por fim, embora se admita que as sequências (e os próprios filmes) devam iniciar e terminar com planos gerais, é cada vez maior o número de exceções em que primeiros planos iniciais pretendem fazer o espectador mergulhar diretamente no drama do personagem, mostrando um rosto onde se lê, por exemplo, uma curiosidade devoradora (*Senhorita Júlia*, Sjöberg) ou uma estupidez iluminada (*La jeune folle*, Yves Allégret). Os primeiros planos terminais buscam manter o

---

12. "Uma sequência é definida especificamente pela organização rítmica do material filmado, enquanto um episódio ou uma parte são os elementos que compõem um drama, da mesma forma que uma peça de teatro é composta de cenas e atos" (Serguei Iutkevitch).

espectador na plenitude do envolvimento dramático, mesmo depois de terminada a "história": são exemplos disso o primeiro plano de Gino após a morte trágica de sua amada (*Obsessão*, Visconti) ou o rosto da estrela enlouquecida ao ver desabarem seus sonhos (*Crepúsculo dos deuses*, Wilder).

Será útil relembrar brevemente alguns princípios de montagem que têm incidências plásticas ou expressivas. Entre dois planos, deve haver, em primeiro lugar, *continuidade de conteúdo material*, ou seja, a presença em ambos de um elemento idêntico que permitirá a identificação rápida do plano e de sua situação: será mostrada, por exemplo, primeiro uma vista geral de Paris com a Torre Eiffel e, a seguir, um indivíduo junto a uma das bases da torre. É indispensável também assegurar uma *continuidade de conteúdo dinâmico*: se mostramos inicialmente um personagem caminhando para a direita, convém evitar de fazê-lo avançar em sentido oposto no plano seguinte, sob pena de induzir o espectador a pensar que ele volta para trás[13]. Eventualmente deverá haver também *continuidade de conteúdo estrutural*, isto é, composição idêntica ou semelhante a fim de assegurar uma ligação visual: a mesma rua, filmada primeiro de uma janela do lado direito e depois de uma janela do lado esquerdo, parecerá diferente: esse princípio comanda em particular a chamada "regra dos 180 graus" no campo-contracampo: ao passar do *campo* ao *contracampo*, a câmera não deve ultrapassar o plano definido pelos dois personagens, caso contrário o espectador terá a impressão de que eles se deslocam alternadamente de um lado a outro da tela, trocando seus respectivos lugares. Há igualmente um problema de *continuidade de medida*, ou seja, de relacionar os planos conforme seu tamanho: convém passar progressivamente do plano geral ao primeiro plano e vice-versa, senão o espectador, dada a ausência de referências espaciais comuns aos dois planos, corre o risco de não compreender do que se trata. Por exemplo: não se deve mostrar uma multidão e, em seguida, o primeiro plano de um medalhão no pescoço de uma mulher nessa multidão, sem que seja feita uma transição.

---

13. "No filme americano *A batalha da Rússia* (documentário da série *Why we fight*, de Frank Capra), realizado com trechos de cinematografistas russos, todos os planos do exército soviético foram selecionados de acordo com a mesma característica: o movimento ia da direita para a esquerda. Ao contrário, os planos que representavam o exército alemão iam da esquerda para a direita. No momento culminante da retirada alemã, a mudança de direção do movimento na imagem, da direita para a esquerda, sublinha de modo visual a fuga dos alemães para o oeste" (Serguei Iutkevitch).

Há problemas também no que concerne às relações de tempo entre os planos: mas nesse caso a liberdade do diretor parece ser quase completa, dado o caráter de elipse permanente da linguagem fílmica. Por fim, é preciso assegurar uma certa *continuidade de duração*: deve-se evitar justapor planos de durações muito diferentes (a menos que o efeito seja intencional) sob pena de dar a impressão de um estilo entrecortado e confuso.

É evidente que essas normas de princípio não são intocáveis, e poderíamos citar numerosos exemplos em que elas foram ignoradas com maior ou menor êxito. Em todo caso, a regra essencial a respeitar na sucessão dos planos é a seguinte: diante de cada novo plano, a fim de que o enredo fique perfeitamente claro, o espectador deve perceber de imediato o que se passa (isso é óbvio) e, eventualmente, onde e quando (em relação ao que precede). Contudo, há casos em que a definição das coordenadas espaciais e temporais não é necessária: isso ocorre quando a sequência de planos não constitui um enredo, mas apenas uma enumeração; assim, poderão ser mostradas, sem maiores precauções, visões diferentes de um mesmo objeto ou de uma construção conhecida (planos das vigas da Torre Eiffel —*La tour*, René Clair) ou de um conjunto não estruturado (diversos aspectos de uma floresta —*O garoto selvagem*, Truffaut).

Vimos pouco antes que J.-P. Chartier justifica a montagem por corresponder à "nossa percepção usual através de movimentos de atenção sucessivos". Essa explicação me parece correta, mas insuficiente, pois na vida real percebemos do mundo apenas aquilo que está ao nosso alcance, e na maioria das vezes com uma visão bastante parcial e estreita, ao passo que o diretor de cinema, ao contrário, reconstrói a realidade para que tenhamos dela a melhor e mais completa visão possível: o cinema nos oferece uma ideia seguramente bem mais precisa da Batalha de Austerlitz do que aquela vivenciada pelas próprias testemunhas.

Convém, portanto, sublinhar aqui a importância da noção de *decupagem*, que é complementar à de *montagem*, sendo a primeira o aspecto inicial e virtual da segunda. Isso não quer dizer que a montagem seja simplesmente a decupagem realizada: sem dúvida, a montagem narrativa não difere sensivelmente da decupagem na medida em que é extraída da *decupagem técnica*, o roteiro esmiuçado que contém todas as indicações de direção elaboradas previamente à filmagem; já os efeitos de montagem expressiva possuem em geral poucas relações diretas com a decupagem. Convém insistir que a montagem é dialeticamente distinta da decupagem.

A decupagem-montagem (assimilemos as duas noções, por comodidade) justifica-se em seu princípio pelo fato de que o cinema é arte, isto é, *escolha* e *ordenação*, como toda obra de criação. O diretor escolhe elementos visuais e significativos cuja continuidade irá constituir a história e o filme, como vimos a propósito das elipses.

Mas a decupagem-montagem nem sempre se limita apenas a evidenciar uma série de acontecimentos ligados pela lógica ou pela cronologia: senão seria uma simples operação técnica comandada por uma preocupação de clareza. Na verdade, a decupagem-montagem tem funções bem mais vastas e profundas.

Funções criadoras da montagem

CRIAÇÃO DO MOVIMENTO

Recordemos aqui que a montagem é criadora do movimento em sentido lato, ou seja, da animação e da aparência da vida, sendo esta exatamente, de acordo com a etimologia, a função primeira, histórica e esteticamente, do cinematógrafo: cada uma das imagens de um filme mostra um aspecto estático dos seres e das coisas, e é sua sucessão que recria o movimento e a vida.

Encontramos uma aplicação desse fenômeno no *desenho animado* (e sabemos que o desenho animado já existia antes do cinema propriamente dito), bem como no registro do crescimento das plantas ou da formação dos cristais: as imagens, tomadas em intervalos mais ou menos afastados, são depois aproximadas numa temporalidade nova bastante acelerada. Outra aplicação: a animação de figuras estáticas, como os anjos esvoaçantes de um afresco italiano que parecem vivos pela repetição em continuidade de suas diversas atitudes (*Il dramma di Cristo*, L. Emmer). *O encouraçado Potemkin* contém um exemplo famoso desse procedimento: três leões de pedra, esculpidos em atitudes diferentes (deitado, agachado e levantado), dão ao espectador, uma vez justapostos no tempo, a impressão de ver um leão adormecido levantar-se ao ruído do canhão.

Há uma anedota famosa segundo a qual Méliès, ao filmar cenas de rua em Paris e tendo que deter a filmagem alguns instantes por causa de um problema mecânico, percebeu na projeção que um ônibus se transformava de repente num carro fúnebre, que viera tomar o lugar do primeiro diante da câmera durante a interrupção. Uma trucagem essencial do cinema estava assim descoberta: a transformação instantânea por substituição. Em *O Golem/Der Golem* (Galeen), por exemplo, o gigante a quem o rabino confere a vida é inicialmente um manequim, e depois (por substituição após interrupção da câmera), o ator Paul Wegener.

É nesse princípio que se baseia a criação de certos efeitos de outro modo irrealizáveis. Assim, os ferimentos súbitos e violentos (um olho vazado em *O encouraçado Potemkin*, uma bala no peito em *Kanal*, de Wajda, uma flecha atravessando o pescoço em *Trono manchado de sangue*, de Kurosawa) são realizados por montagem, sendo o ferimento "colocado" durante uma interrupção da filmagem. Vejamos ainda uma aplicação do mesmo princípio: em *Intolerância* (Griffith), os figurantes que vemos despencando do alto das muralhas da Babilônia não são (por razões fáceis de compreender) os mesmos que aparecem mergulhando nos fossos, vinte metros abaixo; a ligação dos dois planos cria a ilusão de um movimento contínuo.

CRIAÇÃO DO RITMO
Essa noção deve ser cuidadosamente diferenciada da anterior. O movimento é a animação, o deslocamento, a aparência de continuidade temporal ou espacial no interior da imagem; por sua vez, o *ritmo* nasce da sucessão dos planos conforme suas relações de *duração* (que, para o espectador, é a impressão de duração determinada tanto pela duração real do plano quanto por seu conteúdo dramático, mais ou menos envolvente) e de *tamanho* (que se traduz por um choque psicológico tanto maior quanto mais próximo for o plano). Já em 1925, Léon Moussinac caracterizava muito bem o ritmo e seu papel: "As combinações rítmicas resultantes da escolha e da ordem das imagens irão provocar no espectador uma emoção complementar daquela determinada pelo assunto do filme... É do ritmo que a obra cinematográfica obtém a ordem e a proporção, sem o que não teria as características de uma obra de arte"[14].

O ritmo, portanto, é uma questão de distribuição métrica e plástica: um filme em que predominam os planos curtos ou os primeiros planos terá um ritmo bastante característico; a passagem de uma panorâmica

---
14. *Naissance du cinéma*, pp. 76-77.

muito rápida para um primeiro plano fixo (*Putievka v gizn*— O caminho de vida, Ekk) ou de um plano de cavalaria a galope para o de um rosto imóvel (*Zlatie gari*— Montanhas de ouro, Iutkevitch) cria um efeito de ritmo muito peculiar e impressionante.

CRIAÇÃO DA IDEIA

É a função mais importante da montagem, ao menos quando tem um objetivo expressivo e não apenas descritivo: consiste em tomar elementos diferentes da massa do real e fazer brotar um sentido novo de seu confronto. "Fotografar sob um único ângulo qualquer gesto ou paisagem", escreve Pudovkin, "tal como poderia registrá-los um simples observador, é utilizar o cinema para criar uma imagem de natureza puramente técnica, pois não devemos nos contentar em observar passivamente a realidade. É preciso tentar enxergar muitas outras coisas não perceptíveis a qualquer um. É preciso não apenas olhar, mas examinar; ver, mas também conceber; aprender, mas também compreender. E é nisso que os procedimentos de montagem contribuem de modo eficaz ao cinema... A montagem, portanto, é inseparável da ideia, que analisa, critica, reúne e generaliza... A montagem representa um novo método, descoberto e cultivado pela sétima arte, para precisar e evidenciar todos os vínculos, exteriores ou interiores, que existem na realidade dos diferentes acontecimentos"[15].

E Eisenstein acrescenta: "A atitude conscientemente criadora diante do fenômeno a representar começa, pois, no momento em que a coexistência independente dos fenômenos se desfaz e em seu lugar *se institui* uma correlação causal de seus elementos ditada pela atitude diante do fenômeno, atitude ditada pelo universo mental do autor"[16].

Em *Nova terra*, por exemplo, Joris Ivens contrapõe várias vezes cenas de destruição de cereais (trigo incendiado ou lançado ao mar), durante a crise capitalista de 1930, à imagem perturbadora de uma criança de rosto emagrecido e olhos tristes. Aqui vemos que a montagem desempenha seu papel essencial, colocando em relação direta dois fatos cujo nexo causal pode não aparecer ao espectador mal informado; é porque se lança trigo ao mar que há crianças com fome, ou, mais precisamente, esse duplo estado de coisas é consequência de um mesmo

---
15. *Cinéma d'aujourd'hui et de demain*, pp. 58-59.
16. *Réflexions d'un cinéaste*, p. 151.

fato: a vontade de alguns de conservarem seus lucros. Com isso a montagem evidencia a ideia que Joris Ivens quis exprimir no seu filme: o caráter escandaloso e desumano do descaso responsável tanto pela destruição de riquezas consideráveis quanto pela miséria de numerosos indivíduos. Tal exemplo prova que, quando Eisenstein manifestou em 1927 a intenção de filmar *O capital* de Marx, a ideia que exprimia no projeto estava longe de ser absurda. Prova também o papel considerável do cinema quando colocado a serviço das ideias, papel benéfico ou nefasto conforme sirva à verdade ou à mentira: "O diretor", escreve Bela Balazs, "não faz mais do que fotografar a *realidade*... mas é aí que ele decupa um *sentido*, qualquer que seja. Suas *imagens* são a realidade, é inegável. Mas sua *montagem* lhes dá um sentido, que pode ser verdadeiro ou falso. A montagem não mostra a realidade, mas inevitavelmente a 'verdade' (ou a mentira)"[17].

Tipos de montagem

Um breve sobrevoo histórico é necessário aqui para relembrar as diversas teorias de montagem que foram elaboradas nos anos 1920. Consistem na maioria das vezes, independentemente das análises teóricas do conceito, em *modos* que procuram estabelecer uma classificação racional e exaustiva dos diversos tipos de montagem possíveis. Entre os que se debruçaram sobre a questão, citemos os nomes de Timochenko, Balazs, Pudovkin, Eisenstein, Arnheim, Rotha, Maye Spottiswoode.

Em sua fundamental *Storia delle teoriche del film*, o crítico italiano Aristarco refere-se inicialmente aos "precursores", os primeiros que teriam refletido sobre a estética do cinema: Canudo, Delluc, Dulac e Richter. Depois estuda longamente os escritos críticos dos "sistematizadores" em primeiro lugar, Bela Balazs, cuja obra *Der sichtbare Mensch* (1924)* é o primeiro trabalho teórico importante; Eisenstein, que começa a escrever diversos artigos em revistas por volta de 1923; Pudovkin, que publica em Moscou, em 1926, *Kinoregisseur i*

---

17. *Le cinéma*, p. 154. Evidentemente, veremos que a montagem é também criadora do *espaço* (ver a "geografia criadora" de Kulechov) e do *tempo* (ou melhor, da *duração* especificamente cinematográfica): isso será objeto dos dois últimos capítulos.
* Em português, "O homem visível", tradução de João Luiz Vieira, *in A experiência do cinema: antologia*, Org. Ismail Xavier, Ed. Graal e Embrafilme, 1983, pp. 77 a 83. (N. E.)

*kinomaterial**; finalmente Arnheim, cuja importante síntese *Film als Kunst* aparece em 1932. Mas seria injusto não mencionar teóricos que também tiveram grande mérito, como Moussinac (que publica *Naissance du cinéma* em 1925), Timochenko, Kulechov e Vertov.

Vejamos alguns exemplos. Bela Balazs, sem dar à sua nomenclatura uma forma sistemática, enumera um certo número de tipos de montagem:

— montagem ideológica (criadora da ideia);
— montagem metafórica (planos de máquinas e de rostos de marinheiros em *O encouraçado Potemkin*);
— montagem poética (o descongelamento do rio em *A mãe*);
— montagem alegórica (planos de mar em *A noite de São Silvestre* — Lupu Pick);
— montagem intelectual (a estátua que se ergue de novo sobre o pedestal, em *Outubro* — Eisenstein);
— montagem rítmica (musical e decorativa);
— montagem formal (oposição de formas visuais);
— montagem subjetiva (câmera usada "na primeira pessoa")[18].

Pudovkin oferece uma lista mais sistemática[19]:

— contraste (o trigo destruído — a criança faminta, em *Nova Terra* — Ivens);
— paralelismo (os manifestantes — os blocos de gelo, em *A mãe*);
— simbolismo (a metáfora do matadouro, em *A greve*);
— sincronismo (a salvação na última hora, em *Intolerância* — Griffith);
— *leitmotiv* (a mulher junto ao berço, em *Intolerância*).

Mas a melhor forma pertence a Eisenstein, porque dá conta de todos os tipos de montagem, das mais simples às mais complexas[20]:
— montagem métrica (ou "motor primário", análoga à métrica musical e baseada na duração dos planos);

---

* Em português, "Métodos de tratamento do material" *in A experiência do cinema: antologia,* idem, pp. 57 a 65. (N. E.).
18. *Le cinéma*, pp. 109-129.
19. *On film techinique*, pp. 75-78.
20. *Le film: sa forme, son sens*, pp. 63-71.

— montagem rítmica (ou "emotiva-primária", baseada na duração dos planos e no movimento de cena);
— montagem tonal (ou "emotiva-melódica", baseada na ressonância emocional do plano);
— montagem harmônica (ou "afetiva-polifônica", baseada na dominante afetiva, tendo em vista a totalidade do filme);
— montagem intelectual (ou "afetiva-intelectual", combinação de ressonância intelectual e dominante afetiva, tendo em vista a consciência reflexa).

Isso posto, parece-me possível reunir todos os tipos de montagem (sendo uma simples ligação de plano um tipo de montagem, tanto quanto uma montagem paralela de longa duração) em três categorias principais, que vão da *escrita à narrativa*, passando pela *expressão da ideia*.

A montagem rítmica

É a forma primária, elementar, técnica, de montagem, embora seja talvez a mais difícil de analisar. A montagem rítmica tem inicialmente um *aspecto métrico*, que diz respeito à duração dos planos determinada pelo grau de interesse psicológico que seu conteúdo desperta. "Um plano não é percebido do início ao fim do mesmo modo. Primeiramente é reconhecido e situado: corresponde, digamos, à exposição. Então intervém um momento de atenção máxima em que é captada a significação, a razão de ser do plano — gesto, palavra ou movimento —, que faz progredir a narrativa. Em seguida a atenção diminui e, se o plano se prolonga, advém um instante de aborrecimento, impaciência. Se cada plano for cortado exatamente no momento em que diminui a atenção, sendo substituído por outro, o espectador permanecerá constantemente atento, e diremos que o filme tem ritmo. O que chamamos de ritmo cinematográfico não é, portanto, a mera relação de tempo entre os planos, é a coincidência entre a duração de cada plano e os movimentos de atenção que desperta e satisfaz. Não se trata de um ritmo temporal abstrato, mas de um ritmo da atenção"[21]. Não há muito que acrescentar a essa excelente definição de ritmo. De fato, o espectador não pode perceber as relações de duração dos planos entre si, porque sua apreensão do tempo — como na vida,

---
21. J.-P. Chartier, *in Bulletin de l'IDHEC*, n.º 4, setembro de 1946.

de um modo geral — é puramente intuitiva, dado que não há nenhum sistema de referência científico à sua disposição durante a projeção. Mas o problema da duração respectiva dos planos tem uma extrema importância no momento da montagem, operação de que depende a impressão final do expectador. É muito difícil e aleatório formular leis num domínio como este, que jamais foi estudado a fundo e onde os efeitos permanecem extremamente subjetivos. Pode-se, contudo, afirmar a necessidade de uma correlação desejável entre o ritmo (movimento *da* imagem, das imagens entre si) e o movimento *na* imagem: uma cena que mostra um trem em velocidade, por exemplo, parece exigir de preferência planos curtos (*La roue*, Gance), ainda que o movimento no plano possa (é o que veremos adiante) compensar em certa medida a montagem rápida ou "impressionista", que o cinema praticamente abandonou a partir de meados da década de 1930, em proveito de uma montagem descritiva.

Mas o ponto de vista de J.-P. Chartier precisa ser um pouco ampliado, pois atribui demasiada importância a um fator extremamente subjetivo e variável: a atenção do espectador. Na verdade, a partir de um certo nível de sutileza, o diretor não estabelece mais a duração dos planos em função do que tem a mostrar (materialmente), mas do que tem a sugerir (psicologicamente), isto é, em função da dominante afetiva do roteiro ou de uma parte do roteiro. A duração dos planos, que é o tempo percebido pelo espectador está, portanto, condicionada, em última instância, menos pela necessidade da percepção de seu conteúdo do que pela adequação indispensável entre o ritmo a criar e a dominante psicológica que o realizador deseja tornar sensível no filme.

Assim, no caso de planos geralmente longos, teremos um ritmo lento dando uma impressão de langor (certas sequências de *A noite/La notte* — Antonioni), de fusão sensual com a natureza (*Terra* — Dovjenko), de ociosidade e tédio (*As férias do Sr. Hulot* — Tati, *Os boas-vidas* — Fellini), de atolamento na abjeção (*Une si jolie petite plage* — Yves Allégret), de impotência diante de um destino cego (a sequência final de *Ouro e maldição* — Stroheim e de *Profissão: repórter/Passenger* — Antonioni), de monotonia desesperante na difícil busca da comunicação humana (*A estrada da vida* — Fellini, *A aventura/L'avventura* — Antonioni). Ao contrário, planos predominantemente curtos ou muito curtos (*flashes*) imprimem um ritmo rápido, nervoso, dinâmico, trágico (montagem "impressionista"), com efeitos de cólera (*flashes* de rostos indignados e de punhos cerrados em *O encouraçado Potemkin*), de velocidade (*flashes* de patas de cavalo a galope em *Arsenal* — Dovjenko), de atividade febril (operários trabalhando na construção de um cargueiro em *O desertor* — Pudovkin), de esforço (luta entre uma mulher e um assaltante em *Putievka v gizn* — O caminho da vida, Ekk), de choque violento (o carro dos republicanos chocando-se contra o canhão inimigo em *L'espoir* — Malraux), de brutalidade assassina (a rajada de uma metralhadora em *Outubro* — Eisenstein, a explosão de uma bomba em *Brinquedo proibido/Jeux interdits* — Clément), de desvario fatal (um suicídio em *Privideniie, kotorie ne vozvrachtchaietsa* — O fantasma que não voltará, Abram Room).

Se os planos são cada vez mais curtos, temos um ritmo acelerado que sugere tensão crescente, aproximação ao núcleo dramático, inclusive angústia (ver a sequência do condenado inocente salvo na última hora em *Intolerância* — Griffith), enquanto os planos progressivamente mais longos dão a impressão de um retorno à calma, de um relaxamento após a crise; por fim, uma sequência de planos breves ou longos numa ordem qualquer proporciona um ritmo sem tonalidade específica (é o caso mais geral). Convém ainda assinalar que uma brusca mudança de ritmo pode criar fortes efeitos de surpresa: em *Putievka v gizn* — O caminho da vida, por exemplo, uma série de panorâmicas velozes, exprimindo a vertigem dos dançarinos, é sucedida pelo súbito primeiro plano do revólver que um dos rapazes aponta para os contrarrevolucionários.

Se um plano muito curto dá uma impressão de choque, um plano excepcionalmente longo (cuja duração não parece justificada por seu conteúdo) cria um sentimento de espera ou ansiedade no espectador, em todo caso uma interrogação: em *A condessa descalça/The barefoot contessa* (Mankiewicz), por exemplo, um longo plano (à primeira vista inútil) do motorista sugere ao espectador perspicaz que esse personagem irá desempenhar um papel importante na sequência da ação (ele se tornará amante da condessa); do mesmo modo, em *O salário do pecado/ Le salaire du péché* (La Patellière), um longo primeiro plano do rosto do protagonista nos dá a entender que ele acaba de tomar uma decisão muito grave: matar sua mulher. Vejamos finalmente um efeito análogo, porém mais sutil, encontrado em *Um caso simples* (Pudovkin): uma mulher acaba de receber uma carta em que o marido lhe anuncia que está apaixonado por outra; vemo-la, então, sozinha e imóvel no meio de um campo, sucessivamente sob vários ângulos, em planos gerais muito longos, e esse efeito de duração e imobilidade exprime com intensidade o abatimento moral da pobre mulher.

Além do seu aspecto métrico, o ritmo tem *componentes plásticos*. Em primeiro lugar o tamanho do plano, que está ligado à sua duração e desempenha um papel importante, tal como vimos anteriormente: uma sequência de primeiros planos cria uma tensão dramática excepcionalmente forte (*O martírio de Joana d'Arc*—Dreyer), ao passo que planos gerais dão, antes, uma impressão penosa que vai da espera angustiada (a lenta aproximação da cavalaria teutônica no horizonte, sobre o lago gelado, antes da batalha de *Alexandre Nevski*— Eisenstein) à solidão opressiva (*O grito*— Antonioni), passando pela ociosidade convertida em ocupação absorvente (*Os boas-vidas*, na praia). A passagem direta de um plano geral a um primeiro plano (montagem considerada "anormal") exprime um aumento brusco da tensão psicológica; cito como exemplo a cena de *Ladrões de bicicletas* (De Sica) em que o operário reencontra o filho que ele acreditava ter-se afogado: vemos o homem correndo, depois um plano geral deixa entrever no alto de uma escada o menino, que aparece em primeiro plano na imagem seguinte: esse salto virtual da câmera corresponde evidentemente ao grande alívio do homem ao ver seu filho vivo. Melhor exemplo ainda se encontra em *O quadragésimo primeiro* (Tchukhrai), quando os soldados avistam o mar: vemo-los atingir o alto de uma duna e manifestar sua alegria; o plano seguinte, em vez de nos mostrar o mar do ponto de vista deles, isto é, bastante afastado, apresenta o primeiro plano de uma onda, que corresponde claramente à imagem da salvação que invade suas consciências.

A sucessão em sentido inverso dá um efeito de impotência e fatalidade (corresponde a um *travelling* para trás virtual e muito rápido): assim, na sequência final de *Ouro e maldição* (Stroheim), a um primeiro plano dos dois protagonistas segue-se um plano geral em que Mac Teague, acorrentado ao cadáver de Marcus, não passa de uma silhueta longínqua no cenário ofuscante do vale da Morte.

O movimento no interior do plano contribui igualmente para a expressividade rítmica da montagem. Darei como exemplo a soberba sequência da construção da barragem de Zuyderzee (Holanda) em *Nova terra* (Ivens): o ritmo não é criado apenas pela montagem (que não chega a ser rápida, embora vá num crescendo), mas também, e talvez sobretudo, pelo dinamismo do conteúdo dos planos (imagens de pás mecânicas, guindastes, barcos em movimento) e pela música, a impressionante partitura triunfal de Hanns Eisler. Junte-se a esse exemplo a célebre sequência da escavação de *Louisiana story* (Flaherty), magnífica obra de cinema que tira grande parte de sua força e sua beleza do movimento interno dos planos. Por fim, a composição da imagem também ocupa um lugar (embora reduzido) na criação do ritmo: lembremo-nos, por exemplo, do papel das estruturas dominantes, segundo Eisenstein, nas imagens de *Alexandre Nevski* (linhas calmas para os russos, um esquema acidentado para os teutônicos), de *Ivan, o Terrível* (as linhas carregadas de ornamentação na cena do banquete) ou de *Que viva México!* (composições triangulares destacando-se contra céus imensos); pense-se igualmente no simbolismo constante das praias e dos horizontes marinhos em numerosos filmes, bem como das paisagens desérticas nos *westerns*, graças à força apaziguadora e solene da horizontal[22].

Enfim, e ainda que não resulte exatamente da montagem, não devemos esquecer o papel muito importante da música na criação do ritmo plástico (ou pelo menos em sua valorização), em virtude dos princípios *audiovisuais* já examinados[23].

A montagem ideológica

Após o aspecto técnico que visa criar uma tonalidade geral de ordem estética e, portanto psicológica, é preciso estudar o papel ideológico da montagem, tomando-se o termo "ideológico" num sentido bem amplo, que serve para designar as aproximações de planos destinadas a comunicar ao espectador um ponto de vista, um sentimento ou uma ideia mais ou menos precisos e gerais. Num primeiro nível, pode-se distinguir um aspecto *relacional* da montagem, sobre o qual não irei me deter por já ter sido visto na segunda parte do Capítulo 5: trata-se de todas as ligações baseadas numa analogia de caráter psicológico entre conteúdos mentais, por intermédio do olhar; do nome ou do pensamento. Num nível superior, a montagem desempenha um papel *intelectual* propriamente dito, criando ou evidenciando relações entre acontecimentos, objetos ou personagens, tal como mostrei longamente no início deste capítulo e a

---

22. "*O grito* (Antonioni) é um filme horizontal", declarou Agnès Varda.
23. Convém sublinhar as relações íntimas do ritmo cinematográfico com o ritmo musical (elas são muito nítidas no cinema mudo, no qual a montagem corresponde muitas vezes a uma verdadeira música).

O *ritmo* (distribuição métrica da duração) é percebido pelo espectador como tempo (andamento dado ao desenrolar da ação).

32. *Une partie de campagne* (Jean Renoir, 1936-1946).

33. *Escravos do rancor* (Luis Buñuel, 1952).

34. *O desespero de Veronica Voss* (Rainer Werner Fassbinder, 1982).

35. *A Bela e a Fera* (Jean Cocteau – René Clément, 1945).

propósito das metáforas. Podemos agrupar essas relações em cinco tipos principais:

— *tempo*: noção de anterioridade: rosto de Gabin seguido de fusão que introduz a rememoração do passado (*Trágico amanhecer*, Carné); noção de simultaneidade: a heroica esposa traz a carta de indulto no momento em que se prepara a execução do condenado inocente (*Intolerância*, Griffith); noção de posterioridade: Totó entra no orfanato e, após uma fusão, sai dez anos mais tarde (*Milagre em Milão*, De Sica);

— *lugar*: série de planos cada vez mais próximos da janela do quarto onde agoniza o *Cidadão Kane* — diversos planos que mostram detalhes de um monumento (*La tour*, Clair);

— *causa*: Roderick, preparando-se para pintar, ergue a cabeça como se tivesse escutado algo, depois vemos a sineta da porta de entrada agitar-se (*La chute de la Maison Usher*, Epstein); no momento em que o médico é jogado ao mar, um *detalhe* dos vermes sobre a carne lembra o motivo da rebelião (*O encouraçado Potemkin*);

— *consequência*: os canhões do *Potemkin* disparam — o palácio do governador de Odessa, bombardeado e cercado de fumaça[24];

— *paralelismo*: é a montagem ideológica propriamente dita; aqui, a aproximação dos planos não se baseia numa relação material explicável direta e cientificamente: a ligação é feita na mente do espectador, podendo, no limite, ser recusada por ele; depende do diretor se fazer suficientemente persuasivo; o paralelismo pode se basear tanto numa analogia (os operários fuzilados — os animais degolados, em *A greve* — Eisenstein) quanto num contraste (trigo jogado ao mar — uma criança faminta, em *Nova terra* — Ivens). Eis alguns outros exemplos mais elaborados. Em *Deviatoie ianvaria* — O domingo negro (Viskovski), há um paralelismo entre o czar jogando sinuca e uma manifestação popular, resultando a seguinte montagem:

— o czar mira uma bola;
— um soldado mira um manifestante;
— o czar lança a bola;
— o soldado atira;

---

24. Pode-se criar uma relação de consequência arbitrária, porém simbólica: em *Outubro*, por exemplo, um canhão é baixado por um guindaste no pavilhão de uma fábrica — numa trincheira, soldados baixam progressivamente a cabeça.

— a bola cai no buraco;
— o manifestante cai no chão.

Temos um efeito semelhante em *Zlatiegori* — Montanhas de ouro (Iutkevitch), com uma manifestação operária em São Petersburgo e uma delegação de trabalhadores que solicita a assinatura do patrão numa lista de reivindicações (em Baku):
— os operários diante do patrão;
— os manifestantes frente ao oficial de polícia;
— o patrão empunhando uma caneta;
— o oficial levanta a mão para dar a ordem de atirar;
— uma gota de tinta cai na folha de reivindicações;
— o oficial abaixa a mão; tiros; um manifestante cai;
— uma segunda gota de tinta cai sobre o papel (essa segunda gota evoca simbolicamente uma gota de sangue)[25].

Os dois exemplos nos conduzem ao parágrafo seguinte, pois ilustram a passagem da *expressão da ideia à narrativa*.

Antes, porém, vamos abrir um parêntese para falar brevemente do *cômico*, de que uma das fontes mais puras, do ponto de vista cinematográfico, reside sem dúvida na montagem ou, para sermos mais exatos, numa *ruptura da tensão psicológica*, ruptura essa que se deve à montagem (mudança de plano ou simples movimento de câmera, que, neste caso, corresponde a uma ligação). Reencontramos aqui um fenômeno já observado a propósito das metáforas: quando há queda de tensão, o riso é a manifestação da liberação do espectador. O efeito cômico pode vir inicialmente de uma surpresa, pois o plano pode mostrar alguma coisa que o precedente não fazia esperar e cujo conteúdo afetivo é menos elevado e menos denso do que se poderia supor: temos um bom exemplo no final de *Vida de cachorro/A dog's life* (Chaplin), quando Carlitos e Edna olham enternecidamente para um berço, e o plano seguinte mostra que este contém apenas cachorrinhos; da mesma forma, em *Umberto D* (De Sica) vemos uma freira absorvida em orações: um curto *travelling* para trás faz então entrar em cena panelas de sopa fumegante. Outra fonte do cômico é a *criação de uma relação irreal e absurda*: a heroína de Um cão andaluz — *Un chien andalou* (Buñuel) abre a porta de seu apartamento e vê-se diante de... uma praia varrida pelos ventos; um homem despertado a contragosto, apoiando o salto de um sapato, faz

---

25. Esse episódio encontrava-se no último filme, hoje perdido.

parar a campainha do despertador (*Sob os tetos de Paris*, Clair); ou então a cena de Michel Simon esfregando o dedo sobre um disco e acreditando ser essa a causa da música que ouve (*L'Atalante*, Vigo), e a de Gérard Philipe, em *Esta noite é minha/Les belles de nuit* (Clair), que passa sem transição da Revolução Francesa à Idade das Cavernas, uma *gag* inspirada em *Pandemônio/Hellzapoppin* (Potter).

A montagem narrativa

Enquanto os dois exemplos anteriormente citados resultam do que chamei de expressão, visando criar uma tonalidade estética e exprimir ideias, a *montagem narrativa* tem por objetivo o relato de uma ação, o desenrolar de uma sequência de acontecimentos. Apoia-se às vezes em relações de plano a plano, mas envolve, sobretudo, as relações de cena a cena ou de sequência a sequência, levando-nos a considerar o filme uma totalidade significativa. Distinguirei quatro tipos de montagem narrativa que, no meu entender, abrangem os modos mais diversos de contar uma história; são definidos em referência ao critério fundamental da narrativa fílmica e de toda narrativa: o *tempo*, isto é, a *ordem das sucessões*, a posição relativa dos acontecimentos em sua ordem causal natural, não importando a determinação de datas:

A) *Montagem linear*: designa a organização de um filme que comporta uma ação única, exposta numa sequência de cenas colocadas em ordem lógica e cronológica. É o tipo de montagem mais simples e comum, ainda que haja poucos filmes, na verdade, nos quais não se encontre uma única superposição temporal de duas ações parciais. Digamos, para reformular, que a montagem é linear quando não há paralelismo sistemático de tempo e quando a câmera se transporta livremente de um lugar a outro conforme as necessidades da ação, respeitando do começo ao fim a sucessão temporal.

B) *Montagem invertida*: designo por esse nome as montagens que subvertem a ordem cronológica em proveito de uma temporalidade subjetiva e eminentemente dramática, indo e voltando livremente do presente ao passado. Pode ser o caso de um único retorno ao passado que ocupa praticamente o filme todo (*Le crime de Monsieur Lange* — Renoir, Desencanto — Lean, *A última felicidade* — Mattson, *O vermelho e o negro/ Le rouge et le noir* — Autant-Lara) ou de uma série de *flashbacks* que correspondem a várias lembranças (*Trágico amanhecer*—Carné, *Adúltera*—Autant-Lara, *Amor traído/La vérité sur bébé Donge*—Decoin), ou então de uma mistura bem mais audaciosa do passado e do presente (*L'affaire Maurizius*—Duvivier, *Amante sob medida*—Clément). Não me estenderei aqui sobre esse tipo de narrativa, que será estudado em detalhe no capítulo dedicado ao tempo.

C) *Montagem alternada*: trata-se de uma montagem por paralelismo baseada na *contemporaneidade estrita* de duas (ou várias) ações que se justapõem, as quais acabam na maioria das vezes por se juntar no final do filme; é o esquema tradicional do filme de perseguição, em que o mocinho, depois de muito cavalgar, termina sempre por reencontrar o bandido que raptou a bela mocinha. Encontramos um exemplo famoso no episódio de *Intolerância* (Griffith) em que a montagem mostra alternadamente o herói sendo levado à forca e sua mulher vindo num carro com a carta que irá salvá-lo: as duas ações encontram-se no momento derradeiro antes da execução. A mesma alternância ocorre em *O encouraçado Potemkin*, entre as cenas da cidade e os acontecimentos que se passam a bordo do encouraçado: em *Alexandre Nevski*, entre os cavaleiros teutônicos que atacam e as fileiras cerradas e inquietas dos camponeses russos; em *Trágica perseguição* (De Santis), entre os trabalhadores e os bandidos; em *O condenado/Odd man out* (Reed), entre o revolucionário cercado e seus camaradas, que partem em socorro; em *Paraíso infernal/ Only angels have wings* (Hawks), entre o campo de aterrissagem e os aviões do correio; em *Velikiperelom/A volta decisiva* (Ermler) e *Stalingrads kaja bitva/A Batalha de Stalingrado* (Petrov), entre o estado-maior local ou o gabinete de Stálin no Krêmlin e o campo de batalha; em *Pacto sinistro* (Hitchcock), finalmente, entre o tenista que quer acabar a partida o mais rápido possível e o homem de posse de seu isqueiro, forjando uma prova para incriminá-lo. Combinada com uma montagem acelerada, a alternância é capaz de exprimir com notável vigor um tipo de unanimismo, de fusão dramática, entre dois personagens ou dois grupos de personagens dentro do mesmo curso fatal dos acontecimentos; o exemplo de *Pacto sinistro*, que acabo de mencionar, é uma bela realização disso, assim como a sequência, já citada, dos membros da Resistência sendo levados à morte em *Il sole sorge ancora* — O sol ainda se levanta (Vergano), onde a alternância, de um lado entre os planos do padre e seu companheiro e os da multidão que se aproxima (primeiros planos, em sua maioria), de outro lado entre as ladainhas recitadas pelo padre e os "*ora-pro-nóbis*" repetidos por milhares de vozes, atinge uma grandeza impressionante.

Mas um dos melhores exemplos de montagem alternada encontra-se na sequência da procissão de *A linha geral*, onde se combinam, numa construção engenhosa e sutil, várias linhas de força dramáticas e plásticas, assim analisadas pelo próprio Eisenstein:

1. A linha de força da devoção, aumentando de uma imagem à outra.

2. A linha de força dos diversos primeiros planos, crescendo em intensidade plástica.

3. A linha de força do êxtase crescente, mostrado através do conteúdo dramático dos primeiros planos.

4. A linha de força das "vozes" femininas (rostos das mulheres cantando).

5. A linha de força das "vozes" masculinas (rostos dos homens cantando).

6. A linha de força daqueles que se ajoelham sob os ícones que passam (tempo em *crescendo*). Esse fluxo anima um outro mais amplo, que procede do tema primário — o dos portadores de ícones, da cruz e das bandeiras.

7. A linha de força daqueles que se prosternam, unindo as duas correntes no movimento geral da sequência, que vai "do céu à poeira do chão". Das pontas brilhantes das cruzes e das bandeiras dirigidas para o alto às pessoas prostradas com a cabeça no chão..."[26].

Num outro domínio, os filmes da série *Why we fight*[*] (Capra) ou os filmes soviéticos concebidos no mesmo espírito, como *Un jour du monde nouveau* (Um dia no mundo novo) e *Vingt-quatre heures de guerre en URSS* (Vinte e quatro horas de guerra na Rússia), ambos de Roman Karmen, levaram a um alto grau de densidade dramática esse confronto de instantes de grande alcance histórico e humano, através de uma unidade temporal arbitrária, mas privilegiada e simbolicamente valorizada pela montagem. Finalmente, é preciso registrar diversas tentativas poéticas, como *Berlim, sinfonia de uma metrópole/Berlin, die Symphonie der Grosstadt* (Ruttmann), onde os autores, misturando uma série de ações simultâneas,

---

26. *Le film: sa forme, son sens*, pp. 256-257.
[*] Filmes documentários. (N. E.)

pretendem pintar os múltiplos aspectos anedóticos da vida de uma grande cidade e suas interferências num espaço de tempo limitado.

Num nível menos elevado, encontramos um procedimento semelhante em *Senhoritas de uniforme* (Sagan), onde a montagem sugere uma espécie de comunhão de pensamento entre Manuela, quando resolve suicidar-se, e sua superiora, que percebe o drama iminente. Dentro da mesma perspectiva, uma montagem alternada rápida entre o cano de um fuzil e o rosto de um homem exprime de modo impressionante a ameaça mortal do disparo que virá a seguir (Vostaniieribakov— A revolta dos pescadores, Piscator). Num nível mais elementar ainda, a montagem alternada serve muitas vezes para sugerir o choque violento de dois elementos da ação, quando esse choque é impossível de se realizar e mostrar realmente por razões compreensíveis: citei atrás o exemplo do veículo arremessado contra um canhão em *L'espoir* (Malraux); quando o torpedeiro de *Cruel sea*— Mar cruel (Frend) vai colidir com um submarino alemão, o choque é substituído por uma montagem alternada de planos cada vez mais próximos e mais breves da roda de proa do navio inglês e da torre de comando do submersível; do mesmo modo nos é sugerido, em *O selvagem* (Benedek), o choque brutal de uma motocicleta contra um transeunte.

O princípio da montagem alternada possibilita também (e lamentavelmente) soluções fáceis: é o caso dos filmes de caçada, por exemplo, em que nunca vemos no mesmo plano o animal perseguido e o caçador, tendo sido este filmado em estúdio, simulando a perseguição de um animal que só coexiste com ele num espaço absolutamente fictício.

D) *Montagem paralela*: duas ou mais ações são abordadas ao mesmo tempo pela intercalação de fragmentos pertencentes a cada uma delas, alternadamente, a fim de *fazer surgir uma significação de seu confronto*. Aqui, a contemporaneidade das ações não é mais absolutamente necessária, o que faz com que esse tipo de montagem paralela seja o mais sutil e também o mais vigoroso. Utilizado ao longo da narrativa, corresponde de certa forma a uma extrapolação da montagem ideológica que ilustramos há pouco com exemplos detalhados. Essa montagem caracteriza-se por sua *indiferença ao tempo*, pois consiste justamente na aproximação de acontecimentos que podem estar muito afastados no tempo e cuja simultaneidade estrita não é de maneira alguma necessária para que sua justaposição seja demonstrativa. O exemplo mais famoso é o filme *Intolerância*, de Griffith, em que são narradas paralelamente quatro ações: a tomada de Babilônia por Ciro, a Paixão de Cristo, o Massacre de São Bartolomeu e um drama nos Estados Unidos do século XX, onde um inocente é injustamente condenado à morte. A aproximação dessas quatro histórias tem por objetivo mostrar que a intolerância está presente em todas as épocas. Encontramos outro exemplo famoso em *O fim de São Petersburgo* (Pudovkin), onde a terrível matança da guerra mundial é confrontada com a atividade frenética dos corretores e agiotas da Bolsa; efeito análogo em *A mãe*, também de Pudovkin, entre o avanço irresistível dos blocos de gelo e a marcha dos manifestantes; em *Melodie der Welt* (Ruttmann), entre as atividades semelhantes e simultâneas dos homens de uma ponta à outra do planeta; em *Senhoritas de uniforme* (Sagan), em que cenas da diretora do pensionato, pensando em fazer novas economias na alimentação e afirmando que a pobreza é a fonte da grandeza prussiana, são alternadas com as de suas alunas descrevendo entre si os pratos suculentos que gostariam de comer; em *L'Atalante* (Vigo), o marido e a mulher, afastados por um mal-entendido, reviram-se simultaneamente em seus leitos como que fazendo amor à distância; em *Amor sem fim/Peter Ibbetson* (Hathaway), enquanto os carcereiros maltratam longe dali seu amante aprisionado, a jovem grita durante um pesadelo; o mesmo efeito em *Salt of the earth* (Biberman), onde os gritos da esposa ao despertar são montados paralelamente aos do marido torturado pelos policiais.

Constatamos em todos esses exemplos que a simultaneidade temporal das diversas ações, mesmo sendo real, tem pouca importância e que todo o interesse da montagem advém da aproximação simbólica dessas ações. Percebe-se assim que as montagens por antítese, por analogia e por *leitmotiv*, de Pudovkin, correspondem àquilo que chamo de montagem paralela, expressão que engloba também as montagens metafórica, alegórica e poética definidas por Balazs, todas elas consistindo em uma aproximação, independentemente de qualquer coexistência temporal (nem espacial, mas veremos que o espaço tem bem menos importância), de acontecimentos cujo confronto deve fazer emergir uma significação ideológica precisa e geralmente simbólica.

O cinema, arte da montagem

Acredito que a justificação e o modo de ação da montagem estejam agora bem entendidos. Vimos a ligação entre a estética do plano e sua psicologia: quanto mais próximo e breve o plano, tanto menos habituais serão sua composição e seu ângulo de filmagem — maior o choque psicológico que esse plano causará em nós, independentemente inclusive de seu conteúdo emocional.

Vimos também que a noção de ritmo está intimamente ligada à de montagem, de que constitui, de certa forma, a resultante musical no plano estético, sendo a montagem propriamente dita primeiramente uma noção técnica. O ritmo é determinado em certa medida pelo conteúdo dinâmico e plástico dos planos, mas principalmente pela organização temporal de sua sucessão, problema que se traduz em duração, no filme que se desenrola na tela. "Filmes lentos em que todo mundo galopa e gesticula; filmes rápidos em que as pessoas mal se mexem"[27], escreve Bresson, dando assim a definição mais sutil de ritmo.

Parece claro, portanto, que a montagem (veículo do ritmo) é a noção mais sutil e, ao mesmo tempo, a mais essencial da estética cinematográfica. Em uma palavra: seu elemento mais específico. Podemos afirmar que *a montagem é a condição necessária e suficiente da instauração estética do cinema*[28].

---

27. *Op. cit.*, p. 91.
28. Deve-se observar, porém, que a montagem preexistiu ao cinema. No seu célebre texto "Montagem 1938", contido em "*Reflexões de um cineasta*", Eisenstein analisa exemplos de montagem em Leonardo da Vinci, Púchkin, Maupassant e Maiakóvski. Temos um exemplo bem característico em Rimbaud, no poema intitulado "Marine" (Marinha) de *Illuminations*; uma disposição tipográfica particular evidencia a alternância de duas ações paralelas que se fundem após duas retomadas:
>
> Les chars d'argent et de cuivre,
> Les proues d'acier et d'argent,
> Battent l'écume,
> Soulèvent les souches des ronces.
> Les les ornières immenses du reflux
> Filent circulairement vers l'est,
> Vers les piliers de la fôret,
> Vers les fûts de la jetée,
> Dont l'angle est heurté par des tourbillons de lumière.
>
> (Arados de prata e cobre,
> As proas de aço e prata,
> Rompem a espuma,
> Arrancam os pés das sarças.
> Os veios do matagal
> E a imensa esteira do refluxo
> Vão em círculos ao leste,
> Aos pilares da floresta,
> Aos fustes do quebra-mar,
> Em cujo ângulo colidem turbilhões de luz.)

Diga-se de passagem que se tornou moda a aplicação dos métodos de análise cinematográfica aos textos literários. (Ver, por exemplo, Paul Léglise, *Une oeuvre de pré-cinéma*: *L'Enéide*).

Mas convém ainda sublinhar que a montagem atua em conjunto, por sua totalidade e sua tonalidade: os planos, individualmente, não têm uma função direta e só são percebidos enquanto tais ao nível da significação dramática; enquanto elemento criador da dominante psicológica da sequência ou do filme, o plano é submetido a um processo dialético que lhe atribui valor e sentido apenas em relação aos outros planos que o precedem e lhe sucedem. Temos aqui uma excelente ilustração do princípio dialético da passagem da quantidade à qualidade: "A justaposição de dois fragmentos de filme", escreve Eisenstein, "correspondente mais ao seu produto do que à sua soma"[29]. E continua: "A junção de duas pontas quaisquer de filme resulta infalivelmente numa representação nova, significando essa justaposição uma qualidade nova".

A montagem ideológica faz suscitar a participação ativa do espectador: "A virtude da montagem consiste em que a emotividade e a razão do espectador se inserem no processo de criação. (...) O princípio da *montagem*, diferente do da *representação*, obriga o espectador a criar, e é graças a isso que a montagem alcança, junto ao *espectador*, essa força de emoção criadora que distingue a obra patética do simples enunciado lógico dos acontecimentos".

Também pela montagem, o cineasta nos dá sua visão pessoal do mundo: "O arranjo da montagem casa a realidade objetiva do fenômeno com a atitude subjetiva do criador da obra". E de que modo isso acontece? Evidenciando-se através da montagem relações ocultas entre as coisas, os seres e os acontecimentos: "A montagem", afirma Eisenstein, "é uma ideia que nasce da colisão de dois planos independentes". Ou ainda: "A montagem é para mim o meio de dar movimento (ou seja, a ideia) a duas imagens estáticas".

Os movimentos de câmera

Devo agora voltar um pouco atrás para formular uma justificação psicológica aos movimentos de câmera: tal análise estará melhor aqui do

---

29. Esta e as seguintes citações encontram-se em *Reflexões de um cineasta*, pp. 72 ss. O patético, segundo Eisenstein, é "aquilo que desperta no mais íntimo do espectador um sentimento de entusiasmo apaixonado". Confrontar o que foi dito à noção de *teatro épico*, de Brecht: "Criar uma técnica de representação que (...) leve o espectador a adotar uma atitude crítica". E também a esta *nota* de Bresson: "Emocionar não com imagens comoventes, mas com relações de imagens que as tornam ao mesmo tempo ativas e comoventes" (*op. cit.*, p. 90).

que estaria ao final das páginas dedicadas a essa questão no Capítulo 2, pois implica o conhecimento das regras psicológicas que fundamentam as relações dos planos entre si.

Vimos que a ligação por corte é o fator mais elementar de criação da continuidade fílmica. Posto que a mudança de plano, em princípio, é suficiente para conduzir o enredo de modo compreensível e especificamente cinematográfico, cabe perguntar qual o papel dos movimentos de câmera e qual sua justificativa estética e psicológica. Sabemos que a liberação da câmera (dialética do progresso técnico e da pesquisa dos meios de expressão) levou os realizadores a recorrer cada vez mais aos seus movimentos, e isso de acordo com duas das funções mais fecundas dentre as que citei, a saber: *a definição de relações espaciais entre dois elementos da ação e a expressão da tensão mental de um personagem.*

No primeiro caso, o movimento da câmera é apenas um meio e só tem valor por aquilo que introduz no campo de visão. O movimento justifica-se então pelo fato de ser impossível que se sucedam dois planos tomados de um mesmo ponto de vista (sendo que o segundo conteria um elemento novo), sem que o espectador assista ao aparecimento súbito e miraculoso do elemento em questão. Mas convém notar que o recurso ao movimento de câmera nem sempre é uma necessidade absoluta neste caso. No célebre exemplo de *No tempo das diligências* (Ford), a panorâmica poderia ter sido substituída pela entrada dos índios em cena sem mudança de plano nem de ponto de vista — ou pela seguinte montagem:

1 — plano geral da diligência (como no filme),

2 — primeiro plano dos índios (contracampo),

3 — plano geral da diligência ao fundo, com os índios de costas em primeiro plano (mesmo ponto de vista de 1).

Não vem ao caso discutir os méritos respectivos dessa montagem e da panorâmica de Ford: o aparecimento súbito dos índios em primeiro plano teria sido, certamente, uma imagem-choque bastante forte, mas não resta dúvida de que a panorâmica tem o mérito de criar um certo *suspense* e de sugerir a ligação dos dois grupos antagônicos no curso fatal dos acontecimentos. Percebe-se assim a importância do movimento de câmera: ele torna mais densa, ao conferir ao espaço uma presença sensível (o que não faz a montagem, que decupa o espaço), a íntima coexistência dos seres na totalidade. Ao contrário da montagem, restitui a presença indivisa do mundo, o entrelaçamento dos destinos, sua fusão no determinismo universal.

A segunda função essencial do movimento de câmera é a *expressão da tensão mental de um personagem*. Nesse caso possui um valor por si mesmo: ainda que sirva para introduzir no campo um elemento importante para a sequência da ação, seu interesse advém, sobretudo, do fato de materializar a tensão mental do personagem a que se refere. Mas aqui também o movimento não é absolutamente indispensável: já citei o exemplo de *Ladrões de bicicletas* (De Sica), em que se passa de um plano geral a um primeiro plano do garoto, ou o de *O quadragésimo primeiro* (Tchukhrai), onde vemos o mar diretamente em primeiro plano; há uma montagem análoga em *Trágico amanhecer* (Carné), no momento em que o operário toma a decisão de suicidar-se: dois planos cada vez mais próximos do revólver sobre a lareira exprimem a intrusão da ideia de suicídio no espírito do personagem. É verdade que os movimentos de câmera muito evidentes correspondem frequentemente a um desejo de "chamar a atenção" e a uma técnica mal assimilada. Mas é preciso reconhecer que alguns cineastas souberam empregá-lo nessa perspectiva com notável vigor. Se a mudança de plano direta pode causar um grande impacto, o movimento de câmera (sobretudo o *travelling* para frente) intensifica consideravelmente a ação sedutora da imagem sobre o espectador: a densidade dramática atinge seu ponto máximo.

Como explicar esse fato? Como é possível que um procedimento de expressão absolutamente não realista (quero dizer: que não se justifica por nenhum elemento material da ação — o *travelling* sobre o anel em *A sombra de uma dúvida*, por exemplo) seja admitido como esteticamente válido e entendido como capaz de sugerir uma modificação do tônus mental do personagem? A resposta, parece, é que esse efeito corresponde sensivelmente ao que seria a percepção do objeto pelo personagem (e pelo espectador, graças à trucagem da câmera) nas condições reais idênticas àquelas do filme: produz-se na testemunha um estreitamento súbito e considerável do campo de visão e, portanto, da consciência ampla; ela só percebe o objeto em questão, mas essa percepção adquire uma intensidade que será tanto maior quanto mais limitado for o campo em que se projeta o olhar, e quanto mais o objeto visado for suscetível de pôr em causa ou em perigo a testemunha; ora, o aumento rápido da imagem do objeto na tela e o adensamento perceptivo vinculado ao movimento de câmera traduzem bastante bem, no plano estético (e portanto sensorial, em razão da etimologia), o fenômeno psicológico de invasão do campo da consciência que acompanharia a percepção real. Em outras palavras, o *travelling* para frente, embora *materialmente inverossímil*, é *psicologicamente justificável*.

Podemos, em última análise, estabelecer essa regra geral: *todo procedimento de expressão fílmica é válido desde que psicologicamente justificado, qualquer que seja sua inverossimilhança material*[30].

A mais perfeita demonstração disso é o extraordinário e admirável plano-sequência final de *Profissão: repórter* (Antonioni), quando a câmera se põe em marcha no quarto do protagonista, num lento *travelling* para frente, atravessa a grade da janela, efetua no exterior uma trajetória em semicírculo, para voltar a enquadrar através da mesma janela as pessoas que descobrem o cadáver do homem assassinado. No início, pode-se pensar que o *travelling* corresponde à *tensão mental* do homem estendido no leito, que se pergunta onde estará a jovem que o acompanha; depois, após o disparo mortal, que é com seu *olhar espiritual* que ele a procura no exterior (o que corresponde à imagem, em superposição, do morto saindo de seu invólucro carnal) e vem assistir à descoberta de seu próprio cadáver. Essa travessia virtual da grade da janela é como que uma passagem *através do espelho* das aparências: o cinema é, assim, capaz de representar o máximo de irrealidade com o máximo de realismo.

---

30. Evidentemente, essa justificação psicológica só é determinável *a posteriori*: todo procedimento de expressão precisa ser decifrado para ser compreendido, e é necessário aprender a *ler* um filme.

9
A PROFUNDIDADE DE CAMPO

Em técnica fotográfica, a definição da profundidade de campo é a seguinte: é a zona de nitidez que (para uma focal e um diafragma dados) se estende à frente e atrás do ponto de foco. A profundidade de campo será tanto maior quanto mais ampla a abertura do diafragma e mais curta a distância focal da objetiva.

Em cinema, os problemas são os mesmos, mas a noção de profundidade de campo adquire mais importância, pois a câmera não só deve filmar objetos que se deslocam, como também ela se desloca. Mas é o aspecto estético da profundidade de campo que nos interessa aqui. Desse ponto de vista, a noção depende do trabalho de direção. Uma composição em profundidade de campo consiste em distribuir os personagens (e os objetos) em vários planos e fazê-las representar, tanto quanto possível, de acordo com uma dominante espacial longitudinal (o eixo óptico da câmera). A profundidade de campo é tanto maior quanto mais afastados os planos de fundo estiverem do primeiro plano e quanto mais próximo da objetiva este se encontrar.

A profundidade de campo é de extrema importância, pois implica *uma concepção de direção* e até mesmo *uma concepção de cinema*. Durante muito tempo, com efeito, a direção em cinema foi concebida como uma *mise-en-scène* de teatro (nome que infelizmente herdou), ou seja, o espaço dramático tinha sensivelmente a forma de uma cena de teatro: os personagens "representavam" diante de um cenário, colocados sobre uma linha perpendicular ao eixo óptico da câmera e voltados para ela, isto é, para o espectador. Ao contrário, a *composição em profundidade de campo* é construída em torno do eixo da filmagem, num espaço longitudinal em que os personagens evoluem livremente: o interesse particular desse tipo de direção advém, sobretudo, do fato de o primeiro plano combinar audaciosamente com o plano geral, acrescentando sua acuidade de análise e sua capacidade de impacto psicológico à presença do mundo e das coisas ao redor, através de enquadramentos de uma rara intensidade estética e humana. Se houvesse necessidade de justificar o prestígio da profundidade de campo, bastaria dizer que ela corresponde à *vocação dinâmica e exploradora do olhar humano*, que fixa e esquadrinha numa direção precisa (em virtude da estreiteza de seu campo de nitidez) e em distâncias muito variadas (em virtude de seu poder de acomodação). No teatro, o olhar percorre a cena para buscar seu centro de interesse: a câmera, ao contrário, lança fachos de luz na profundidade do mundo e das coisas.

Nunca seria demais insistir sobre esse aspecto importante da atividade criadora do filme. A profundidade de campo suscitou uma literatura abundante a partir de 1945 e da revelação de *Cidadão Kane* (embora já tivesse sido utilizada por Stroheim, Wyler e Renoir, entre outros), mas mesmo antes de 1925 a maioria dos filmes mudos a empregava com naturalidade: em *L'affaire Dreyfus*, de Méliès (1899), vemos personagens vindo em direção à câmera até ficarem em primeiro plano, sem mudança de foco; o mesmo ocorre no plano de *The musketeers of Pig Alley* (Griffith, 1912), em que um dos personagens avança para a câmera até ficar em primeiríssimo plano, enquanto seus comparsas permanecem atrás perfeitamente nítidos. Contudo, a profundidade de campo não tinha até então (salvo, talvez, neste último exemplo) um valor expressivo particular, e isso não só porque a direção ainda era teatral, mas também devido a razões técnicas que Georges Sadoul expôs há algum tempo: "Uma objetiva de campo profundo é aquela que permite obter, como a visão por um olho só, igual nitidez para os objetos afastados e para os objetos próximos. Louis Lumière utilizava uma objetiva assim em 1895, na sua famosa *Entrée d'un train en gare de Ciotat*, em que se via a locomotiva vindo do horizonte, aumentar de tamanho e projetar-se sobre os espectadores. Durante treze anos, essas objetivas foram as mais difundidas. Após 1925, o uso das películas pancromáticas, então pouco sensíveis, obrigou a substituí-las por objetivas mais luminosas; e estas, quando fotografavam primeiros planos, faziam com que os detalhes um pouco mais afastados se perdessem numa bruma confusa. Nesses inconvenientes são encontradas muitas vantagens técnicas. As objetivas de campo profundo poderiam ter sido novamente utilizadas quando a sensibilidade das películas melhorou. Mas saíram de moda, e a excelente escola de cinematografistas franceses as desprezou. Para alguns técnicos foi, portanto, uma "revelação" quando se exibiu na França *Cidadão Kane*[1]. Assim, necessidades técnicas específicas determinaram talvez, entre outros motivos, o aparecimento daquilo que chamei de "estética da montagem", que leva justamente a uma fragmentação máxima do universo fílmico (além de outros efeitos); o espaço dramático divide-se num grande número de planos, o papel de análise da câmera é levado a seu mais alto grau: o espaço torna-se precisamente "temporalizado" pela decupagem, sendo a contiguidade substituída por uma continuidade[2]. Dei anteriormente outras razões desse fenômeno: por causa da ausência do elemento sonoro, o diretor via-se constantemente obrigado a introduzir planos explicativos; por outro lado, vimos que uma montagem rápida, *impressionista*, pode adquirir uma força sugestiva que a imagem sozinha, privada do som, é incapaz de dar. Com o aparecimento do cinema falado, os diretores passaram a contar com o contraponto sonoro, que aumentava os meios descritivos à sua disposição, e isso os levou a empregar a montagem apenas para as necessidades da narrativa e a conceber uma direção mais arejada e natural.

A obra de Renoir ilustra bem essa necessidade de reintroduzir o espaço no trabalho de direção: todos os seus filmes sobejam em movimentos de câmera destinados a tornar sensível o espaço dramático e a definir relações espaciais; por outro lado, utilizam de forma magistral a profundidade de campo desde *Boudou sauvé des eaux* (a fieira de peças na residência dos Lestinguois). Mas é *A regra do jogo* que mostra melhor este senso do espaço em Renoir, e de que modo os movimentos

---

1. *La Nouvelle Critique*, n.º 1, dezembro de 1948. A película *pancromática* substituiu a *ortocromática*.
2. Nessa época, a repartição de *zonas embaçadas (flou)* e nítidas da imagem corresponde frequentemente a uma decupagem virtual: assim, numa conversa entre dois personagens, não se recorre ao campo-contracampo habitual e sim a uma alternância do foco (sendo os dois filmados em profundidade e sem mudança de plano), ora sobre um (em primeiro plano), ora sobre o outro (em segundo plano). Exemplo: *Diévuchka s karabkoi* — A moça da caixa de chapéus, Boris Barnet, 1927.

de câmera e a profundidade de campo substituem em certa medida a decupagem clássica. Darei dois exemplos: no início do filme, La Chesnaye, discutindo com Octave, dirige-se de repente a Lisette, que se encontra no quarto ao lado: não há mudança de plano, e é uma longa trajetória que irá buscar a resposta da camareira. Quanto à profundidade de campo, todos estarão lembrados da cena em que, num comprido corredor, vemos Jurieux e La Chesnaye conversando em primeiro plano, mais atrás Lisette, que os escuta, e, aparecendo bem ao fundo (pelo menos a uns trinta metros da câmera), Octave, que chama Lisette a meia voz e pede-lhe que vá a seu encontro; sem contar que tal cena teria sido impossível no tempo do cinema mudo, podemos imaginar que numa direção menos audaciosa teriam sido necessários cinco ou seis planos para mostrar os personagens, seus gestos, e determinar suas relações espaciais.

O recurso à profundidade de campo possibilita, de fato, uma direção "sintética", em que os deslocamentos no quadro tendem a substituir a mudança de plano e o movimento de câmera. Parece-me útil relembrar alguns exemplos aque evidenciam a contribuição da profundidade de campo. Em primeiro lugar, pela posição estática da câmera e a duração dos planos, contribui tanto para mostrar os personagens inseridos, incrustados no cenário, quanto para criar em certas circunstâncias uma impressão de sufoco, de aprisionamento particularmente intenso: a função dos tetos nos filmes de Welles é muito nítida a esse respeito. De uma forma mais geral, a profundidade de campo possibilita, repito, uma composição longitudinal: os personagens não entram mais em cena apenas pelos lados, mas vindos de trás ou da frente, e evoluem em torno do eixo longitudinal, aproximando-se e afastando-se conforme a importância de suas palavras ou de seu comportamento a cada instante.

Essa utilização da profundidade de campo permite, do ponto de vista dramático, efeitos interessantes, como, por exemplo:

— o deslocamento de um móvel no eixo da câmera, dando uma impressão de estagnação (a corrida do marinheiro em direção à luz no fim do cais, em *A longa viagem de volta*— Ford) ou de surpresa (o casaco lançado a Leland por Kane, antes de dançar com as *girls*, em *Cidadão Kane*);

— a simultaneidade de várias ações, como a famosa cena de *Cidadão Kane* em que o pai e a mãe assinam o contrato em primeiro plano, enquanto ao fundo, pela janela, vemos o jovem Kane brincando na neve;

— a entrada em primeiro plano no campo de um personagem ou de um objeto, resultando numa viva surpresa para o espectador: na casa de correção de *Das Tagebuch eine Verlorenen*— Três páginas de um jornal (Pabst), a câmera enquadra primeiro um cartaz onde se lê a palavra *Verboten* (proibido) repetida várias vezes: depois aparece em primeiro plano o crânio raspado e a cara de facínora do vigia, que acaba de se levantar da sua mesa. De uma forma mais dramática, vemos, em *O tesouro de Sierra Madre/The treasure of Sierra Madre* (Huston), o aparecimento súbito das pernas de um homem munido de um temível facão no plano dos garimpeiros, que não percebem sua presença; ou então, em *Sombras do mal/Night and the city* (Dassin), um homem em fuga é precedido pela câmera em *travelling* para trás e em primeiro plano, até que uma mão surge em cena, pegando-o brutalmente pelo pescoço; ou ainda, em *Rotation*— Rotação (Staudte), esse impressionante efeito, que se passa numa rua deserta durante a batalha de Berlim, em 1945: uma mulher sai de uma padaria segurando um pão e corre em direção à câmera (imóvel durante o plano todo e colocada rente ao chão), saindo de campo, em primeiro plano, à esquerda; nesse instante, ouve-se o assobio de um obus que explode nas proximidades, e vemos na tela vazia reaparecer, em primeiro plano, a mão inerte da mulher e o pão rolando pelo chão. Mas o efeito de profundidade de campo pode também ser acompanhado de um movimento de câmera (real, ao contrário do exemplo de *Sombras do mal*, onde é virtual): assim, em *O Diabo riu por último/Beat theDevil* (Huston), um longo *travelling* para trás, afastando-se de duas pessoas que trocam confidências, vem enquadrar em primeiro plano o indivíduo que os espia;

— por fim, a presença[3] de um personagem em primeiro plano, justificada pelo fato de que a cena é vista, de certo modo, por seus olhos: em *A última felicidade* (Mattson), a cena em que os dois jovens se apaixonam (o rapaz toca violão e canta) é mostrada do ponto de vista de Sigrid, a irmã mais velha (de costas em primeiro plano), que parece paralisada pelo pressentimento do drama que irá nascer desse amor "proibido".

Vemos, portanto, esboçadas duas direções bastante opostas na utilização da profundidade de campo; em primeiro lugar, a tendência a enclausurar os personagens no cenário através de *longos planos fixos,*

---

3. Ou seja: aparecendo parcialmente num canto da tela.

em que a imobilidade da câmera valoriza o drama psicológico — e, em segundo, a tendência a enfatizar o escalonamento dos planos em profundidade para fins dramáticos e *sem com isso suprimir a decupagem tradicional*. Evidentemente, um perigo espreita o diretor no primeiro caso: o de "fazer teatro" em virtude da unicidade do ponto de vista e da duração dos planos (dos "quadros"*, eu diria): ele só conseguirá escapar compensando a posição estática da câmera por uma dinamização do conteúdo da cena: seja por uma composição audaciosa, seja por um ângulo "anormal" (a *contra-plongée*, por exemplo), ou ainda por uma utilização de elementos luminosos fortemente contrastados (a cena da sala de projeção de *Cidadão Kane*, já citada), etc.

É por isso que a famosa cena da cozinha, em *Soberba* (Welles), que dura cinco minutos sem mudança de plano e comporta apenas uma curta panorâmica modificando ligeiramente o quadro, não cansa o espectador porque o drama atinge ali uma grande força e uma envolvente complexidade. Essa utilização do chamado *plano-sequência* deve, evidentemente, justificar-se por uma intenção estética ou dramática.

Para evitar o risco de imobilidade e monotonia, é aconselhável fazer com que os personagens se movam no espaço de modo a criar uma espécie de decupagem virtual, baseada não nas mudanças de plano habituais, mas numa variação da distância relativa dos personagens em relação à câmera, portanto uma mudança do plano de perspectiva, eventualmente sublinhada por movimentos de câmera.

Assim, a liberdade soberana de Renoir, que à primeira vista poderia parecer um tanto confusa, manifesta uma genial desenvoltura[4] que contribui certamente para sua força expressiva. É que ele *soube utilizar ao máximo a profundidade de campo sem coagir sua câmera à imobilidade completa e sem recorrer a planos intermináveis*. Convém notar que, mesmo em Welles, as cenas em que a câmera é perfeitamente estática (e às vezes os personagens também) incluem uma decupagem virtual. A tentativa de suicídio de Susan em *Cidadão Kane*, por exemplo, é tratada num único plano, em que vemos, em primeiro plano (o duplo sentido da palavra "plano" decididamente atrapalha), o copo e o frasco de veneno, em segundo plano — e quase indiscernível na sombra — a cabeça de

---
* De pintura, e não o quadro cinematográfico.
4. Penso no plano da chegada dos convidados ao castelo, em que um personagem atravessa o campo em primeiro plano e "cobre" literalmente a tela durante uma fração de segundo (*A regra do jogo*).

36. *Jeanne Dielman* (Chantal Akerman, 1975).

37. *O Thiassos/Os atores ambulantes* (Theo Angelopoulos, 1975).

38. *Desencanto* (David Lean, 1945).

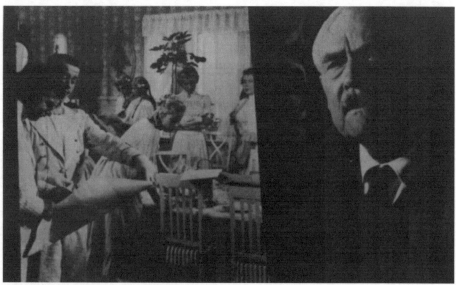

39. *Morangos silvestres* (Ingmar Bergman, 1957).

Susan, e no fundo a porta, filtrando um raio de luz por baixo, onde Kane virá em seguida bater. É preciso destacar a importância do som (a respiração ofegante de Susan, as pancadas de Kane na porta): Welles realizou um trabalho notável de direção do som, e poderíamos dizer que a cena é "decupada" entre o som e a imagem, pois a imagem do rosto decomposto de Susan e a de Kane batendo à porta são substituídas por planos sonoros. A decupagem (que permanece virtual) da cena poderia ter sido a seguinte: plano geral do quarto, primeiro plano do rosto de Susan, primeiro plano do frasco de veneno, plano geral do quarto com o ruído em *off* das primeiras batidas de Kane à porta, plano de Kane no exterior esmurrando a porta, etc. Todos esses "planos" estão na sequência, mas alguns são puramente sonoros e, ao invés de serem "decupados" e postos em continuidade, acontecem simultaneamente; torna-se óbvio que, apesar da unicidade do ponto de vista, encontramo-nos muito distantes do teatro; mas isso se deve, antes de tudo, à prodigiosa riqueza dramática desse "plano-síntese", mais do que à profundidade de campo propriamente dita.

Os melhores anos de nossas vidas (Wyler) oferece também um bom exemplo do trabalho de *composição da profundidade de campo*. Que se lembre da chegada de Homer, o marinheiro enfermo, no bar de seu amigo Butch: Homer aparece ao fundo e olha, sorrindo, para Butch, ao piano em primeiro plano, que ainda não o percebeu; um freguês, sentado em segundo plano de costas para a câmera, ergue a cabeça para o marinheiro e volta-se para ver a quem se dirige esse sorriso. É significativo que Wyler, numa cena em que a profundidade de campo é utilizada de modo claro e inteligente, tenha sentido a necessidade de percorrer o espaço dramático (na medida em que este inclui uma dialética espacial entre indivíduos) através do olhar do freguês, gesto capaz de substituir um plano que, numa decupagem "normal", teria mostrado o que o marinheiro via, isto é, Butch visto da entrada do bar[5].

Portanto, a profundidade de campo reintroduziu no cinema, em reação à decupagem clássica, a representação do *universo como totalidade*: o espaço não é mais fragmentado e temporalizado, sendo-nos dado em blocos maciços, e, da mesma forma que diante da realidade exterior, temos que extrair dele as estruturas relacionais (entre personagens) e

---

5. Sobre essa questão, ver o importante artigo de André Bazin em *Revue du Cinéma*, n.ºs 10 e 11 (fevereiro-março de 1948).

as sequências causais (de acontecimentos). Deveríamos, eu perguntaria, festejar essa redução do papel da decupagem (e, portanto da montagem) e afirmar, como André Bazin, que a decupagem clássica "não deixa nenhuma liberdade ao espectador em relação ao acontecimento" e que ela "coloca implicitamente que tal realidade, em tal momento, tem um único sentido em relação a um acontecimento dado"? "Na realidade", continua Bazin, "quando estou envolvido numa ação, minha atenção, dirigi da por meu projeto, procede também a uma decupagem virtual em que o objeto perde efetivamente, para mim, alguns de seus aspectos, para tornar-se signo ou instrumento... Ora, a decupagem clássica suprime totalmente essa forma de liberdade recíproca do objeto e de nós mesmos..."[6]. Acho indispensável frisar que essa liberdade que a profundidade de campo nos restitui é bastante utópica, pois a experiência demonstra, como acabamos de ver, que na maioria dos casos o trabalho de direção com profundidade de campo nos impõe uma decupagem virtual que opera no espaço ou mesmo no tempo da cena, dominando nossa atenção. Aliás, tal liberdade, supondo-se que existisse, estaria talvez em contradição com a noção de obra de arte. Pois o que aparece na tela não é evidentemente a realidade, mas uma imagem da realidade, a visão pessoal e subjetiva do diretor, portanto uma *realidade estética*. Diante dessa segunda realidade, nossa liberdade permanece, mas muda de plano: não nos cabe mais fazer julgamentos de fato, e sim julgamentos de valor; o problema consiste então em saber se essa segunda realidade existe *esteticamente*: se a recusamos, significa que o diretor fracassou em sua tentativa de nos impor sua visão de mundo.

Um recente progresso técnico veio oferecer aos diretores um meio de expressão ao mesmo tempo prático e vigoroso: trata-se das objetivas com focal variável (*zoom, pancinor*), que permitem fazer os chamados *travellings ópticos*. Esses *travellings* são puramente virtuais, não havendo deslocamento da câmera, e, já que eles se efetuam apenas no eixo da câmera, é lógico estudá-los do ponto de vista da profundidade de campo.

Dando ao realizador uma liberdade praticamente infinita, esses *travellings* ópticos possibilitam efeitos sensacionais, absolutamente irrealizáveis de outro modo. *Les étoiles du Midi* (Marcel Ichac), por exemplo,

---

6. *Orson Welles*, pp. 57-58.

mostra-nos em primeiro plano um alpinista agarrado a uma parede rochosa; um fulgurante *travelling* para trás nos restitui então o conjunto da paisagem: o homem, como um minúsculo e frágil inseto, está escalando o formidável pico do Grand Capucin, nos Alpes. A focal variável permite assim combinar (dentro de certos limites) as vantagens da focal curta (grande campo, grande profundidade) e da teleobjetiva (campo reduzido, mas com grande aumento): o diretor não está mais pregado ao solo nem restrito às possibilidades de uma grua, podendo agora buscar quase instantaneamente num plano geral aquele detalhe que deseja mostrar em primeiro plano na tela.

O interesse espetacular do procedimento é, portanto, evidente: mas seu interesse estético não é menor. Ao longo de um *travelling* óptico (suponhamos um *travelling* para frente), o espectador não tem a impressão (ao contrário do que se passa num *travelling* comum) de percorrer com a câmera um espaço sólido e indeformável; ele tem a impressão de que o espaço se comprime (por achatamento dos planos uns contra os outros), tornando-se com isso mais denso: de fato, a variação da focal modifica a posição relativa dos planos do espaço entre si. A focal variável acumula, assim, as vantagens estéticas da focal curta (grande profundidade, possibilitando primeiríssimos planos num campo totalmente nítido) e as da focal longa (achatamento dos planos distantes, dando à imagem uma intensidade dramática e plástica absolutamente inigualável). Além disso, por sua capacidade de agir rápida e abruptamente, o *travelling* óptico tem um considerável valor de impacto psicológico.

A redescoberta das possibilidades expressivas da profundidade de campo e sua utilização consciente marcam uma etapa importante da evolução do cinema. Condicionada em parte por descobertas técnicas (sonorização, películas mais sensíveis, objetivas de campo total e com focal variável), ela manifesta, no plano estético, o último esforço do cinema para se ver livre da dominação do teatro, caracterizando-se também por uma reintrodução do espaço e, consequentemente, do tempo (voltaremos a falar disso) no trabalho de direção. Sendo assim, a assimilação da profundidade de campo talvez represente para o cinema contemporâneo a conquista suprema de sua autonomia.

A razão desse fato é que ela acentua a *estilização* do real, conforme Jean Mitry mostrou muito bem: "Na realidade (...) não podemos perceber, numa mesma focalização, os objetos situados à nossa frente e os que se encontram ao fundo. O 'traço' da imagem fílmica é, portanto, o de uma imagem 'intelectual' bastante afastada de nossa percepção normal. Nele, sobressai a diferença entre o real imediato e a imagem, mais do que nunca *mediatizada*". Graças à profundidade de campo, diz ainda Mitry, "o espaço e o tempo (...) constituem um todo homogêneo", de modo que vemos hoje, "sucedendo à composição de um espaço indiferente à duração que ele contém, a estruturação de um verdadeiro 'espaço-tempo'. (...) É a 'duração vivida', essa duração 'em vias de se fazer', que o cinema contemporâneo vem perseguindo"[7].

---
7. *Op. cit.*, tomo 2, pp. 50 e 51.

10
OS DIÁLOGOS

Pela lógica, os diálogos (e suas formas anexas: monólogo e comentário) deveriam situar-se no capítulo dedicado aos *elementos fílmicos não especificados*. Contudo, estudá-los antes dos fenômenos sonoros teria sido incômodo, por pressupormos uma série de conclusões contidas no Capítulo 7.

Digamos de imediato que, se os diálogos não são um meio de expressão específico do cinema, isso não quer dizer que não sejam para ele um meio de expressão essencial. De fato, seria um erro, sob o impulso de uma incurável nostalgia do cinema mudo, considerarmos os diálogos como um procedimento narrativo parasitário e acessório. Já demonstrei o absurdo e o falso argumento que consiste em dizer que o cinema, ao tornar-se falado, deixou de ser uma linguagem universal; já assinalei que a maioria dos filmes mudos era atulhada de letreiros que vinham a todo instante interromper com sua tagarelice a continuidade das imagens. Com a sonorização, os diálogos colocaram problemas técnicos de tradução simultânea, de que as legendas constituem a solução menos má. Mas repito que, no cinema falado, o papel da palavra como elemento da realidade e fator de realismo é normal e indiscutível. Resta agora definir qual seria esse papel.

O diálogo não pode figurar no mesmo plano de importância que a montagem, que é sem dúvida o elemento mais específico da linguagem fílmica; a fala, com efeito, é um fator constitutivo da imagem (fator privilegiado, é verdade, pela importância de seu papel significativo) e, sob esse aspecto, submete-se à decupagem da mesma forma que os outros ruídos[1] e a música, embora como esta última, escape em certa medida à decupagem por servir também (e acessoriamente) para ligar os planos entre si, criando uma continuidade sonora. Enquanto elemento da imagem, que é realista em geral, o diálogo deve ser, em princípio, utilizado também de forma realista, ou seja, acompanhando normalmente o movimento dos lábios de um personagem. É o caso mais comum, ainda que haja exceções numerosas e interessantes, sobre as quais voltarei a falar mais longamente no capítulo seguinte.

A vocação realista da fala é condicionada pelo fato de ser *um elemento de identificação dos personagens* da mesma forma que a roupa, a cor da pele ou o comportamento em geral (e também uma peculiaridade qualquer); há, portanto, uma adequação necessária entre o que diz um personagem — e o modo como diz — e sua situação social e histórica. Pois *a fala é sentido, mas também tonalidade humana*, e é por esse motivo que a dublagem representa uma monstruosidade artística: Renoir costumava dizer que os que cometem esse crime, se vivessem na Idade Média, teriam sido queimados por ter dado a um corpo uma voz que não lhe pertence. Vemos isso claramente nas versões dubladas para o francês de *Rocco e seus irmãos* e *O leopardo/Il gattopardo* (ambos de Visconti): se já seria arbitrário dublar atores franceses em italiano, subtraindo a cor nacional específica a um diálogo, nada é mais catastrófico que a dublagem de filmes italianos, privando-lhes do ritmo rápido e da tonalidade cantada que fazem o charme da língua de Dante, sem falar da incompatibilidade entre a mímica gestual italiana e as palavras francesas, por exemplo. O respeito à língua nacional é uma questão de honestidade e, ao mesmo tempo, uma prova de inteligência dramática; com efeito, o fato de os personagens falarem sua língua materna aumenta consideravelmente a credibilidade da história e possibilita cenas de um impressionante simbolismo (os refugiados de *La dernière chance*, de Lindeberg, cantando em coro *Frère Jacques*, cada um em sua língua) ou de uma ironia cruel: em *Kaka zakalialass stal* — E o aço foi temperado (Donskoi), um oficial alemão dirige aos ferroviários russos que se recusam a trabalhar um pequeno discurso em alemão, de onde emergem as palavras "Kultur" e "Zivilisation"; a seguir,

---

1. "A voz é um 'ruído' que se mistura com os outros ruídos", diz Antonioni.

o oficial que o acompanha, convidado a traduzir, contenta-se em proferir num tom ameaçador: "Vocês devem trabalhar, senão serão fuzilados!". A dualidade das línguas proporcionou também a Pudovkin ocasião para um jogo de cena de grande força dramática em *O desertor*: no momento em que o operário alemão, em visita à Rússia em 1933, confessa a seus camaradas russos que se considera um desertor, porque pensou em permanecer naquele país em vez de voltar à Alemanha para lutar contra Hitler, os russos começam aplaudindo entusiasticamente as palavras que não compreendem, para depois, aos poucos, tornarem-se silenciosos, percebendo a emoção e o embaraço do orador. Há um efeito semelhante em *O terceiro homem* (Reed), quando o amigo de Harry Lime e a jovem austríaca chegam ao prédio onde o porteiro que queriam ver acaba de ser assassinado: uma criança começa a repetir "Mörder" (assassino), apontando para o americano; este não compreende, mas vemos aumentar a curiosidade suspeitosa das pessoas em volta juntamente com a inquietação da jovem austríaca, e os dois se verão obrigados a fugir.

Renoir em *A grande ilusão/La grande illusion*, René Clément em *A batalha dos trilhos* (particularmente num jogo de cena que lembra o do filme de Donskoi que acabo de descrever) e *Os malditos*, Melville em *Le silence de la mer*, Autant-Lara em *A travessia de Paris* e *Le bois des amants*, Dewewer em *Les honneurs de la guerre*, todos eles não hesitaram em fazer com que os alemães falassem em sua língua, e essa simples honestidade confere a seus filmes um tom de autenticidade insubstituível. No início do cinema falado, em *Allo Berlin? Ici Paris!,* Duvivier já havia conseguido em parte evitar a dublagem do alemão ao filmar paralelamente duas ações idênticas, que se explicavam uma (em Berlim) pela outra (em Paris). O desconhecimento de suas línguas recíprocas pelos protagonistas serviu inclusive de argumento dramático em *Châteaux en Espagne* (Wheeler).

O maior perigo que correm os diretores no que diz respeito ao diálogo é o *de fazer prevalecer a explicação verbal sobre a expressão visual*: estou querendo dizer que todo enredo puramente verbal deveria se reduzir ao mínimo em cinema, já que a imagem é capaz de mostrar os acontecimentos, mas sobretudo que, através dos meios à sua disposição (a metáfora e o símbolo em particular, mas também os movimentos de câmera, os ângulos de filmagem, os enquadramentos, os ruídos), o *filme pode significar sem ter que dizer*, ou seja, pode transpor o sentido do plano da linguagem verbal para o da expressão plástica.

Fica claro, portanto, que *a fala deve evitar o máximo possível ser uma simples paráfrase da imagem* (reencontramos aqui um princípio que é válido para a música). Mas, o que é mais importante, o diretor também pode jogar com a *dualidade possível entre as palavras e o conteúdo fatual da imagem*, fazendo surgir desse confronto (em contraponto ou em contraste) efeitos simbólicos muito ricos do ponto de vista da linguagem.

Pode haver, por exemplo, dualidade entre a palavra e a expressão do rosto de quem fala; o contraponto, nesse caso, é normal, e não há muito a observar a esse respeito, mas o contraste é mais interessante: em *Tempestade sobre a Ásia* (Pudovkin), os oficiais ingleses, a fim de ludibriar seus hospedeiros mongóis, simulam um sorriso enquanto eles falam do ataque repentino dos guerrilheiros soviéticos; denunciado pelos gritos do papagaio do marinheiro que ele embebedou para entregá-lo a um capitão à procura de homens, o recrutador de *A longa viagem de volta* (Ford) esforça-se por cantar alegremente, enquanto seu rosto reflete o pânico que o domina. O cotejo da fala com o gesto pode suscitar um efeito de contraponto (o galã de *O silêncio é de ouro/Le silence est d'or* — Clair —, acompanha o relato de sua decepção amorosa com golpes de martelo descarregados sobre um tronco de árvore de cenário) ou de contraste (em *Tempestade sobre a Ásia*, um oficial inglês sugere que se acrescente o termo "liberdade" à declaração que o comandante britânico se propõe a fazer em nome do "descendente de Gengis Khan", e ao dizer isso agita seu revólver — em *A sombra de uma dúvida*, Charlie diz à sua sobrinha que andou ocupado apenas com bagatelas, enquanto torce um pedaço de papel entre os dedos com gestos de estrangulador). Um contraponto fala-objeto aparece em *Festim diabólico*, também de Hitchcock, onde a batida cada vez mais rápida de um metrônomo acompanha o pânico crescente de um dos assassinos ante as perguntas insidiosas do professor; contraste fala-objeto, em *Trágico amanhecer* (Carné), quando o amestrador de cães tenta comover François, contando-lhe que foi um menor abandonado, enquanto a seu lado um sifão "chora" lágrimas de crocodilo. Poderá haver contraponto entre a fala e a música-ruído (ver o exemplo já citado de *Roma, cidade aberta*, de Rossellini, em que uma música de *jazz* intensifica a dor do homem que acaba de perder sua amada), ou então contraste (o exemplo, também já citado, da abertura de *Egmont* contrastando com o discurso cínico e mentiroso do colaboracionista de *As portas da noite*, de Carné). Por fim, teríamos um contraste da fala consigo mesma na cena de *Kaka zakalialass stal* — E o aço foi temperado (Donskoi) citado há pouco. Por outro lado, vimos que a palavra pode ser elidida em proveito da imagem e vice-versa (*Sob os tetos de Paris*, Clair), mas ela pode ocorrer também num outro plano, diferente do da imagem: é o que acontece com diálogos em primeiro plano sonoro sobre uma imagem em que os interlocutores se encontram em plano geral, num avião (*Estradas do inferno/Jet pilot* — Sternberg) ou num carro (*A terceira voz/The third voice* — Cornfield). Uma utilização sistemática dessa subversão da perspectiva sonora encontra-se em *La pointe curte* (Agnes Varda), um filme que parece ter marcado época nesse domínio. E não se deve esquecer, evidentemente, que as palavras e as imagens podem estar em *tempos* diferentes (*Hiroshima, meu amor,* Resnais)[6].

A técnica do contraponto e do contraste pode ocorrer ainda no *campo-contracampo*, comumente utilizado nos diálogos, pela possibilidade que o diretor tem de mostrar aquele que fala ou aquele que escuta; parece ser mais interessante observarmos um indivíduo ridículo e tímido dizendo: "Eu te amo", ao passo que preferiremos ver o rosto de uma mulher feia a quem é feita uma declaração de amor. Por via de regra, mostrar-se-á aquele que fala ou aquele que escuta conforme o conteúdo dramático das palavras seja mais importante para o primeiro ou para o segundo; e resta sempre a liberdade de fazer ver a expressão do rosto daquele que fala, ou o efeito das palavras sobre aquele que as recebe, como um golpe ou uma ofensa.

A voz em *off* (vinda de uma fonte exterior ao quadro da imagem) permite também efeitos muito interessantes. Em *As férias do Sr. Hulot* (Tati), vemos um veranista de meia-idade seguir longamente com os olhos uma bela e jovem banhista, enquanto sua rabugenta esposa (fora do quadro) o chama num tom cada vez mais exasperado. Temos uma situação bem mais tensa, desta vez, em *Festim diabólico* (Hitchcock): num longo plano fixo, a câmera enquadra a faxineira removendo coisas de cima do baú que contém o cadáver e trazendo os livros que pretende colocar ali dentro — enquanto fora de campo os pais da vítima e os assassinos discutem os possíveis motivos da ausência do jovem, sentindo-se no ar a inquietação de uns e o terror crescente dos outros.

---

6. É preciso registrar um curioso efeito utilizado em *Silent dust* (Lance Comfort): um indivíduo conta (em voz *off*) seu passado, e vemos na tela os acontecimentos que ele evoca: mas logo percebemos que as imagens não correspondem ao que ele diz e compreendemos que ele mente. Ver também contradições entre texto e imagens em *La vie en rose* (Faurez), *Amante sob medida* (Clément) e *Teu nome é mulher/The designing woman* (Minelli).

Finalmente, o comentário subjetivo em terceira ou em primeira pessoa (monólogo interior) também é frequentemente utilizado[3]. Permite liberar as imagens de uma parte de seu papel figurativo e explicativo e, principalmente, exprimir sutilezas e nuanças que as imagens sozinhas seriam incapazes de traduzir (ver todo o cinema psicológico: Resnais, Kast, Astruc, etc.).

Os diversos tipos de diálogos[4]

Do ponto de vista da natureza e da especificidade da linguagem que utilizam, podemos distinguir:

— *os diálogos teatrais*: aqueles escritos como se fossem para o teatro e feitos para serem *ditos* diante da câmera como diante do poço da orquestra; é o triunfo do *mot d'auteur* e do espírito de bulevar, tipicamente francês, ilustrado por Marcel Pagnol, Sacha Guitry, Henri Jeanson, Pierre Laroche, Michel Audiard e muitos outros;

— *os diálogos literários*: a elipse, a alusão, o meio-tom e o silêncio fazem-se aqui presentes: os *mots d'auteur* ainda são frequentes, mas já se nota uma maior submissão à imagem; também um tipo de diálogo tipicamente francês, manifesta-se em todas as tendências possíveis: na bela forma literária (inspirada nos modelos dos séculos XVII e XVIII), introduzida no cinema por Giraudoux (*La duchesse de Langeais*, Baroncelli) e Cocteau (*Les dames du Bois de Boulogne*, Bresson); no humor característico e na preciosidade refinada (em Alain Resnais, Pierre Kast, Chris Marker, por exemplo); nos recitativos líricos inspirados na ópera (os de Marguerite Duras para *Hiroshima, meu amor* e os de Alain Robbe-Grillet para *O ano passado em Marienbad*); finalmente, na poesia bizarra e insólita, de que Prévert continua sendo o melhor exemplo nos tons os mais diversos, onde o fogo de artifício verbal adquire muitas vezes delicadas nuanças: uma pretensão caricatural à profundidade ("Eu expresso

---

3. Será analisado mais longamente no capítulo seguinte.
4. Eis como André Malraux caracteriza, em seu *Esquisse d'une psychologie du cinéma*, os diversos tipos de diálogos cinematográficos (em relação aos do romance e do teatro): "O diálogo no romance serve primeiramente para expor. (...) O cinema procura utilizar o mínimo possível esse tipo de diálogo. (...) Em segundo lugar, para caracterizar os personagens. (...) Mas o cinema, como o teatro, dá menos importância do que o romance; a tal diálogo, porque basta o *ator* para conferir ao personagem uma existência física e inclusive uma parte de sua personalidade. (...) Temos, enfim, o diálogo essencial: o da 'cena'. (...) É desse diálogo (...) que o cinema retira uma parte de sua força".

as coisas que estão por trás das coisas" — *Cais das sombras*, Carné), uma lógica passional bastante convincente ("Você não pode ser mau, já que eu o amo" — *Cais das sombras*), uma ressonância poética um tanto insólita ("Você vai jogá-la outra vez no mar, a estrela-do-mar" — *Águas tempestuosas*, Grémillon), um humor meio maluco ("Você disse: Bizarro, bizarro — eu digo: Bizarro, bizarro? Como isso é bizarro!"- *Família exótica/Drôle de drame*, Carné);

— *os diálogos "realistas"*, isto é, cotidianos, mais falados do que escritos, e traduzindo uma preocupação de se exprimir da forma usual, com naturalidade, simplicidade e clareza. Podemos incluir nessa categoria, embora não se trate propriamente de diálogo, a fala de improviso que o *cinema direto* valorizou: nos filmes desse gênero, os indivíduos enunciam de certo modo seu próprio texto, com menor ou maior naturalidade.

Ainda quanto ao estilo dos diálogos, é preciso que eu abra aqui um parêntese sobre o tempo gramatical do acompanhamento verbal das imagens. Podem-se reconhecer dois tempos privilegiados, o *presente* e o *imperfeito* do indicativo. O presente (mesmo e, sobretudo quando se aplica a imagens do passado) dá ao complexo texto-imagem uma intensidade dramática excepcional, porque atualiza o passado da mesma forma que o faz nossa consciência: temos exemplos de sua utilização admirável em *Hiroshima, meu amor* e, anteriormente, em *Tierra sin pan* (Buñuel) e *Le journal d'uncuré de campagne* (Bresson). O imperfeito (tempo da ação em vias de se fazer, portanto da *duração*) é um poderoso fator de poesia, devaneio, nostalgia e tristeza.

O belo texto de Jean Cayrol para *Nuit et brouillard* (Resnais) combina magistralmente os efeitos dos dois tempos: às imagens do presente (imagens em cores do campo de concentração hoje abandonado), o imperfeito sobrepõe uma meditação dolorosa sobre a esquecida memória dos homens e da natureza; às imagens do passado (cenas de arquivo em preto e branco), o presente confere uma violência pungente, reatualizando o horror nazista e a angústia dos anos da guerra.

Os diálogos têm grande importância no cinema; mas seria difícil definir, embora os diálogos "realistas" pareçam ser os mais especificamente cinematográficos, qual deve ser a regra no assunto: tudo é permitido, aqui como em outros domínios da linguagem fílmica, havendo apenas uma falta imperdoável: *não estar de acordo com a situação*.

Mas podemos também afirmar que o diálogo sempre deveria dar precedência à imagem, da qual é apenas um dos componentes, e ao mesmo tempo evitar o pleonasmo em benefício do contraponto: como a música, a fala deve seguir sua própria linha.

Não é verdade, segundo o dito de Bresson, que foi o cinema sonoro que inventou o silêncio? Sem dúvida, o silêncio passou a ser valorizado como elemento dramático, e todos concordam em que o primeiro plano de um rosto é infinitamente mais eloquente que as mais belas revoadas líricas.

Mesmo admitindo isso, não é o caso de se escandalizar — em nome de uma pretensa superioridade do cinema mudo, que, no meu modo de ver, é inteiramente errada — com a importância considerável que têm os diálogos na tela; o essencial é que eles sejam utilizados inteligentemente, ou seja, que entre eles e a imagem exista uma relação dialética valorizadora. E o mais importante não é que os realizadores estejam livres, definitivamente, tanto da estética do cinema mudo quanto da tirania do teatro filmado?

11
OS PROCEDIMENTOS NARRATIVOS SECUNDÁRIOS

Ao lado da montagem, dos movimentos de câmera e dos diálogos, existe um grande número de outros procedimentos narrativos, ou seja, jogos de cena e efeitos visuais e sonoros — cujo objetivo é fazer progredir a ação, contribuindo com um elemento dramático ou com a significação de uma atitude ou um conteúdo mental dos personagens. Esses procedimentos são, sem dúvida, menos importantes, menos fundamentais que aqueles estudados anteriormente, mas nem por isso deixam de ser especificamente cinematográficos, e é sob esse aspecto que merecem uma atenção particular. Como seu número e sua diversidade tornam difícil uma classificação mais precisa, vou me limitar a reparti-los em duas grandes categorias.

Procedimentos objetivos

Assim designados porque utilizam de forma "realista" os elementos da ação, não recorrendo a nenhum meio de expressão que atente contra a verossimilhança representativa (material ou psicológica) da imagem ou do som; em segundo lugar, porque seu objetivo principal não é exprimir o conteúdo mental de um indivíduo, mas fazer avançar a narrativa: portanto, são antes *procedimentos dramáticos* que psicológicos.

Abramos primeiro um parêntese para dizer umas palavras acerca dos *intertítulos* (ou *letreiros*, ou *cartazes*) dos filmes mudos, que foram durante trinta anos o principal desses procedimentos secundários. Evidentemente indispensáveis, representavam na maioria das vezes uma solução fácil (assim como os diálogos hoje), na medida em que seu emprego dispensava pesquisar meios de expressão originais.

Vários bons cineastas, aborrecidos por essa necessidade, tentaram livrar-se dela. *Scherben* — Destroços, (Lupu Pick), por exemplo, contém um único intertítulo, a frase "Eu sou um assassino", lançada ao rosto dos passageiros de um trem pelo controlador que acaba de matar o sedutor de sua filha. Dreyer, ao realizar *O martírio de Joana d'Arc* bem no final do cinema mudo, lamentou imensamente não poder utilizar o falado para evitar os intertítulos, que a todo o momento vêm quebrar a magia das imagens.

No entanto, ele soube dar a seus letreiros uma qualidade emocionante, que Léon Moussinac não hesitou em comparar com a qualidade plástica das imagens. Vários diretores conseguiram, com efeito, atribuir a seus intertítulos uma função lírica (Griffith, Gance) ou épica (Vertov, Eisenstein), ou uma função dramaticamente figurativa mediante disposições gráficas: é o caso da palavra "Irmãos", em tipos cada vez maiores, quando a esquadra passa diante do *Potemkin* vitorioso — ou, em *Aurora* (Murnau), da frase "Não poderíamos afogá-la?", que parece *escorrer* para a parte inferior da tela como a futura vítima dessa intenção criminosa.

Havia, então, uma tentativa de integrar visual e dramaticamente os intertítulos ao filme — tal como acontece hoje com os créditos, que passam cada vez mais a ser colocados após uma sequência introdutória e diretamente sobrepostos a imagens da ação.

Diga-se de passagem que o princípio do letreiro subsiste ainda hoje: serve para indicar, no início de um filme ou de uma sequência, a data e o lugar da ação; numa outra ordem de ideias, Autant-Lara colocou uma epígrafe de Stendhal na abertura de cada uma das sequências de *O vermelho e o negro*.

Ocorre também de palavras serem sobrepostas à imagem (em *O gabinete do dr. Caligari*, de Wiene, as palavras "Tu deves tornar-te Caligari" exprimem o pensamento diabólico do homem que controla o sonâmbulo Cesare) ou de serem literalmente "colocadas em cena" (mises-en-scène): assim, *em A mulher na lua/Die Frau im Mond* (Lang), tendo um homem encontrado ouro numa caverna, a palavra "*Gold*" aparece em superposição, repercutindo de parede em parede e aumentando de tamanho em direção à câmera.

Outro procedimento frequente: apresentar manchetes de jornais ou páginas de livros cujo texto anuncia, comenta ou substitui (elipse) o conteúdo da ação visual — ou ainda páginas de diários íntimos redigidos pelo herói da ação: Sacha Guitry, por exemplo, em *O romance de um trapaceiro/Le roman d'un tricheur* (dirigido por ele mesmo), aparece redigindo suas memórias, e no início de cada sequência podemos ler as primeiras linhas do que escreve, antes da narrativa prosseguir na voz em *off*; *Sinfonia pastoral* (Delannoy) e *Le journal d'un curé de campagne* (Bresson) também utilizam um diário escrito diante de nossos olhos como ligação entre as cenas e como *leitmotiv* temporal; de maneira ainda mais original, em *Das Tagebuch eine Verlorenen*, de Pabst — Três páginas de um diário (tradução do título alemão) —, têm um papel importante na ação, proporcionando a um escandalizado conselho de família a prova da sedução de uma pobre garota por um vadio[1].

Também muito comum é o procedimento que consiste em mostrar na tela, ou em fazer ler, a carta ou o bilhete que um personagem acaba de receber: os pretextos invocados para justificar essa leitura são os mais diversos (e às vezes os mais pitorescos), bem como as circunstâncias da leitura: em *Soberba* (Welles), Eugene relê mentalmente (voz em *off*) a carta que escreveu para agradar Elizabeth; uma fusão mostra-nos, a seguir, Elizabeth lendo a carta, enquanto continuamos ouvindo a voz em *off* de Eugene.

Mas a leitura de uma carta pode desempenhar um papel direto na ação: em *O tesouro de Sierra Madre* (Huston), três garimpeiros descobrem a verdadeira identidade do intruso que queria se associar a eles, lendo uma carta encontrada sobre seu cadáver; é também decifrando as cartas enviadas por sua esposa que os marinheiros de *A longa viagem de volta* (Ford) descobrem que o homem que tomavam por espião é, em verdade, um oficial expulso da corporação.

A voz em *off* tem um papel considerável no cinema. Pode ser utilizada na *terceira pessoa*, quando o locutor não participa da ação (*Les inconnus dans la maison* — Decoin, *Soberba* — Welles, além de todos os documentários), ou na *primeira pessoa*, quando o comentário é de um

---

[1]. Procedimento comum no desenho animado: inscrições em forma de piscar de olhos ao público ("*Silly, isn'it?*", etc.).

personagem da ação (*O romance de um trapaceiro*, Guitry[2], *Le silence de la mer* — Melville, *Journal d'un curé de campagne* — Bresson, *Hiroshima, meu amor* — Resnais, etc.), e o procedimento pode intervir nas situações mais inesperadas: em *Pacto de sangue/Double indemnity* (Wilder), é o agente de seguros assassino que conta sua história e, em *Crepúsculo dos deuses* (também de Wilder), a história é contada pelo jornalista que a polícia encontra morto na piscina da antiga vedete. Finalmente, devo registrar um caso bastante raro, que consiste na exteriorização do monólogo interior de um indivíduo para uma melhor compreensão do enredo: embora as palavras sejam pronunciadas na tela por uma personagem da ação, não podemos associá-las ao diálogo comum; há um exemplo em *O tesouro de Sierra Madre* (Huston), no momento em que Dobs, com a mente turvada pelo calor tórrido do deserto, exprime num monólogo solitário seu temor de ser roubado pelos companheiros: essa reflexão em voz alta, justificada por um elemento da situação, não chega a parecer demasiado inverossímil.

Procedimentos subjetivos

Vamos chamá-los assim, porque buscam materializar na tela o conteúdo mental de um personagem, e o fazem infringindo a exatidão realista e a verossimilhança representativa da imagem ou do som: em outras palavras, recorrendo a um arsenal de procedimentos expressivos mais ou menos simbólicos da interioridade dos personagens.

Voltemos inicialmente à *voz em off*, utilizada desta vez de maneira subjetiva, num emprego análogo ao da câmera dita subjetiva: consiste em fazer ouvir o monólogo interior de um personagem que aparece na tela, sem que seus lábios se mexam. O procedimento data das origens do cinema falado. Por volta de 1930, Buñuel e Hitchcock descobrem, simultaneamente, sua utilização. Em *L'age d'or*, em meio aos abraços silenciosos de Lya Lys e Gaston Modot, ouve-se um diálogo enamorado e a famosa frase: "Que bom termos assassinado nossos filhos!". Em *Assassinato/Murder* (Hitchcock), num longo primeiro plano de Herbert Marshall olhando-se no espelho enquanto se barbeia, sobrepõe-se sua voz em *off*, debatendo problemas de consciência.

---

2. Esse filme constitui a primeira utilização sistemática (do começo ao fim) do comentário em *off*, em primeira pessoa.

O procedimento é de um efeito particularmente vigoroso quando usado com inteligência e sobriedade. Citemos alguns exemplos bem-sucedidos: *A sombra de uma dúvida*, de Hitchcock (o assassino Charlie, vigiado em seu quarto por dois policiais, diz para si mesmo: "Vocês não sabem de nada"), *Desencanto*, de Lean (toda vez que começam os regressos de Laura ao passado), *Hamlet*, de Laurence Olivier (o famoso monólogo "To be or not to be"), *Grisbi, ouro maldito*, de Becker (Gabin perguntando-se se irá sacrificar sua segurança para salvar o amigo) e, num registro cômico, *Abaixo o divórcio/Phffft*, de Robson (as desopilantes mímicas faciais de Judy Holliday enquanto se interroga).

Reencontramos aqui outra demonstração da lei de *verossimilhança psicológica* definida no Capítulo 8: o primeiro plano nos habituou a um tal poder de penetração na intimidade mental dos personagens de cinema, que nos parece perfeitamente verossímil *ouvir* os pensamentos de um indivíduo que vemos absorvido numa meditação muda. Aqui também, portanto, um procedimento materialmente "não realista" é visto como natural, desde que justificado do ponto de vista psicológico.

O recurso à *voz em off* corre o risco de ser uma solução fácil se as imagens se limitam a uma ilustração visual do comentário; permanecendo, porém, em limites razoáveis, proporciona ao filme uma *dimensão psicológica* real que abre ao diretor a possibilidade de fazer conhecer os pensamentos mais íntimos e sutis de seus personagens sem o risco de cair na inverossimilhança, e de colocar problemas de consciência impossíveis de exprimir a não ser pela palavra, a menos que se recaia na estética do cinema mudo.

Não voltaremos a falar aqui dos procedimentos de expressão já estudados anteriormente: os que se baseiam no ritmo da montagem, nos movimentos de câmera expressivos e nos diálogos.

Os procedimentos subjetivos (cuja natureza é, antes de tudo, *psicológica*) pertencem, *grosso modo*, a dois tipos:

1) introdução de um plano ou sequência que não pertencem diretamente à ação presente e representam o conteúdo de pensamento de um personagem (lembrança, imaginação, alucinação): breves imagens de guerra explicam por que um oficial perdeu os dois braços (*Esposas ingênuas*, Stroheim); se diz a uma mulher que "uma batalha famosa teve lugar aqui", e vemos se desenrolar atrás dela uma sequência objetivada (*O lago das lágrimas*, Tasaka);

2) modificação do aspecto normal dos seres, das coisas ou do cenário sob o efeito de uma perturbação psicológica ou física vivida pelo personagem: a iluminação inicialmente realista torna-se aos poucos *teatral* e transforma a situação real numa cena, à medida que a atmosfera se volta para a *tragédia* (*Só mulheres têm problemas/Kamashimi wa onna dakeni*, Shindô).

Ter-se-á notado que tais procedimentos exprimem o *conteúdo* mental (1) ou o *comportamento* mental (2).

Diversos *truques* técnicos são utilizados para isso: *flou*, chicote, câmera lenta, imagem acelerada, inversão ou congelamento do movimento, superposição visual ou sonora[3], distorção da imagem e do som, introdução, transformação ou desaparecimento da cor, modificação da iluminação do ambiente, desenho animado[4]; os procedimentos de introdução propriamente ditos são o corte, a fusão, o *fade-out* e o *travelling* para frente.

Todos esses procedimentos podem ser empregados de forma "realista" (ou "subjetiva"), quando a câmera adota o ponto de vista do personagem e vemos na tela o que se supõe perceber ou sentir, ou de forma "não realista" (ou "objetiva"), no caso de o próprio personagem aparecer no plano que materializa seu conteúdo mental, sendo o ponto de vista da câmera então o do espectador, que tem diante dos olhos, ao mesmo tempo, o herói e o objeto ou o efeito de sua atitude psíquica atual; essa audácia de expressão é sumamente interessante, e qualifico-a de "não realista" levando em conta os dois níveis de realidade em que se desdobra o conteúdo desse tipo de plano: com efeito, percebemos diretamente o personagem e, em segundo grau, mas simultaneamente, como percepção de sua própria percepção, o conteúdo ou a atitude de sua psique.

Passemos agora em revista um certo número de comportamentos psicológicos ou psíquicos que o cinema pôde *visualizar* por diversos meios.

---

3. Hoje fora de moda, a *superposição*, que exprime uma compenetração perceptiva (como vimos à p. 125), possibilitou belos efeitos psicológicos (expressão do sonho, da alucinação, conforme veremos logo adiante) e simbólicos (sobreposto à imagem de dois amantes, o mar significa a plenitude de sua paixão — *Coeur fidèle*, Epstein). Mas não faz muito tempo, em *O homem errado/The wrong man* (Hitchcock), tivemos a oportunidade de assistir a um excelente efeito de superposição, utilizada, de certo modo, em seu sentido original: sobre o rosto em primeiro plano do protagonista injustamente acusado, aparece o verdadeiro culpado, vindo do fundo da tela em direção à câmera, até que seu rosto se confunde com o do inocente; exprime-se assim, de maneira vigorosa, o tema tipicamente hitchcockiano da transferência de identidade.

4. E inclusive trechos em *negativo*, sugerindo uma estranheza onírica (*Nosferatu* — Murnau: *Orfeu* — Cocteau; *Le brasier ardent* — A chama ardente, Mosjukin).

O sonho:

Quando fala o coração (Hitchcock) contém uma bela sequência de sonho imaginada pelo famoso pintor Salvador Dalí (que colaborou no roteiro): o sonho do herói, decodificado pela psicanálise, revela a causa de sua amnésia: ele foi testemunha de um crime. Por sua vez, o doente de *Och efter skymming kommer mörker* – Após o crepúsculo vem a noite (Rune Hagberg) vê em sonhos olhos vazados, chamas e serpentes; em *O quadragésimo primeiro* (Tchukhrai), a sentinela sonha (planos intercalados) com sua Ucrânia natal. Numa perspectiva não realista desta vez, há um sonho em *A última gargalhada* (Murnau) em que vemos projetada sobre o rosto deformado do porteiro a imagem em movimento da porta giratória de seu hotel, enquanto em *Protsess o triokh millionakh* – O processo de três milhões (Protozanov), no momento em que um homem sonha que ladrões atacam seu cofre-forte, a imagem do roubo aparece sobreposta no primeiro plano de seu rosto adormecido. Impressionantes sequências de pesadelo vemos também em *Os esquecidos/Los olvidados* (Buñuel) e *Rosas de sangue/Et mourir de plaisir* (Vadim): nesse último filme, a cor subitamente dá lugar ao preto e branco e o universo do sonho torna-se exangue, da mesma forma que a heroína nos braços do vampiro. A linda moça que abraça Carlitos transforma-se numa vassoura quando ele desperta (*O banco/The bank*, Chaplin); uma kolkosiana sonha (em desenho animado) que após ter-se embelezado, passeia de braço dado com Stálin, que carrega seu filho no colo (*Krestianné* – Os camponeses, Ermler).

Em *O vampiro*, finalmente, Dreyer materializou de forma estranha (a partir de um desdobramento de personalidade obtido por superposição, procedimento também empregado várias vezes em *Körkalen* – A carroça fantasma, de Sjöstrom) um sonho do herói que se vê levado num ataúde por quatro homens: após uma passagem subjetiva, a aparição "objetivada" desaparece quando o duplo do herói torna a entrar nele.

A fantasia acordada:

Em *La souriante Mme Beudet* (Germaine Dulac), a heroína, folheando um álbum de moda, imagina (em câmera lenta) um belo tenista enxotando seu tirânico marido; o protagonista de *Fait divers* (Autent-Lara) imagina-se matando o amante de sua mulher: vemos o crime imaginado desenrolar-se em câmera lenta; a jovem esposa de *História de um chapéu de palha* (Clair) fantasia que o militar irascível se põe a quebrar tudo em seu apartamento: vemos móveis voando pela janela em câmera lenta, e depois outros, em imagem acelerada, rolando pela rua; um dos personagens de *O desertor* (Pudovkin) pensa em suicidar-se, e vemo-lo, em câmera lenta, precipitar-se nas águas.

Dreyfus, prisioneiro na ilha do Diabo, pensa em sua família longínqua: Zecca faz aparecer diante dos olhos do proscrito a mulher e os filhos banhados em lágrimas, num cenário de plantas e céu claro (*L'affaire Dreyfus*, Zecca); Eve Francis, cantora de cabaré, "com o pensamento distante, em meio às companheiras, aparece num flou impressionista"[5], como se seu ponto de vista (ela olha "no vazio") se convertesse em sua própria imagem (*Eldorado*, L'Herbier); a silhueta da esposa vem sobrepor-se ao primeiro plano do rosto do marido, que acredita vê-la nadando debaixo d'água (*L'Atalante*, Vigo); o médico louco do filme de Wiene vê aparecer nas paredes e no céu a inscrição: "Tu deves tornar-te Caligari"; Greta Garbo faz no tribunal um relato do drama: um letreiro reproduz suas palavras: "As janelas estavam abertas... Não, creio que estavam ...", e então se vê as janelas da casa fecharem-se sozinhas (*O beijo/The kiss*, Feyder); um espião imagina os efeitos da bomba que irá depositar: a imagem de um quarteirão de Londres aparece-lhe em fusão num espelho, desfazendo-se e esfumando-se em seguida num estrondo surdo (*O marido era o culpado/Sabotage*, Hitchcock); Marilyn Monroe, encontrando-se diante de um milionário, vê a cabeça do sujeito transformar-se num enorme diamante (*Os homens preferem as loiras/Gentlemen prefer blondes*, Hawks); um roteirista propõe a seu colaborador diversos desdobramentos de uma mesma situação: as sequências evocadas aparecem em enquadramento inclinado (*A festa no coração/La fête à Henriette*, Duvivier).

Vemos um rapaz ao piano com sua noiva: ele está "extasiado", e um desenho animado nos mostra um anjinho rindo e dando cambalhotas (*Cirk* – o circo, Alexandrov); encontramos outras evocações em desenho animado em *Zéro de conduite*, de Vigo (o superior do colégio caricaturado de Napoleão pelo aluno), em *Poema o more* – O poema do mar, de Dovjenko (a ilustração de uma lenda contada por uma criança) e

---

5. Sadoul, *Histoire du cinéma mondial*, p. 169 (legenda de foto).

em *Sorrisos de uma noite de verão/Sommarnattens leende*, de Bergman (os namorados figurando sua alegria de viver).

No que concerne à utilização da cor, já citei o final magistral de *Ivan, o Terrível* (Eisenstein), bem como exemplos de coexistência psicológica do preto e branco e da cor, ou da passagem de um a outro.

Quanto ao plano sonoro, numerosos filmes materializam o surgimento de uma lembrança ou reflexão à consciência de um indivíduo por uma voz em *off* repetindo palavras já ouvidas por ele anteriormente, ou que exprimem a ideia que lhe ocorre naquele momento: assim, uma canção em *off* comenta os conflitos de consciência dos dois heróis cuja amizade se debate com seus interesses pessoais (*O milhão*, Clair); saindo para caçar, Ramón "volta a escutar" as palavras de Esperanza, censurando-lhe sua cegueira política (*Salt of the earth*, Biberman); Joana d'Arc ouve as vozes que lhe ditam sua missão salvadora (*Destinées*, Christian-Jaque, Dellanoye Pagliero); indivíduos sonham com os aplausos que saudaram ou irão saudar sua entrada em cena (*Assassinato* – Hitchcock, *La fin du jour* – Duvivier, *Mulheres e luzes/Luci del varietà* –Fellini & Lattuada, *Cómicos* – Bardem) ou no ringue (*L'air de Paris*, Carné); a vida noturna e ruidosa dos Champs-Élysées cristaliza-se, acompanhada de um *decrescendo* sonoro, e a imagem torna-se um cartão-postal contemplado por um dos fugitivos perdidos na floresta (*La mort en ce jardin*, Buñuel).

Finalmente, já falei também da utilização de um tema musical para exprimir os pensamentos e as obsessões dos personagens (o estribilho assobiado por *M, o vampiro de Düsseldorf*, de Lang, o tema lancinante que acompanha o bêbado de *Farrapo humano*, de Wilder, ou o assassino de *Psicose/Psycho*, de Hitchcock).

A vertigem:

Os exemplos são inúmeros: a vertigem de um automobilista em meio a uma corrida demente é mostrada através de *flashes, flous*, chicotes, fusões e distorções de imagem (*L'inhumaine*, L'Herbier), a vertigem de um alpinista através de *flous* distorcidos (*Alma de alpinista/Premier de cordée*, Daquin), o medo de um trapezista diante de uma multidão de olhos gigantes que rodopiam, e sua vertigem diante de um nevoeiro luminoso (*Variété*, Dupont); um homem defrontando com o ar livre, após permanecer recluso por vários meses, é acometido de vertigem, sendo sua perturbação mostrada através de *travellings* rápidos e *flous* que baralham sua própria imagem (*O condenado*, Reed).

A *embriaguez* se exprime de forma semelhante: indivíduos embriagados aparecem em *flou* (*Eldorado*, L'Herbier), uma espécie de bruma cobre a tela e torna embaçada a imagem do personagem, enquanto sua voz ressoa como numa catedral (*A sombra da forca/Time without pity*, Losey); um homem de ressaca vê o céu avermelhado e ouve os ruídos bem mais fortes do que na realidade (*Teu nome é mulher*, Minelli).

O mesmo se dá com a *confusão* (um personagem *enrubesce* e seu rosto torna-se efetivamente escarlate, *gag* imitada do desenho animado – *Zazie dans le métro*, Malle) e a *indecisão* (na Câmara dos Deputados, o partido de centro é mostrado em *flou*, mas, à medida que o orador da direita discursa, os deputados indecisos tomam partido, e o *flou* desloca-se da direita para a esquerda, ao mesmo tempo em que irrompem os aplausos – *Les nouveaux Messieurs*, Feyder), ou ainda com o *deslumbramento* (o aparecimento da novíssima desnatadeira em *A linha geral* – Eisenstein).

O desfalecimento:

É mostrado na maioria das vezes por um *flou* que aos poucos escurece. A imagem do rosto de um homem, sentindo-se mal sob o efeito da droga, torna-se progressivamente embaçada à medida que ele perde a consciência (*Gossette*, Garmaine Dulac); um boxeador nocauteado vê, em superposição à lâmpada do ringue, a imagem do gongo, cujo toque ele aguarda, porque anunciará o fim do *round*, salvando-o da derrota (*O ringue*, Hitchcock); o herói volta a si após um nocaute e *ajusta o foco* sobre o rosto de sua parceira (*A dama do lago*, Montgomery).

Pode ser o caso, também, de um desfalecimento *moral* e *simbólico*, quando um personagem se vê "arrasado" por um fracasso, uma decepção ou uma humilhação. Um burguês que vem tomar o trem descobre que os ferroviários estão em greve: dá meia-volta, e um *fade-out* faz sumir sua imagem (*O arsenal*, Dovjenko); denunciado em plena reunião pública por causa de uma má ação, um rapaz baixa a cabeça e desaparece em *fade-out* (*Krujeva* – As rendas, Iutkevitch); tendo a esposa proclamado que ela é quem manda, um homem diminui de tamanho (trucagem) e sai de cabeça baixa (*Em Paris é assim/So this is Paris*, Lubitsch); os clientes do impiedoso usurário aparecem (em superposição) *diminuídos* diante dele (*Raskolnikov*, Wiene).

Efeito semelhante, mas significando o orgulho (um homem, imaginando-se o objeto da atenção da mulher que ama, vê-se sozinho diante dela, e a multidão ao redor desaparece subitamente em *fade-out* – *O mantô*, Kozintsev & Trauberg) ou o ciúme (num salão de dança, um ciumento só enxerga o casal que monopoliza sua atenção: a mulher que ele ama e seu rival – *Fait-divers*, Autant-Lara).

A alucinação

Trata-se de uma obsessão mental devida a um estado físico ou psíquico anormal. O velho porteiro, relegado aos lavabos, rouba seu antigo uniforme para poder vesti-lo no casamento da filha: ao fugir, tomado de pânico, acredita ver as paredes das casas desabando sobre ele (*A última gargalhada*, Murnau); a garota do Exército de Salvação, febril e moribunda, acredita ver a Morte junto à cabeceira da cama (*Körkarlen* – A carruagem fantasma, Sjöström); o paranoico, devorado pelo ciúme, imagina-se perseguido pelos sarcasmos dos fiéis reunidos na igreja e pela zombaria do próprio padre (*O alucinado/El*, Buñuel); o rapaz encolerizado vê luzes girando ao redor dele e de sua noiva (*Gardiens de phare*, Grémillon); o garimpeiro esfomeado acredita ver Carlitos transformar-se em frango (*Em busca do ouro/The gold rush*, Chaplin); um mineiro francês, ferido por uma explosão de grisu*, vê um alemão aproximar-se para salvá-lo e imagina estar novamente no *front*, empenhando-se numa luta corpo a corpo (*Kameradschaft* – A tragédia da mina, Pabst); tomado de *delirium tremens*, um bêbado vê um morcego voando (*Farrapo humano*, Wilder), ratos atacando-o (*O círculo vermelho/Le cercle rouge*, Melville); impressionismo e expressionismo conjugam-se na evocação delirante da confusão mental (*Kurutta ippeiji* – Uma página louca, Kinugasa).

A transformação progressiva da iluminação do cenário, para sugerir a passagem a um outro plano de realidade, permite efeitos fortemente evocadores: em *Schatten*/Sombras (Robison), por exemplo, à passagem da sessão de sombras chinesas ao assassinato (imaginado? sonhado?) da mulher por seu marido ciumento é feita através de uma mudança quase

---

* Gás inflamável contido nas minas de carvão. (N.T.)

imperceptível da iluminação; o herói de um dos episódios de *Na solidão da noite* (Cavalcanti, Crichton, Dearden, Hamer) está lendo à noite em sua cama; súbito, os ruídos reais desaparecem e uma luz penetra do exterior; intrigado, o homem vai até a janela: percebe que lá fora é dia e que um misterioso cocheiro de fiacre lhe faz sinal para segui-lo; mas ele afasta-se da visão e volta a se deitar: o universo real repõe então sua obscuridade e sua presença sonora; no momento em que Muichkin, recorrendo às palavras de Cristo, tenta convencer o amante ciumento a renunciar a seu ódio, um efeito de iluminação especial envolve seu rosto com uma auréola de luz quase divina (*L'idiot* – O idiota, Lampin); quando Willy parte de carro para suicidar-se, seu irmão aparece ao seu lado banhado de uma luz sobrenatural que sublinha o caráter alucinatório de sua presença (*A morte do caixeiro-viajante/Death of a salesman*, Benedek).

Exemplos de alucinação auditiva também são muito frequentes: em *Almas perversas/Scarlet street* (Lang), o assassino escuta a voz da mulher que acabou de matar pedindo socorro ao seu amante e ele próprio terminará por se enforcar; no momento em que a enfermeira de *Sombras do pavor* (Clouzot) é perseguida pela multidão sublevada (que não se vê), as imprecações e os gritos de morte fazem-se ouvir com uma força inverossímil, mas que sugere o terror vivido pela mulher; no final de *Festim diabólico* (Hitchcock), as sirenes das viaturas de polícia soam com uma intensidade irreal, exprimindo a angústia dos assassinos; temos o mesmo efeito com os sinos das aldeias dos arredores, no momento em que o fazendeiro ladrão e criminoso cai no precipício (*Páscoa de sangue*, De Santis); um estudante abre a torneira do gás para suicidar-se, e o silvo que se escuta, embora a câmera se afaste, continua a aumentar de intensidade com a desordem mental do rapaz (*Och efter skymming kommer mörker* – Após o crepúsculo vem a noite, Rune Hagberg).

A morte:

Ela raramente foi apresentada na tela de modo subjetivo: já citei o exemplo de *Quando fala o coração* (Hitchcock), em que vemos o criminoso apontar o revólver para seu próprio rosto (a objetiva) e disparar; em *O galante aventureiro/The westerner* (Wyler), a morte do "juiz" Roy Bean é mostrada pela imagem da bela cantora Lily, de pé diante dele, turvando-se e sumindo na tela; e no início de *Um homem e dez destinos/*

Executive suite (Wise), quando o capitalista morre subitamente na rua, a tela fica branca e os ruídos se interrompem.

Ao contrário, na maioria das vezes a morte é "objetivada" por procedimentos que vêm se sobrepor à imagem da vítima: por exemplo, na morte de *Kean* (Volkov), a iluminação da peça perde seus contrastes e torna-se suave e uniforme; em *Gaslight* (Dickinson), no momento em que uma mulher é estrangulada, um relógio dá as horas e ouvimos as badaladas distorcidas, tal como a moribunda as teria percebido nesse instante; no último plano de *O salário do medo* (Clouzot), a morte de Jo é simbolizada pelo apito da sirene do caminhão que se extingue num decrescendo dilacerante, enquanto vemos seu rosto consumido pelas chamas.

Por fim, a morte pode ser representada por uma imagem que se torna fixa: no momento em que um homem é assassinado, um cavalo volta a cabeça para a câmera e a imagem se detém (*Krestianné*, Ermmler); encontramos o mesmo efeito no acidente de Pierre Curie: seu rosto se fixa na morte (*Monsieur et Madame Curie*, Franju); um homem é morto: ouve-se um grito superagudo (em *off*), e logo a imagem se torna fixa, desvanecendo-se em branco (*Numa pequena ilha*, Valtchanov); a paisagem contemplada por um moribundo torna-se fixa e vaporosa (*A carta que não foi enviada/Neotpravlennoe pismo* – Kalatozov).

12
O ESPAÇO

Elie Faure, num célebre texto intitulado *Introduction à la mystique du cinéma*, escreveu que o cinema "faz da duração uma dimensão do espaço"[1]. Maurice Schérer, por sua vez, intitulou de "O cinema, arte do espaço" um artigo onde afirma que "o espaço parece ser a forma geral de sensibilidade que lhe é a mais essencial, na medida em que o cinema é uma arte da visão"[2]. Eis, portanto, dois testemunhos que indicam a primazia do espaço numa definição da especificidade da arte do filme.

De fato, o cinema é a primeira arte em que a dominação do espaço pôde se realizar de forma plena. "Jamais antes do cinema", escreveu Jean Epstein, "nossa imaginação fora arrastada a um exercício tão acrobático da representação do espaço quanto aquele a que nos obrigam os filmes, onde se sucedem a todo instante primeiros planos e *long shots* (planos gerais), tomadas de cima para baixo e de baixo para cima, normais e oblíquas, conforme todos os raios da esfera"[3]. Isso se tornou ainda mais verdadeiro após o período áureo da montagem, que se caracterizara, entre outras coisas, por uma quase negação do espaço dramático (o espaço do mundo representado onde se desenrola a ação fílmica) em proveito

---
1. *Fonction du cinéma*, Plon, 1953.
2. *Revue du Cinéma*, n.º 14, junho de 1948.
3. *Le cinéma du Diable*, p. 103.

apenas do espaço plástico (o fragmento de espaço construído na imagem e submetido a leis puramente estéticas), visto que a montagem enfatizava mais a expressão do que a descrição. Precisou-se aguardar a redescoberta da profundidade de campo para que o espaço fosse reintroduzido na imagem, e os nomes de Renoir, Welles, Wyler e Hitchcock marcam essa nova etapa do cinema; atualmente, a profundidade de campo e os movimentos de câmera tendem cada vez mais a substituir a montagem, e o emprego do *plano-sequência* (plano de longa duração) valoriza naturalmente o espaço, uma vez que não o fragmenta.

O cinema trata o espaço de dois modos: ou se contenta em *reproduzi-lo* e em fazer com que o experimentemos através dos movimentos de câmera ("Com os movimentos de câmera", escreve Balazs, "o próprio espaço torna-se sensível e não simplesmente a imagem do espaço representada na perspectiva fotográfica"[4], ou então o *produz* ao criar um espaço global, sintético, percebido pelo espectador como único, mas feito da justaposição-sucessão de espaços fragmentários que podem não ter nenhuma relação material entre si. Todos conhecem a experiência de Kulechov, evidenciando o que chamava de "geografia criadora"; o diretor soviético reuniu cinco planos que representavam, respectivamente:

1. um homem caminhando da esquerda para a direita;
2. uma mulher caminhando da direita para a esquerda;
3. o homem e a mulher encontrando-se e apertando-se as mãos;
4. um vasto prédio branco precedido de uma grande escadaria;
5. os dois subindo juntos a escadaria.

Embora os planos tivessem sido rodados em lugares muito afastados uns dos outros (o vasto prédio era apenas a Casa Branca de Washington tirada de um filme americano, e o plano de número 5 fora filmado diante de uma catedral de Moscou), a cena deu a impressão de uma perfeita unidade de lugar[5]: assim, o espaço fílmico frequentemente é feito de peças e fragmentos, e a unidade advém de sua justaposição numa sucessão criadora.

Poderíamos falar aqui de uma *conceptualização do espaço*: Kulechov cria experimentalmente um espaço artificial a partir de fragmentos de espaço real; de forma semelhante, em *O encouraçado Potemkin*, Eisenstein cria um espaço virtual suscitando em nosso espírito a ideia de um espaço

---
4. *Le cinéma*, p. 131.
5. Citado por Pudovkin, *On film technique*, p. 88.

único que jamais nos é representado como totalidade. Com efeito, é absolutamente impossível, vendo o filme, ter uma ideia precisa da topografia da cidade de Odessa, de sua enseada, de seu porto e da posição do encouraçado em relação às escadarias.

Cabe notar que, com essa noção de *geografia criadora*, encontramos novamente a montagem, na medida em que ela é também criadora do espaço. É o que acontece nos filmes de caçada, onde nunca se vê no mesmo plano o caçador e o animal perseguido (que foi filmado à parte por razões de segurança ou facilidade – *Sangue sobre a neve/Savage innocents*, Nicholas Ray)[6], e naqueles onde o *campo* é rodado na natureza e o *contracampo* em estúdio (em *Anatahan*, de Sternberg, uma floresta de estúdio e um oceano real).

Consequentemente, vejamos exemplos precisos de criação de um *espaço puramente conceptual* e de *ordem mental*, exemplos que se aproximam de alguns já citados anteriormente. A montagem tende a estabelecer, entre os respectivos conteúdos de dois planos consecutivos, uma relação de contiguidade espacial puramente virtual. A aproximação pode justificar-se primeiramente por uma analogia de conteúdo nominal, conforme vimos no capítulo sobre as ligações. Assim, um homem em estado febril chama sua noiva, que, longe dali, desperta em sobressalto, como se tivesse ouvido o chamado (*Gardiens de phare*, Grémillon); uma mulher chama: "Joe" (intertítulo) – Joe (num plano no passado que marca o ponto de partida de um *flashback*) volta-se e responde: "Sally" (*Caçadora de corações/A cottage on Dartmoor*, Asquith); um rapaz atormentado pela solidão chama por sua amada, a qual, igualmente longe dali, volta-se para a câmera e lhe sorri: o plano introduz então uma volta ao passado (*Kanikosen* – Pescadores de caranguejos, Yamamura).

Outra justificação da montagem: o olhar (interior), a tensão mental. Uma mulher segura a cabeça nas mãos e olha, revoltada, para a câmera: o plano seguinte mostra seu marido na prisão (*Intolerância*, Griffith); a heroína olha fixamente para o ângulo inferior direito da tela – vemos em seguida seu amante de costas em leve *plongée*, aguardando o marido, que vem matá-lo: o ângulo de filmagem de certo modo prolonga a direção do olhar da mulher (*Crimes d'alma*, Antonioni); temos

---

6. Sobre esse tipo de montagem, André Bazin formulou a seguinte *lei estética*: "Quando o essencial de um acontecimento depende da presença simultânea de dois ou vários fatores da ação, a montagem é proibida". (*Qu'est-ce que le cinéma?*, t. 1, p. 127.)

ainda um exemplo impressionante quando Danton, ao pé da guilhotina, volta-se para a câmera e, no plano seguinte, aparece Robespierre escondendo o rosto debaixo dos lençóis (*Danton*, Wajda): a relação mental assim sugerida é acentuada pelos ângulos de filmagem (*contraplongée* e depois *plongée*).

Enfim, a relação pode ser puramente intelectual: um canhão baixado por um guindaste no salão de uma fábrica – plano seguinte: numa trincheira, soldados baixando a cabeça (*Outubro*, Eisenstein); pessoas olhando para a câmera – o sacerdote incapaz de fazer cair a chuva – outras pessoas olhando (o mesmo ponto de vista e mesma expressão dos rostos) – uma resplandecente desnatadeira, (*A linha geral*, Eisenstein): a transição de um espaço a outro se dá naturalmente através da expressão idêntica dos rostos (ceticismo um tanto hostil). Outro exemplo: cadáveres de membros da Comuna de Paris fuzilados – burgueses aplaudindo – um soldado volta-se, furioso, para a câmera: a montagem desses três elementos independentes dá a entender que os burgueses aplaudem ao ver os cadáveres e que o soldado, indignado com o massacre, volta-se para eles para exprimir sua cólera (*A nova Babilônia*, Kozintsev & Trauberg).

O espaço conceptual também pode resultar não da montagem ideológica, mas da coexistência no mesmo plano de dois elementos com o mesmo coeficiente de realidade figurativa, sem que tenham igual coeficiente de existência dramática. Esses dois elementos, compartilhando um espaço único, podem inicialmente pertencer a tempos idênticos: é o que ocorre quando um personagem se vê confrontado com um ou vários outros que só existem em sua imaginação. A mais antiga utilização desse procedimento que conheço se encontra num filme dinamarquês de 1913: introduzidos por uma fusão, três jogadores de cartas coexistem com o protagonista no mesmo plano e no mesmo nível de realidade fílmica, embora tenham uma existência dramática apenas da ordem do imaginário ou da memória (*Atlantis*, Blom). Há um outro exemplo chocante desse procedimento em *Prividenie, kotoroie ne vozvrachtchaietsa* – O fantasma que não voltará (Abram Room): na cela de um prisioneiro aparecem de repente, e sem nenhuma transição visual, personagens que evidentemente ali não se encontram em realidade (sua esposa, seu pai, seus colegas de trabalho) e que só existem na sua imaginação. Da mesma forma, em *Amor sem fim* (Hathaway), a esposa do prisioneiro surge diante dele, embora seja apenas o produto de sua nostalgia e seu desejo. E, em *O discreto charme da burguesia/Le charme discret de la bourgeoisie* (Buñuel), os comensais veem-se subitamente sob o olhar de um público, como numa sala de teatro. Em todos esses exemplos, o cineasta dá a entender que os dois (grupos de) personagens pertencem a dois mundos dramaturgicamente diferentes, mas que se compenetram cinematograficamente[7].

O mesmo efeito audacioso poderá ser utilizado para materializar uma lembrança, envolvendo personagens que pertencem a uma temporalidade diferente: um homem, ao voltar da guerra, vê sentada junto à lareira de sua casa a esposa, morta, no entanto, há muito tempo (*Contos da lua vaga*, Mizoguchi). Mas esses exemplos, que dizem respeito mais ao conceito de tempo, serão analisados no capítulo seguinte.

Será que se pode afirmar, contudo, que o cinema seja antes de tudo uma arte do espaço? Parece-me que, ao tomarmos contato com o filme, apesar das aparências realistas e figurativas da imagem, não é o espaço que se impõe a nós desde o início com mais força, e sim o *tempo*. Seria possível, com efeito, conceber um filme que fosse *temporalidade pura*, um filme cujas imagens fossem brancas, ou negras, como em *L'homme atlantique* (Duras), onde as sequências, sem imagens figurativas, deixam perceber apenas o quadro obscuro da tela (experiência semelhante à do famoso quadro de Málevitch *Quadrado branco sobre fundo branco*). Somos, portanto, capazes de perceber o tempo *do* filme (duração vivida), mesmo na ausência do tempo *no* filme (tempo da ação)[8].

Ao contrário, não se pode falar de um espaço do filme (única exceção: certos filmes não figurativos, como os de Fischinger, Len Lye ou Mc Laren) da mesma forma que o faríamos em relação à pintura, por exemplo, onde é possível distinguir um espaço "organizado" (a superfície plana quadrangular da tela) e um espaço "representado" (o universo em três dimensões que o quadro mostra): isto porque a tela do cinema não é uma superfície, mas uma *abertura* e uma *profundidade*, e já afirmei antes que a tela e seu quadro devem permanecer virtuais sob pena de introduzir uma falsa concepção (estática e pictórica, justamente) da imagem fílmica. Não se pode, portanto, falar de um espaço do filme, mas

---

7. Uma exceção: em *Kaos* (Vittorio e Paolo Taviani), Pirandello conversa com o "fantasma" de sua mãe.
8. "Um filme não é uma sequência de imagens, mas uma *forma* temporal" (M. Merleau-Ponty, *Sens et nonsens*, p. 110).

somente de um espaço *no* filme, isto é, do espaço em que se desenrola a ação, do *universo dramático*.

Assim parece indiscutível que o cinema é *primeiramente uma arte do tempo*, já que é esse o dado mais imediatamente perceptível em todo esforço de apreensão do filme. Isso se deve, sem dúvida, ao fato de que o espaço é objeto de *percepção*, enquanto o tempo é objeto de *intuição*. O espaço é um quadro fixo, rígido e objetivo, independente de nós, e nos encontramos no espaço (representado) do filme da mesma forma que nos encontramos no espaço real. Ao contrário, se o tempo é também um quadro fixo, rígido e objetivo (implica um sistema de referência social: horas, dias, meses, anos), apenas a *duração* possui um valor *estético*, e embora estejamos no tempo, a duração, propriamente, está *em nós*, fluida, contráctil e subjetiva.

Isso porque o espaço fílmico não é fundamentalmente diferente do espaço real, ainda que o cinema nos permita uma *ubiquidade* que somos incapazes de realizar na vida normal. Em compensação, a dominação absoluta que o cinema exerce sobre o tempo é um fenômeno inteiramente específico. Ele não apenas o *valoriza*, mas também o *subverte*: transforma o fluxo irresistível e irreversível que é o tempo numa realidade totalmente livre de qualquer constrangimento exterior – a *duração*. Aí reside, sem dúvida, um dos segredos essenciais da fascinação e do arrebatamento (no sentido etimológico dessa palavra) que ele exerce: pois, na realidade, só percebemos a duração quando a vida consciente prevalece em nós sobre a vida subconsciente e automática; eis porque a duração cinematográfica, decupada, decantada, reestruturada, é tão próxima de nossa intuição pessoal da duração real.

Podemos afirmar, portanto, que o universo fílmico é um *complexo espaço-tempo* (ou ainda, um *continuum espaço-duração*) em que a natureza do espaço não é fundamentalmente modificada (mas apenas nossas possibilidades de experimentá-lo e percorrê-lo), ao passo que a duração desfruta aí de uma liberdade e uma fluidez absolutas, podendo seu fluxo ser acelerado, retardado, invertido, interrompido ou simplesmente ignorado.

Resulta assim impossível definir o cinema como uma arte do espaço, embora ele seja a arte mais capaz de oferecer uma representação do espaço ao mesmo tempo rigorosa e livre. Como todo filme se submete antes de tudo ao tempo, a decupagem-tempo prevalece sempre sobre a decupagem-espaço, e a representação do espaço, portanto, é sempre secundária e contingente: o espaço implica sempre o tempo, mas a recíproca não é evidentemente verdadeira.

Para compreendermos a história da evolução da representação do espaço e da duração no cinema, será útil nos referirmos a essa mesma representação na história da pintura. O espaço *plástico* (*representado*) da pintura é o que prefigura melhor, com efeito, o que é hoje o espaço fílmico, e é interessante ver como se resolveu, ao longo dos séculos, esse problema das relações espaço-tempo. Numa obra extremamente rica[9], Pierre Francastel analisou concepções do espaço pictórico desde a Renascença italiana até a pintura francesa dos impressionistas. Inspirando-me no seu livro, gostaria de retomar rapidamente esse estudo, acrescentando-lhe, porém uma análise pessoal das diversas soluções dadas ao problema das relações do espaço e do tempo num complexo visual representativo. Seria errado, de fato, acreditar que a questão da duração não se coloca na pintura só porque ela mostra um aspecto estático do mundo: pelo contrário, é por causa dessa relativa deficiência que os artistas procuraram *compensar por meios visuais a impossível expressão da temporalidade.*

Na época do *Quattrocento* (os anos "mil e quatrocentos" do Renascimento italiano), o espaço plástico da pintura anuncia o que será a cena de teatro clássica "à italiana": representa um espaço, um volume tridimensional recortado em largura e altura pela moldura do quadro da mesma forma que os limites de uma cena, e cuja profundidade é fechada por uma parede (como a parede de fundo da cena), ou então se abre num panorama (análogo à aparência ilusória do cenário); mas esse espaço arbitrariamente construído não tem valor representativo por si mesmo: trata-se de um simples quadro oferecido à ação, um suporte, não puramente abstrato, é verdade, mas construído em função das necessidades da "*mise en scène*" do conteúdo figurativo; em todo o caso, o espaço submete-se inteiramente à ação, é um meio e não um fim plástico. O ponto de vista do "espectador" em tal espaço é exatamente aquele do "regente de orquestra" no teatro: de frente, à altura normal de um homem; as construções representadas dispõem-se dos lados da "cena"; o escalonamento dos planos dramáticos, a partir de uma certa distância da "ribalta" e praticamente até o infinito de uma perspectiva em geral elevada (perspectiva cavaleira), corresponde também ao ponto de vista do espectador de teatro; em suma, todo o espaço é construído convencionalmente em relação ao espectador e em função de uma estrutura espacial longitudinal.

---

9. *Peinture et société*, Lyon, 1951.

Que acontece em tal concepção do espaço com a representação do tempo? Ora, o tempo é "espacializado". Quando Giotto, por exemplo, pinta nas paredes da capela dos Scrovegni de Pádua os episódios da vida de Cristo, a superfície total do afresco é fragmentada numa série de pequenos universos, mostrando cada qual uma cena: aqui, o espaço é um puro suporte, como ocorre também numa outra obra de Giotto, *O nascimento de Santa Isabel*, onde vemos, num aposento, a Virgem deitada à direita e, à esquerda, Isabel apresentada a São José, estando as duas cenas separadas por uma coluna que delimita dois espaços cúbicos. "As relações dos espaços locais entre si", escreve Francastel, "são apenas relações de passagem ou de sucessão"[10]. Notemos desde já que essa concepção do espaço é reencontrada quase identicamente na cena já citada da adoração dos Magos, em *La Passion*, de Zecca, onde o estábulo (situado à esquerda do espectador) e o pátio que lhe é contíguo, à direita, são percorridos por uma breve panorâmica que deixa subsistir sua dualidade, dividindo a tela em dois espaços[11].

Mas constatamos desde a mesma época uma tendência à unificação plástica através de uma unidade de lugar reforçada: assim, em *O Dilúvio*, de Paolo Ucello, temos uma "composição sintética em que os dois momentos sucessivos de uma ação são representados como justapostos, onde há somente uma ordenação plástica. Vemos dois Noés e, sobretudo, duas arcas, mas o primeiro Noé olha a si mesmo na segunda. A unidade plástica precedeu a unificação simbólica"[12].

Ao lado dessa coexistência espacial de duas temporalidades diferentes, mas que se situam no mesmo plano de realidade dramática, há igualmente exemplos de representação simultânea de acontecimentos situados em níveis de realidade diferentes. Em *A flagelação*, de Piero

---

10. *Op. cit.*, p. 21.
11. É possível encontrar (sobretudo no cinema mudo) vestígios bem mais nítidos da fragmentação do espaço plástico destinada a mostrar simultaneamente várias ações: em *Ombro, armas* (*Shoulder arms*, Chaplin), quando Carlitos sonha com a vida civil, a tela divide-se em duas, vendo-se de um lado uma rua de cidade grande e do outro um *barman* no seu balcão; na sequência final de *Les deux timides* (Clair), a tela divide-se em três partes, que mostram, todos na cama, o pretendente recusado, o pai da noiva e, no meio, o jovem casal abraçado. Da mesma forma, os interlocutores de uma conversa telefônica costumavam ser representados simultaneamente na tela.
  Cabe recordar, por outro lado, a tripla imagem simultânea (*Polyvision*) da famosa sequência da "campanha da Itália" de *Napoléon*, de Abel Gance, que chegou inclusive a dividir sua tela em nove imagens num outro curto episódio do mesmo filme.
  Essa montagem especial substitui uma montagem temporal normal (montagem alternada): poderíamos falar de uma montagem *horizontal* substituindo a montagem *vertical*.
12. *Op. cit.*, p. 37.

Della Francesca, pintado por volta de 1460, vemos em primeiro plano três homens cujos olhares estão voltados *para o interior* numa atitude de contemplação mística e, atrás deles, no fundo do espaço do quadro, Cristo sofrendo a flagelação: está claro que essa cena de flagelação é a representação realista do conteúdo mental dos três personagens, e isso nos remete diretamente ao exemplo citado há pouco do filme de Abram Room (O fantasma que não voltará), que é seu correlato estrito.

Ao longo de todo o período clássico e romântico, a conquista do espaço se afirma: ele se torna, ao mesmo tempo, cada vez mais livre – porque se liberta da teatralidade original – e mais preso – porque se submete ao rigoroso sistema da perspectiva geométrica. De simples norma convencional no período precedente, converte-se num dos elementos constitutivos da representação e adquire uma unidade estrutural.

Com os impressionistas, a representação realista do espaço continua basicamente a mesma do período clássico. No entanto, uma subversão, uma "desestruturação do espaço", segundo a expressão de Francastel, começa a se manifestar: vemos aparecer "um espaço desprovido tanto de contornos quanto de profundidade enquadrada e mensurável"[13]; o enquadramento do quadro não coincide mais com o eixo vertical em torno do qual girava anteriormente o espaço plástico: no *Retrato de Mme Cézanne* (1887), por exemplo, o personagem encontra-se inclinado e visto em leve *plongée*, e o mesmo ângulo aparece em *A cadeira e o cachimbo*, de Van Gogh (1888). Francastel escreve a propósito do quadro de Cézanne: "A imagem... sugere uma visão desvinculada das leis práticas da verossimilhança. É a projeção de uma imagem mental, não a projeção de um espetáculo"[14]; assistimos, portanto, ao surgimento de pontos de vista que em breve serão os do cinema – a *plongée* e os enquadramentos inclinados, que servirão também para exprimir, como já vimos, conteúdos mentais. Na mesma época, Auguste Renoir descobre o primeiro plano e a profundidade de campo no seu impressionante *Place Pigalle* (1880): uma mulher jovem é vista de costas em primeiro plano, enquanto ao fundo dispõe-se uma perspectiva de transeuntes endomingados, envoltos num leve *flou* muito impressionista; eis aí um enquadramento especificamente cinematográfico, por seu caráter imprevisto, pelo modo como somos envolvidos na ação e pelo vigor de uma composição surpreendentemente

---

13. *Op. cit.*, p. 58
14. *Op. cit.*, p. 164.

dramática. Esse mesmo caráter "vivo", essa impressão de um instantâneo colhido de improviso, encontramos no enquadramento de Cézanne para sua tela intitulada *Jarro de leite, maçãs e limão*, e nos de Degas para sua *Dançarina em ponta* e o célebre *Absinto*, "enquadramentos" eminentemente cinematográficos pelo tipo de "negligência" de sua composição, parecendo supor um movimento de câmera interrompido. Tal desprezo da composição e do equilíbrio é absolutamente estranho à estética da pintura tradicional e mesmo da fotografia, cujas leis são praticamente as mesmas, muito embora essa nova arte tenha evidentemente influenciado o Impressionismo de maneira decisiva: sente-se que o movimento está prestes a fazer rebentar as normas e as composições estáticas. Por fim, a montagem na imagem aparece nitidamente em *Retrato do artista com o Cristo amarelo*, de Gauguin (1890): vemos o rosto do pintor em primeiro plano e um grande pote de tabaco à direita, enquanto o fundo do quadro é ocupado à esquerda por um grande Cristo na cruz, constituindo o conjunto um enquadramento especificamente fílmico, tanto por seu caráter "construído" e insólito quanto por sua intensidade dramática.

Durante esse período, o tempo volta a preocupar alguns artistas, e poderíamos falar aqui de uma temporalidade "integrada". Sabemos que Monet pintava a catedral de Rouen em diferentes horas do dia, sendo evidente que buscava através disso fixar uma fluidez evanescente dos jogos de sombra e luz: guardadas as devidas proporções, esse problema era o mesmo que outrora se colocava Giotto ao querer representar a vida de Cristo; mas como a pintura requeria agora uma unidade plástica e dramática, faltava a Monet uma câmera que registrasse em câmera lenta uma manhã inteira da catedral de Rouen, como haveria de fazer mais tarde a de Rouquier, mostrando num instante várias horas do curso do sol sobre os campos em *Farrebique*. O mesmo Monet, ao pintar o *Le Boulevard des Capucines*, representa a multidão e a paisagem em tons levemente esbatidos, como se tivesse superposto uma série de fotos tiradas umas após as outras, parecendo haver uma sucessiva defasagem entre os transeuntes e uma mudança imperceptível na iluminação em relação à precedente: vemos surgir aqui, não resta a menor dúvida, o que será mais tarde a "fusão" no cinema, que materializa exatamente, conforme já observei, a quase fusão de dois ou vários momentos sucessivos numa expressão de duração indeterminada, porém viva. Enfim, quando Cézanne pinta *As regatas em Argenteuil*, Renoir, suas *Mulheres num campo* ou Turner suas marinhas, sentimos que eles desejam adensar, valorizar, dilatar um momento cuja plenitude sensual os tocou, a fim de conferir-lhe plasticamente uma espécie de equivalência da duração, uma presença insistente e envolvente: o tempo acha-se então "integrado" aos objetos, cujo desenho quer transmitir-nos uma palpitação como se estivessem vivos, vibrando com um sentido tênue onde se lê a tentativa impotente (mas apenas por mais alguns anos) de suspender o voo do tempo.

Finalmente, com os cubistas e sobretudo os abstratos, inaugura-se um novo período em que o espaço plástico tradicional tende a ser reabsorvido numa superfície de duas dimensões; a da própria tela. Quanto ao tempo, torna-se por isso mesmo cada vez mais ignorado. Assinalemos, no entanto, aquele *Estudo de nu* de Picasso, onde o desenho aparece "fundado numa nova apreensão do espaço. Imaginemo-nos anotando numa folha, em traço contínuo, os resultados sucessivos de nosso exame de uma figura deitada, à medida que nós mesmos nos deslocamos ao redor do modelo imóvel. Não vejo por que tal procedimento seria mais absurdo que o da perspectiva clássica, que nos apresenta também simultaneamente coisas inapreensíveis numa única mirada"[15]: essa descrição é interessante, pois nos permite captar uma influência do cinema sobre o desenho, na medida em que este constitui uma espécie de síntese dos pontos de vista sucessivos dados por uma panorâmica.

Após essa retrospectiva, podemos formular duas notas muito importantes. Em primeiro lugar, parece que *toda a história da pintura nos encaminha para a liberdade de ponto de vista que será a do cinema*; poderíamos mesmo afirmar que a história estética do cinema é um resumo da história da pintura. O espaço dramático de tipo teatral do Renascimento é exatamente o de Méliès e seus contemporâneos, concebido em função do espectador (o "regente da orquestra") pregado em sua poltrona.

Posteriormente, a pintura clássica e romântica conquista um espaço limitado e realista que será o mesmo dos filmes do grande período do cinema mudo (deixando-se de lado aqueles que se dedicam exclusivamente à "estética da montagem" e que representam, na verdade, apenas uma minoria da produção), tendo eu afirmado que a profundidade de campo já se fazia presente ali, embora de forma instintiva.

Mas vimos que foi preciso aguardar os impressionistas para que a pintura subvertesse a representação do espaço e revelasse pontos de vista insólitos, o que corresponde sensivelmente ao período da "liberação"

---

15. P. Francastel, *op. cit.*, p. 226.

da câmera, com seus enquadramentos surpreendentes, seus movimentos vertiginosos e, mais tarde, com a profundidade de campo utilizada de forma dramática, sem contar certas deformações do espaço que encontramos em filmes expressionistas como *O gabinete do dr. Caligari* (Wiene), *Metropolis* (Lang) ou *A última gargalhada* (Murnau).

Ao mesmo tempo, a concepção "bidimensional" do espaço pictórico reaparece em filmes que utilizam a tela como uma simples superfície plana, a exemplo dos filmes experimentais abstratos de Eggeling e Fischinger, por volta de 1925, e mais recentemente os de Len Lye ou McLaren.

Segunda conclusão importante: *toda a história da pintura, considerada do ponto de vista da expressão da temporalidade, é um "apelo" ao cinema*. Isso é particularmente evidente para os afrescos do *Quattrocento* que Luciano Emmer se limitou a percorrer com sua câmera para restituir a sucessão temporal que os pintores da época eram obrigados a substituir por uma contiguidade espacial. Que Emmer talvez tenha se equivocado, que tenha desfigurado em *Il dramma di Cristo* a plástica admirável e específica de Giotto "animando" suas composições hieráticas e monumentais é uma outra história; o essencial é que o cinema cumpria sua função de arte da decupagem-montagem ao "dramatizar" uma ação que se achava condensada numa temporalidade virtual. Do mesmo modo, o cinema pôde "contar" o *Embarque para Citera* (*Fêtes galantes*, de Jean Aurel) ou *O inferno* de Bosch (*O demoníaco na arte*, de Gattinara e Fulchignoni), ou ainda as alegres quermesses de Rubens (Storck e Haesaerts)[16].

Mas um problema geral se coloca a respeito da utilização de obras pictóricas pela câmera, especialmente daquelas que não comportam nenhuma temporalidade espacializada. Perguntaríamos: deve-se mostrar as telas enquanto superfícies quadrangulares cercadas de uma moldura que delimita um espaço preciso (é o que fazem Luciano Emmer e Storck e Haesaerts) ou é possível abrir mão dessa obrigação e mostrar o universo

---

16. Ver, um pouco à margem, o interessante artigo de Jean George Auriol sobre *Les origines de la mise en scène* (*Revue du Cinéma*, outubro de 1946): o autor pretende mostrar que, desde o Renascimento, pintores, escritores e músicos fizeram "filmes"; assim, *A Torre de Babel* de Breughel, o Velho, é um "filme-rio", e seu quadro *O mau pastor* implica um *travelling* para trás; da mesma forma, Botticelli criou o culto da vedete, e as cenas de batalha de Paolo Ucello anunciam as de *O nascimento de uma nação* e *Alexandre Nevski*. Eu acrescentaria, de minha parte, o caráter surpreendentemente cinematográfico das *iluminações* do pintor francês Georges de La Tour (século XVII).

pictórico do artista visto como totalidade a partir de um certo número de telas que permanecem virtuais quanto à sua individualidade própria (é o caso do notável *Van Gogh* de Resnais, onde a câmera explora diversos quadros enquanto fragmentos múltiplos de um mesmo universo mental – e também de *Le monde de Paul Delvaux*, onde Henri Storck nos faz penetrar, como indica o próprio nome do filme, no universo artístico do pintor, sem que jamais tenhamos o recuo necessário para emitir um juízo estético sobre os quadros enquanto obras individuais)?

Sem dúvida, a escolha de um ou outro método é uma questão específica, relacionada ao universo do pintor, ao temperamento do cineasta. Mas, seguramente, a segunda atitude é a única que pode proporcionar obras cinematográficas de valor e que não se reduzam a uma simples transcrição, ainda que ela seja um tanto discutível do ponto de vista documentário, na medida em que recria na tela de cinema um *universo estético global* conforme o do pintor, mas que escamoteia os quadros que são seus componentes elementares e inalienáveis. De resto, não se concebe a aplicação de tal método a abstratos puros como Kandinsky, Málevitch ou Mondrian: a temporalização fílmica não teria o que fazer com semelhantes obras, que são *espacialidade pura*. De outro lado, recorrendo a uma prova pelo absurdo, é impossível imaginar um cineasta que, ao filmar a Torre Eiffel, nos mostrasse apenas uma série de fragmentos e detalhes sem jamais apresentar a torre por inteiro em plano geral.

O cinema tem, portanto, o privilégio de ser *uma arte do tempo* que goza igualmente de *um domínio absoluto do espaço*. Se é inegável que a dominação que exerce sobre o tempo e o vigor com que pode tornar sensível a duração são suas características mais específicas e originais, nem por isso deixa de ser a única arte que, rematando tentativas pictóricas seculares, pôde criar um espaço vivo e intimamente integrado ao tempo, a ponto de torná-lo um *continuum espaço-duração* absolutamente específico.

De fato, se excetuarmos a pintura, todas as outras artes plásticas e o teatro realizam-se *no* espaço material, criam formas que se desenvolvem no espaço, sendo este apenas seu suporte, seu receptáculo, o lugar virtual de todos os seus possíveis. A arquitetura e a escultura não se definem pelo espaço em que manifestam suas formas, e seu volume, embora ocupando um certo espaço, não é percebido como espaço, mas como uma massa pesada e impenetrável: há complementaridade dialética entre o espaço-receptáculo, de um lado, e de outro o espaço-forma (o primeiro é material e "aberto"; o segundo, estético e "fechado") que constitui a obra mesma e que não oferece ao espectador a possibilidade de uma experimentação pessoal e arbitrária.

O teatro e a dança utilizam o espaço como um puro suporte material: a encenação teatral ou coreográfica não consiste, a rigor, na construção ou na organização de um espaço estético, mas na *articulação de movimentos* dentro de uma determinada estrutura expressiva. O espaço coreográfico não tem nenhuma importância como tal; aliás, nem se pode falar propriamente de um espaço coreográfico específico, mas apenas de diferentes espaços onde evoluem os dançarinos. Quanto à encenação de teatro, não chega a ser, no limite, jamais indispensável: uma tragédia antiga pode muito bem ser representada diante de uma cortina por personagens perfeitamente imóveis e, aliás, nada se perde de essencial, na maioria dos casos, com a simples leitura de uma peça de teatro[17], salvo, evidentemente, quando o diretor efetuou sobre o texto um verdadeiro trabalho de criação plástica e/ou dramática.

A arquitetura, a escultura, o teatro e a dança são, portanto, artes *no* espaço: o cinema, ao contrário – e a diferença é essencial –, é uma arte *do* espaço. Quero dizer que o cinema *reproduz* de forma bastante realista o espaço material real e, além disso, cria *um espaço estético absolutamente específico*, cujo caráter artificial, construído e sintético já assinalei. De qualquer forma, o espaço dramático tal como aparece na tela não é de maneira alguma dissociável dos personagens que ali evoluem: não é um suporte, um lugar onde a ação seria "encenada" – "*mise en scène*" (vemos o quanto é falso este termo, aplicado ao cinema) –, pois nesse caso um indivíduo que se achasse ao lado da câmera durante a filmagem veria o essencial do filme; muito pelo contrário, é só o que aparece na tela que é verdadeiramente específico dessa arte. Portanto, o espaço fílmico é *um espaço vivo, figurativo, tridimensional*, dotado de temporalidade como o espaço real, e que a câmera experimenta e explora tal como o fazemos em relação a este; ao mesmo tempo, o espaço fílmico é *uma realidade estética* comparável à da pintura, sintética e, como o tempo, tornada densa através da decupagem e da montagem.

Esse "realismo" espacial do filme explica por que podemos tão facilmente "penetrar" no espaço dramático e aderir à ação. Já vimos que a redescoberta do espaço pelo cinema está ligada à utilização consciente

---

17. Assim como, infelizmente, o interesse de muitos filmes limita-se ao de seu roteiro.

da profundidade de campo e ao abandono da estética da montagem, que levara a temporalizar e conceptualizar o espaço. Ao mesmo tempo, o espaço está intimamente compenetrado pela duração num continuum indissociável, idêntico ao da vida real, mas onde a duração é ativada e valorizada, tornando-se sensorialmente perceptível, ao passo que na vida real ela é experimentada na maioria das vezes de forma inconsciente ou subconsciente. É graças a esse domínio absoluto sobre a duração que o filme se integra com tanta facilidade ao nosso devaneio pessoal, à nossa aventura interior.

O cinema "tritura" o espaço e o tempo, a ponto de *transformá-los um no outro mediante uma interação dialética*: é como se, através da câmera lenta e da imagem acelerada, mostrasse ora uma, ora outra das duas faces da realidade: a vida em ato, as coisas em movimento. O crescimento das plantas, por exemplo, parece-nos inicialmente um ritmo temporal: visto em imagem acelerada, torna-se, em primeiro lugar um movimento no espaço; inversamente, quando seguimos com o pensamento a trajetória de uma bala de fuzil, somos primeiramente sensíveis à sua estrutura espacial; já quando a vemos em câmera lenta, ao contrário, é seu aspecto temporal que nos impressiona antes de tudo. Isso confirma o que eu dizia acima sobre a dualidade das dimensões de nosso mundo: quando experimentamos ativamente o espaço, o tempo se esvai em nossa percepção (todo mundo sabe que, ao viajar, a tirania do tempo se torna menos obsessiva); em contrapartida, ele impõe sua presença implacável se o espaço permanece, para nós, em estado de virtualidade (um homem que passa dez anos de sua vida num cárcere sente o tempo com uma dolorosa acuidade). Concluamos com Jean Epstein que "se o cinema inscreve a dimensão no tempo com a dimensão no espaço, demonstra também que todas essas relações não têm nada de absoluto, nada de fixo, que elas são, ao contrário, naturalmente e experimentalmente variáveis ao infinito"[18].

Após esse longo, mas necessário estudo do espaço fílmico, é preciso mencionar rapidamente os diferentes procedimentos de expressão ou de evocação do espaço dramático, vale dizer, do espaço representado.

Em primeiro lugar, pode tratar-se de uma *localização* espacial, da designação de um lugar: neste caso, recorrer-se-á simplesmente a um intertítulo, ou então o aspecto físico e as roupas dos personagens, bem

---

18. *Le cinéma du Diable*, p. 101.

como os elementos do cenário (paisagem, monumentos conhecidos), se encarregarão da localização.

Por outro lado, pode-se querer evocar ou significar um *deslocamento* no espaço: isso se expressará através de uma trajetória sobre um mapa, indicando a viagem efetuada (*O fugitivo* – Le Roy, *O último milionário/ Le dernier milliardaire* – Clair, *O grande motim/Mutiny on the Bounty* – Frank Lloyd), ou por etiquetas de hotel que se acumulam sobre uma valise (*Suspeita/Suspicion* – Hitchcock), ou ainda por um globo terrestre que gira e se detém mostrando o objetivo· da viagem (*Cirk* – O circo, Alexandrov), por uma sucessão de cenários típicos ligados em fusões (*As vinhas da ira* – Ford: placas indicativas dos diversos Estados atravessados e os números das estradas – *A grande ilusão* – Renoir: os nomes dos sucessivos campos de prisioneiros), ou simplesmente, se o deslocamento é indeterminado e não oferece interesse geográfico, por paisagens vistas em *travellings* (*A estrada da vida*, Fellini) ou por um *leitmotiv* visual (rodas de locomotiva a cada viagem de *Monsieur Verdoux* – Chaplin).

A evocação do deslocamento também pode ser feita mediante um cenário *em transparência* que se modifica atrás de um personagem real que permanece fixo (*La tête d'un homme*, Duvivier) ou por fusão sobre um objeto idêntico ou semelhante que a câmera vem captar em primeiro plano, enquanto um *travelling* para trás revela em seguida um outro cenário ao redor (*Poedinok* – O duelo, Petrov).

O cinema é particularmente apto a ajudar-nos a *vencer o espaço*, transportando-nos num instante a qualquer ponto do planeta, da Groenlândia de *Nanook, o esquimó/Nanook of the North* (Flaherty) à Austrália de *A manada/Overlanders* (Harry Watt), das estepes de *Tempestade sobre a Ásia* (Pudovkin) à floresta aquática de *Louisiana story* (Flaherty). Mas além dessa função de *conhecimento*, o cinema é, sobretudo um meio magistral para nos fazer defrontar com *espaços dramáticos*. Pode ser o caso dos espaços fechados, dos recintos sufocantes onde seres humanos se amam ou se entre devoram, de acordo com o eterno esquema da tragédia: são assim o cabaré de *A noite de São Silvestre* (Lupu Pick) ou o barraco de madeira de *Vento e areia* (Sjöström), o fortim de *A patrulha perdida* ou a diligência de *No tempo das diligências* (ambos de Ford), o submarino de *Os malditos* (Clément) ou o palácio monstruoso de *Cidadão Kane* (Welles). Mas muitas vezes o espaço também se dilata até o horizonte e os seres parecem então absorvidos pela natureza, que os protege (os pântanos de *Paisà* – Rossellini) ou esmaga (o deserto de *Ouro e maldição* – Stroheim), ou é simplesmente o quadro sublime de seu amor (a praia de *Águas tempestuosas* – Grémillon).

Na obra de Fellini (pelo menos em seus primeiros filmes) e, sobretudo na de Antonioni, o espaço desempenha um papel considerável: não é jamais ambiente descritivo, mas um volume dramático privilegiado, com uma função análoga, porém inversa, à que possui nos recintos fechados a do *Kammerspiel*. Em Fellini, ele acentua a miséria moral dos personagens, e as cenas cruciais se passam geralmente diante de horizontes infinitos (*A trapaça/Il bidone, A doce vida*). Em Antonioni, a relação é mais sutil, pois o espaço não tem significação propriamente simbólica (o vale do Pó em *O grito*, a paisagem lunar de *A aventura*, a cidade tentacular de *A noite*, o deserto de *Profissão: repórter*), mas apenas metafórica, enquanto dado figurativo e plástico em ressonância com a interioridade dos indivíduos.

Ambos foram precedidos nesse caminho por Rossellini (*Paisà, Alemanha ano zero, Stromboli, Viagem à Itália*) e antes ainda pelo japonês Ozu, cujo pioneirismo permaneceu por muito tempo ignorado na Europa, mas que é sem dúvida o iniciador da concepção do cenário como elemento dramaticamente neutro e puramente estético.

Entre cineastas modernos como Wim Wenders (*No correr do tempo*), Theo Angelopoulos (*O Thiassos – Os atores ambulantes*), Chantal Akerman (*Jeanne Dielman*) e André Téchiné (*Memórias de uma mulher de sucesso*), o espaço é um de terminante essencial do universo fílmico, intervindo apenas como quadro objetivo da ação. Empregando a nova "regra das três unidades" – o *plano fixo*, o *plano geral* e o *plano-sequência* –, esses cineastas (e alguns outros como Philippe Garrel, Marguerite Duras ou Jean-Marie Satraub) assumiram, a partir da metade dos anos 1970, a extrema vanguarda do "novo cinema", valorizando o espaço (e consequentemente o tempo) pela fixidez e a objetividade do olhar posto sobre ele: ao fazerem isso, instauravam um espaço não pitoresco e não simbólico, mas puramente psicológico e plástico, ou seja, especificamente fílmico.

13
O TEMPO

"A experiência nos ensina", escreve Jean Epstein, "a distinguir três tipos de dimensões, perpendiculares entre si, para que nos orientemos comodamente no espaço, mas nos revela apenas, *grosso modo*, uma única dimensão de tempo. Isso faz com que atribuamos ao tempo, ainda em termos genéricos, um sentido rigorosamente único, como um fluxo entre o passado e o futuro..."[1]. De fato, o tempo é uma força irresistível e irreversível, pelo menos o tempo objetivo e científico. Mas (e já falamos bastante do tempo no capítulo anterior para que esta constatação se torne agora evidente) o mesmo não acontece quando o homem "interroga sua percepção interior, cujas informações confusas, diferentes e contraditórias permanecem irredutíveis a uma medida exata comum. Muitas vezes, parece inclusive não haver duração alguma para um espírito que se acha absorvido no presente... A inconstância, a incerteza do tempo vivido, advêm do fato de que a duração do eu é percebida por um sentido interior complexo, obtuso, impreciso: a cenestesia"[2].

É importante de início assinalar, juntamente com Bela Balazs, que o cinema (ou melhor: a decupagem-montagem) introduz uma tripla noção

---
1. *Le cinéma du Diable*, pp. 107-108.
2. *Idem*, pp. 109-110.

de tempo: o tempo da *projeção* (a duração do filme), o tempo da *ação* (a duração diegética da história contada) e o tempo da *percepção* (a impressão de duração intuitivamente sentida pelo espectador, eminentemente arbitrária e subjetiva, da mesma forma que sua eventual consequência negativa, a noção de tédio, sentimento resultante de uma impressão de duração insuportável).

Ora, diante desse sistema de referência fugaz e evanescente, mas ao mesmo tempo tirânico, que é o tempo, o homem dispõe pela primeira vez de um instrumento capaz de dominá-lo: a câmera pode, com efeito, tanto acelerar quanto retardar, inverter ou deter o movimento e, consequentemente, o tempo.

A *aceleração* da imagem tem primeiramente um interesse científico, tornando perceptíveis os movimentos extremamente lentos, os ritmos secretos do crescimento das plantas ou da formação dos cristais: "A câmera ignora a natureza-morta", afirma com razão Jean Epstein, e Blaise Cendrars acrescenta: "Em imagem acelerada, a vida das flores é shakespeariana". Rouquier empregou o procedimento em *Farrebique* para condensar em poucos minutos longos espaços de tempo, fazendo as sombras da noite correrem sobre o flanco das colinas com a rapidez de um fulminante e obscuro maremoto. A imagem acelerada é de longa data, também, uma fonte de efeitos cômicos; em *Onésime horloger* (Durand, 1912), vemos o herói, para entrar de posse de uma herança mais depressa, desarranjar o relógio regulador do observatório: todos os ritmos temporais são então fantasticamente acelerados, e vemos uma criança nascer e tornar-se adulta num instante; em *A propôs de Nice* (Vigo), a visão de um cortejo fúnebre em marcha acelerada cria uma irresistível impressão de ridículo e inutilidade; em *A linha geral* (Eisenstein), um operário esbraveja contra a lentidão dos processos administrativos, e vemos os burocratas atemorizados resolver o assunto a toda a velocidade; a heroína de *Demônio de mulher/It should happen to you* (Cukor) se impacienta com a lentidão dos operários que pintam seu nome num cartaz publicitário: vemos então os pintores lançando-se ao trabalho com uma rapidez espantosa, que corresponde ao desejo da mulher de ver a tarefa logo terminada. Mas a imagem acelerada também pode criar curiosos efeitos dramáticos, exprimindo, por exemplo, a fuga do tempo pela passagem desenfreada de nuvens no céu (*Le tempestaire* – Epstein, *Coração de cristal/Herz aus Clas* – Herzog, *O selvagem da motocicleta* – Coppola) ou criando uma atmosfera de estranheza, como a cavalgada fantástica do fiacre no país dos fantasmas e os ataúdes sendo levados pelo vampiro, em *Nosferatu* (Murnau).

A *câmera lenta*, por sua vez, permite perceber os movimentos muito rápidos inapreensíveis a olho nu (uma bala de revólver, pás de uma hélice em ação), mas proporciona também, no plano dramático, uma impressão de poder único (a tempestade em câmera lenta em *Le tempestaire* – Epstein) ou de esforço intenso e contínuo (conforme a experiência de Pudovkin, intercalando, numa cena que mostra um homem ceifando a relva molhada, primeiros planos em câmera lenta dos músculos de suas costas e da lâmina em ação)[3]. Ela pode igualmente adquirir um valor simbólico. Em *Tempestade sobre a Ásia* (Pudovkin), o general inglês ordena a perseguição dos guerrilheiros soviéticos; vemos então uma companhia de soldados dar meia-volta em câmera lenta, e esse efeito técnico exprime com precisão a impotência do invasor em sua luta contra os patriotas. Cenas de morte violenta frequentemente são mostradas em câmera lenta, como que por uma dilatação dramática do instante fatal: por exemplo, os amantes metralhados pela polícia, em *Uma rajada de balas/ Bonnie and Clyde* (Penn), ou a morte da esposa, em *Woyzeck* (Herzog)[4]. A câmera lenta sugere, em geral, a excepcional intensidade do momento, a felicidade ou a aflição: uma mulher penteia-se e sua longa cabeleira parece flutuar docemente no ar, imagem de uma felicidade tranquila (*Putievka v gizn* – O caminho da vida (Ekk); ao contrário, o fim de uma juventude alegre e despreocupada é simbolizado pelo corte em câmera lenta dos longos cabelos de uma jovem, que desse modo procura escapar ao marido que querem lhe impor (*Dorogoi tsenoi* – Pelo preço de sua vida, Donskoi); lembremos, finalmente, a famosa e admirável sequência do desfile em câmera lenta (com uma curiosa e envolvente música de Jaubert, gravada de trás para a frente)[5] dos alunos no dormitório devastado de *Zéro de conduite*, efeito que Viga parece ter utilizado para exprimir ao mesmo tempo a estranheza poética do sonho e a nostalgia das revoltas impossíveis.

A *inversão* do tempo foi empregada frequentemente como recurso cômico. Já em 1896, Lumière a utilizava para mostrar uma parede

---

3. Citado por Lindgren, *op. cit.*, p. 138. Assinalemos a beleza do esforço humano visto em câmera lenta em certas reportagens esportivas.
4. Pode sugerir também um fenômeno impossível de se ver: os percursos inexoráveis e opostos da bala e da faca que vão abater os dois antagonistas (*Hannie Caulder*/Burt Kennedy).
5. Jaubert, *in Esprit*, 1.º de abril de 1936.

demolida levantando-se sozinha. René Clair recorreu a ela para sugerir a confusão do jovem advogado de *Les deux timides*, enredando-se no fio de suas ideias e recomeçando a todo instante sua defesa de causa: vemos então a cena referida (o acusado levando flores à sua mulher) passar ao contrário repetidas vezes e sempre mais depressa, à medida que aumenta a confusão do advogado. Em *O vampiro* (Dreyer), a inversão destina-se a aumentar o mistério da história: vemos a sombra de um homem padejar a terra ao contrário; em *Le tempestaire* (Epstein), quando o velho marinheiro apazigua a tempestade, as ondas parecem flores de espuma que se fecham sobre si mesmas em maravilhosos efeitos poéticos; encontramos uma imagem semelhante quando Cegeste surge do mar em meio a uma corola de espuma que se fecha e o projeta para o céu (*Le testament d'Orphée*, Cocteau). Numa outra perspectiva, Sacha Guitry usou o mesmo procedimento para fazer a guarda do palácio de Mônaco dançar uma espécie de bailado (*O romance de um trapaceiro*), e a ideia foi retomada num curta-metragem inglês realizado durante a guerra, onde o exército nazista era ridicularizado por uma hábil montagem que o fazia executar movimentos de vaivém ao som de uma música de cervejaria (*Lambeth walk*, Len Lye). Notemos que Chaplin utilizou o truque (sem que o espectador perceba) em *Dia de pagamento/Pay day*, no momento em que empilha a uma velocidade infernal, sobre um andaime, os tijolos que lhe são lançados do chão por um colega e que ele apara nas posições mais inverossímeis: além disso, todos certamente se lembram de que *Pandemônio/Hellzapoppin* (Potter) contém alguns inenarráveis exemplos de inversão. Eisenstein, porém, usou o procedimento de uma forma bem mais original e com uma finalidade expressiva, em *Outubro*: no momento em que Kerenski assume o poder, uma estátua do czar, derrubada pouco antes, ergue-se sozinha, significando que o reinado da reação vai recomeçar.

Por fim, a *detenção* do movimento possibilita fortes e estranhos efeitos, já mencionados a propósito da evocação da morte. Eis um exemplo de utilização mais simbólica do procedimento: no momento em que um justiceiro investe com a espada contra o traidor, um plano (estranho à ação) mostra uma onda imobilizada em pleno movimento, assim como o traidor, pelo medo (*Skanderbeg*, Iutkevitch). O mais célebre desses efeitos acha-se em *Os visitantes da noite* (Carné): os emissários do Diabo suspendem a marcha do tempo e isso se materializa por uma detenção do movimento que imobiliza os bailarinos em plena dança. É evidente, porém, que o procedimento resulta em fracasso, pois, ao nos representar o tempo *detendo-se*, enfatiza de uma forma incômoda (e ingênua) a própria realidade do correr do tempo; do ponto de vista psicológico, seria preciso, ao contrário, fazer-nos esquecer que o tempo é um fluxo irresistível, indetível, talvez fosse o caso de dizer; para que o tempo *se detenha*, é necessário que não tenhamos mais consciência do seu escoamento, e, se o fizermos através de uma desaceleração do movimento da imagem, ele irá se impor ainda mais à consciência.

Quanto ao *congelamento da imagem* (não precedida de uma desaceleração), tornou-se de uso bastante comum, especialmente no final dos filmes, para indicar precisamente a suspensão do desenrolar da narrativa. Um dos mais eficazes (porque dos mais discretos) exemplos de utilização desse procedimento está em *Uma mulher para dois/Jules et Jim* (Truffaut parece ter sido um de seus iniciadores, posteriormente muito imitado): quando os dois amigos se encontram após uma separação de cinco anos, um breve e quase imperceptível congelamento da imagem parece querer eternizar esse instante de felicidade.

Voltemo-nos agora para a formulação de uma distinção essencial: o conceito de tempo implica, por um lado, o de *data* e, por outro, o de *duração*. Há recursos de sobra para indicar a data de um modo mais ou menos preciso, mas eles não apresentam, para falar a verdade, grande interesse: pode-se recorrer, por exemplo, aos letreiros colocados no início do filme ou das sequências ("A cena se passa em Paris no ano de 1890") – ou à presença de um calendário (uma cena de *A um passo da eternidade* (Zinnemann), que se passa na véspera do ataque japonês a Pearl Harbour, é assim autenticada por um calendário que exibe a data de 6 de dezembro de 1941) – ou a uma alusão a um acontecimento histórico exatamente localizado no tempo (a mobilização de agosto de 1914 em *Luzes da ribalta/Limelight* – Chaplin) – ou à referência a um evento social (o carnaval, em *Os boas-vidas*, de Fellini) – ou ainda à presença (ou ausência) de um monumento cuja data de construção (ou demolição) é conhecida (a Torre Eiffel em construção, em *Dulce, paixão de uma noite/Douce* – Autant-Lara); – finalmente, a maneira de vestir basta, em geral, para localizar mais ou menos a ação no tempo; quanto à estação do ano, costuma ser indicada pela paisagem (folhas mortas, neve, etc.), enquanto a hora do dia será marcada eventualmente por um relógio que vemos ou ouvimos soar.

A expressão da *duração* é bem mais interessante, pois leva em conta procedimentos propriamente fílmicos. O termo "duração" admite duas acepções sensivelmente diferentes. Pode indicar, em primeiro lugar, o *escoamento* do tempo, recaindo a ênfase sobre a sua fuga, sobre o *tempo que passa*. Para isso se dispõe de um grande número de procedimentos técnicos, de acordo com diferentes perspectivas: pode tratar-se inicialmente daquilo que chamarei de um ponto de vista "objetivo", estando os acontecimentos confrontados a um sistema de referência científico e social: veremos assim um calendário sendo desfolhado (em *O Anjo Azul* – Sternberg, o professor arranca as últimas folhas do ano de 1924; depois, uma fusão faz aparecer o ano de 1929) ou um objeto cuja transformação, também por fusão, indica a passagem de um certo lapso de tempo mais ou menos determinável (a mudança dos ponteiros de um relógio, um cigarro recém começado e logo inteiramente consumido, uma janela inicialmente iluminada pelo sol e depois aberta para a noite, etc.), ou o crescimento de uma criança (*O garoto* – Chaplin, *Milagre em Milão* – De Sica, *Os filhos de Hiroshima* – Shindo, *Cidadão Kane* – Welles, etc.), ou ainda o desenvolvimento de uma gravidez (*Terra* – Dovjenko, *Mônica e o desejo* – Bergman, *Les fruits sauvages* – Hervé Bromberger, *Os últimos cinco* – Arch Oboler, *The salt of the earth* – Biberman).

Mas pode ocorrer que o diretor queira sugerir simplesmente uma *duração indeterminada*, em que não é possível, nem convém, precisar o período transcorrido; o truque do calendário poderá ainda ser empregado, como em *Scarface, vergonha de uma nação* (Hawks), onde vemos um calendário desfolhar-se ao ritmo de rajadas de metralhadora; em *Sinfonia pastoral* (Delannoy) e *Le journal d'un curé de campagne* (Bresson), são os cadernos de um diário íntimo que assinalam, por sua acumulação progressiva, a passagem do tempo; outro recurso será um jogo de cena de caráter expressivo, mostrando o crescimento da intimidade e dos sentimentos amorosos entre dois personagens através de apertos de mão cada vez mais demorados (*Fait divers*, Autant-Lara) ou de toques de campainha inicialmente hesitantes e depois resolutos (*O leque de Lady Margarida/Lady Windermere's fan*, Lubitsch); a passagem do tempo poderá ser expressa também por um plano sem grande significado na ação, cujo valor e interesse são antes de tudo simbólicos: em *O garoto* (Chaplin), um plano de nuvens que cruza lentamente o céu é intercalado entre a sequência inicial em que o menino ainda é bebê e o momento do filme em que ele tem cinco ou seis anos; temos uma montagem semelhante em *Varsovie quand même* (Yannik Bellon), onde uma longa panorâmica sobre um céu carregado simboliza os cinco anos de opressão nazista sobre a capital polonesa; em *Une partie de campagne* (Renoir), o longo *travelling* para trás (já citado) sobre o rio salpicado de chuva adquire, além de um valor dramático bastante insólito e impressionante, o sentido de uma fuga do tempo para um passado irremediável; por fim, um último procedimento (mas nem por isso o menos interessante e, seguramente, o mais cinematográfico) consiste num efeito de montagem através de fusões de tipo impressionista: em *Mercado de ladrões* (Dassin), por exemplo, a viagem noturna do caminhoneiro é evocada por uma série de fusões e superposições da estrada varrida pelos faróis e do rosto atento do homem; tal montagem exprime com vigor a monotonia da viagem e a densidade do esforço físico do motorista e, ao mesmo tempo, aquela espécie de fusão indefinida e homogênea de todos os instantes da viagem, sem que nenhum tivesse um caráter muito particular. O mesmo procedimento serve para simbolizar, em *Cidadão Kane*, a turnê de Susan pelos Estados Unidos: uma série de fusões onde se superpõem o rosto da heroína, manchetes de jornais, a face exuberante do professor de canto e a lâmpada que dá o sinal de início dos espetáculos; Welles empregou também esse efeito para exprimir, através de fusões de ruas e fábricas filmadas em *travelling* para frente, os repetidos esforços de George à procura de trabalho (*Soberba*): essa montagem tem um significado de repetição e corresponde perfeitamente a um verbo frequentativo no imperfeito, já que a mistura das imagens criada pelas fusões sugere muito bem a sobreposição indistinta das diversas buscas na memória do herói. Finalmente, as viagens indeterminadas dos artistas ambulantes de *A estrada da vida* (Fellini) são evocadas por um procedimento análogo, mas com um tratamento mais realista (pois a ênfase não recai especialmente sobre sua duração): *travellings* de paisagens ligados por fusões. Já em *Miort vii dom* – Recordações da casa dos mortos (Fiódorov), a duração da longa marcha dos prisioneiros políticos de São Petersburgo até a Sibéria é mostrada pela sucessão das estações (a neve, os brotos, as flores, as colheitas)[6].

Mas pode-se também querer exprimir a *permanência* do tempo, acentuando-se os momentos em que não acontece praticamente nada,

---

6. Lembremos também que uma montagem rápida pode exprimir com força a vivacidade de uma ação (o movimento de uma locomotiva, em *La roue* – Gance; cavalos a galope, em *Arsenal* – Dovjenko) e deste modo, secundariamente, a passagem do tempo.

Cabe recordar, ainda, que a superposição parcial dos planos pode dilatar e adensar a duração (ver nota à p. 119) e que um plano "anormalmente" longo pode adquirir uma significação psicológica particular (ver pp. 87 e 172).

mas nos quais a duração é intensamente vivida. Já citei anteriormente o procedimento utilizado por Epstein em *La chute de la Maison Usher*, fazendo como que palpitar a imagem para sugerir o martelar dilacerante das horas no espírito perturbado do dono do castelo; em *The cat and the canary* (Paul Leni), um mecanismo de relojoaria é superposto à imagem de pessoas que esperam; em *Manniskor i stad* – O ritmo da cidade, Sucksdorff mostra a opressão física que precede a tempestade através de imagens de pessoas suadas e exaustas, juntamente com uma música lancinante e o ruído crescente do tique-taque de um relógio; em *A mãe* (Pudovkin), são as gotas d'água caindo de uma torneira num ritmo imutável que criam a atmosfera pesada da vigília fúnebre do marido; em *A batalha dos trilhos* (Clément), o arquejar da locomotiva serve de compasso para a espera angustiada dos homens escondidos no tênder.

Mas, ao tentarem dar uma imagem (e, portanto, uma transcrição *espacial*) da duração, todos esses efeitos, repetimos, materializam o tempo sem, todavia, transmitir a impressão subjetiva da duração.

O melhor procedimento de expressão da duração intuitivamente vivida reside, sem dúvida, na montagem.

A lentidão da montagem (isto é, a utilização de planos longos ou muito longos) é o meio mais eficaz para fazer sentir a estagnação do tempo, a duração, e isso de modo não consciente (admitindo-se que nenhum truque técnico venha *representar* essa duração): ora, sabemos todos, desde Bergson, que nossa apreensão da duração é intuitiva e que aquilo que percebemos conscientemente é apenas o sistema de referência temporal, ao mesmo tempo racionalizado e socializado, em que vivemos.

E se é verdade, como afirmamos antes, que o espaço e o tempo no cinema se encontram intimamente ligados num *continuum*, no interior do qual evoluímos sem qualquer restrição, também é normal que o tempo se imponha a nós (desde que o espaço nos é apresentado em blocos maciços, graças aos planos longos) como uma totalidade indivisa, ou seja, não como uma sucessão de instantes, mas como uma *duração*.

A montagem seria assim o meio mais específico de expressar a duração. Esse aspecto de seu papel criador é uma rede coberta relativamente recente. Quase simultaneamente, em 1952-53, *Mamãe* (Mikio Naruse), *Os boas-vidas* (Fellini) e *Umberto D* (De Sica) – para citar apenas alguns exemplos significativos que precederam os de Ozu, Mizoguchi e Antonioni – conseguiram exprimir a duração mediante uma montagem de planos muito longos. Poderíamos dizer que se consegue representar a duração, concretizá-la, *filmando-a integralmente*. Também é preciso que a ação, por seu caráter rápido ou movimentado, não venha a se opor à lentidão da montagem, e é por isso que tal procedimento não é válido para todos os assuntos. Em situações privilegiadas, porém, alguns diretores conseguiram transmitir ao espectador a sensação interna da duração, do tempo que cresce e se impõe: é o caso do cotidiano pobre da mãe (*Mamãe*) e da jovem empregada (*Umberto D*), ou da ociosidade (*Os boas-vidas*).

Essa utilização do plano longo virou moda nos filmes ocidentais a partir dos anos 1960, mas é importante notar que ele sempre foi, de certo modo, praticado pelo cinema asiático, graças a uma concepção da duração radicalmente diferente: cabe sublinhar que o genial cineasta japonês Yasujiro Ozu (1903-1963) utilizou constantemente, e conscientemente, desde os anos 1930, o *plano-sequência* (e o plano fixo), o que confere a seus filmes um grande poder de fascinação.

O plano-sequência instaura uma continuidade *espaço-duração* em que a duração é determinante, como o demonstra a longa cena de *Calle mayor* (Bardem) em que uma jovem conta sua adolescência ao rapaz que a corteja: tem-se a impressão de que se trata temporalmente de uma mesma cena, mas na verdade os diversos momentos da conversação se desenrolam (sem ruptura do diálogo) em lugares diferentes (embora Bardem não sugira visualmente que os personagens tenham se deslocado); há, portanto, a criação de um espaço-duração em que a continuidade temporal ignora a (possível) contiguidade espacial (supérflua).

As diversas estruturas temporais da narrativa

No complexo espaço-tempo (ou continuidade espaço-duração) que modela o universo fílmico, parece claro agora que é o tempo, e apenas ele, que estrutura de maneira fundamental e determinante toda a narrativa cinematográfica, sendo o espaço apenas um quadro de referência secundário e anexo. É, portanto, em relação à sua maneira de tratar o tempo que deve ser analisada a construção de um filme. Procuremos, pois, discriminar os diversos tratamentos possíveis.

A) *O tempo condensado*: é a maneira habitual de o cinema utilizar o tempo; já insisti sobre essa atividade criadora da decupagem e da montagem, e vou me limitar, portanto, a recordar aqui as duas etapas principais: primeiro, a colocação em evidência de uma continuidade causal única e linear na trama das séries múltiplas da realidade corrente, seguida de uma supressão dos tempos fracos da ação, ou seja, daqueles que não são diretamente necessários para a definição e o progresso da sequência dramática: daí advém essa condensação da duração e essa impressão de plenitude vivida que experimentamos diante de um filme e que constitui um dos principais fatores de seu poder de sedução; o tempo da ação fílmica assim condensado é um dado especificamente estético (as regras de unidade de ação e de tempo, apesar do caráter artificial que às vezes se lhes atribui com razão, permanecem perfeitamente válidas), mas que leva em conta as alternâncias de automatismo e consciência clara da vida real e, sobretudo, a decantação que se produz na memória em benefício apenas dos acontecimentos que nos "concernem" diretamente e em profundidade, ainda que os motivos de nossa seleção mnemônica sejam inconscientes.

B) *O tempo respeitado*: poucos filmes tentaram respeitar o desenrolar temporal integralmente, apresentando na tela uma ação cuja duração fosse idêntica à do próprio filme. Em *Festim diabólico*, Hitchcock, de uma forma certamente involuntária (estou querendo dizer que esta não era, no caso, sua principal preocupação), manteve a aposta até o fim, rodando seu filme praticamente num único plano: a câmera seguia constantemente os personagens através do cenário, e as trocas de rolo faziam-se sem mudança de plano, beneficiando-se de fundos escuros. De um modo mais sistemático, outros filmes pretenderam, numa hora e meia de projeção, fazer-nos viver um trecho de duração estritamente (ou aproximadamente) idêntico ao da vida de um boxeador (*Punhos de campeão*, Wise) ou de um xerife (*Matar ou morrer/High noon*, Zinnemann). Existe aqui, evidentemente, uma ficção: se no primeiro filme citado um relógio público não aparecesse no plano inicial (marcando 21:05 horas) e no final (marcando então 22: 15 horas), e se no segundo um relógio de sala não fosse visível em numerosos planos, o espectador não teria como verificar se o postulado de base foi respeitado: é que, na verdade, o tempo científico não coincide absolutamente com o tempo da percepção, o tempo psicológico do espectador, isto é, a intuição subjetiva e pessoal da duração, que depende de nosso estado físico e mental no momento, de nosso interesse e de nosso "engajamento" na história. O que é bem mais importante é que a decupagem-tempo foi substituída pela decupagem-espaço, ou seja: em vez de escolher livremente, e apenas em função de seu interesse dramático, fragmentos temporais para colocar no filme, o diretor foi obrigado a respeitar a integralidade da duração: teve, portanto, que se orientar na sua escolha (pelo menos é esta a consequência lógica do postulado de partida) pela necessidade estrita de não superposição temporal dos diversos fragmentos de ação que constituem o filme. É por isso, e não tanto por causa do seu pressuposto (que no fundo, aliás, é apenas uma variante da unidade de tempo, cujo eminente valor dramático volto a afirmar), que *Matar ou morrer* é um filme importante, pois, ao estabelecer um termo fatal e irremediável à ação (no caso, a chegada do trem trazendo o bandido que jurou vingar-se do xerife), valoriza a duração e faz com que ela desempenhe um papel dramático particularmente denso. O mesmo acontece nos numerosos filmes em que um termo trágico é fixado à ação (a explosão da bomba atômica em *Os filhos de Hiroshima* – Shindo, o ataque da polícia em *Trágico amanhecer* – Carné, uma execução de sentença de morte em *Somos todos assassinos/Nous sommes tous des assassins* – Cayatte, a morte da heroína em *A última felicidade* – Mattson).

C) *O tempo abolido*: sob esse título, examinaremos três filmes realizados quase à mesma época e que oferecem uma concepção extremamente audaciosa da temporalidade na ação. Trata-se inicialmente do filme de Alf Sjöberg, *Senhorita Júlia* (1950). A heroína e o criado particular de seu pai, Johan, trocam confidências na noite de São João. O homem conta que foi perseguido, quando garoto, pela governanta do castelo por ter roubado maçãs: assistimos então à perseguição do garoto, e, em seguida, uma panorâmica revela (sem mudança de plano) Júlia e Johan passeando juntos a uma certa distância; por causa de uma outra molecagem, ele havia apanhado: vemos o garoto sendo espancado, e depois uma panorâmica nos mostra os domésticos reunidos (no passado) para culminar no rosto, em primeiro plano, de Júlia escutando (no presente) o relato de Johan. Mais tarde, Júlia embriaga-se para esquecer a vergonha de ter-se entregue ao criado e evoca, por sua vez, sua própria infância: vemos então, ao lado dos protagonistas, e no mesmo plano que eles, Júlia aparecer ainda menina, juntamente com sua mãe. Enfim, decidida a fugir com Johan, a jovem arromba a escrivaninha de seu pai; neste exato momento este chega ao castelo e ela imagina o que vai acontecer; ela aparece então em primeiro plano, enquanto sua voz conta em *off* os acontecimentos que está prevendo e que vemos se desenrolarem atrás dela: seu pai, que percebe o roubo e manda chamar a polícia, dirige-lhe uma pergunta (no futuro), e o que ela (no presente e no futuro) lhe responde pode se aplicar tanto ao presente quanto ao futuro (palavras dirigidas a Johan – resposta à pergunta do pai). Há aqui, portanto, uma audaciosa síntese entre um comentário em *off* no *presente* e uma cena que materializa um *futuro* (futuro imaginado e que permanece um puro possível), síntese não apenas técnica mas também dramática, pois é para evitar de se encontrar na intolerável e humilhante situação que teme e imagina, que a jovem irá cortar seu pescoço, única possibilidade de escapar à "desonra".

A polivalência temporal assim realizada por Sjöberg possui uma grande força expressiva e, a despeito de sua audácia e da "leitura" relativamente difícil, resulta perfeitamente válida do ponto de vista psicológico, mesmo com seu caráter evidentemente não realista: a mistura de tempos explica-se pelo fato de que Johan e Júlia fantasiam; ora, tudo é presente na consciência, *no presente da consciência*, e o desenrolar do filme, conforme já assinalei, se assemelha muito ao fluxo da consciência em que as percepções exteriores reais e as motivações psíquicas mais profundas da história do indivíduo se inscrevem no mesmo plano da consciência vivida: no filme, os acontecimentos presentes e as lembranças ou os "projetos" da imaginação se inscrevem também (e a identidade dos termos é curiosa) no mesmo plano.

Laslo Benedek, em *A morte do caixeiro-viajante* (1952), recorreu com a mesma habilidade à mistura de temporalidades diferentes no mesmo espaço dramático. O caixeiro-viajante Willy Loman, esgotado por uma vida de intensos trabalhos, tem alucinações que evocam episódios do passado e são materializadas na própria imagem em que aparece o herói e com idêntico realismo. Vejamos um primeiro exemplo desse procedimento, a cena em que o protagonista encontra-se com a esposa na cozinha de sua casa: ele é enquadrado de frente, em primeiro plano, e sua esposa aparece sentada em segundo plano, enquanto ao fundo uma porta se abre para a sala; a mulher lhe diz, em resposta a uma reflexão que ele acaba de fazer: "Você é o homem mais elegante do mundo", e em seguida ri: ouvimos então uma outra risada, mais forte e mais vulgar; o homem volta-se na direção desse riso e percebemos que a sala vista há pouco se transformou num sórdido quarto de hotel: vemos ali uma mulher tornando a se vestir e respondendo a uma pergunta que o homem dirige à esposa, ao mesmo tempo em que ele caminha até a porta, penetra no quarto e toma a mulher nos braços; após uma curta cena que representa a materialização de um episódio do *passado*, o homem retorna à cozinha *no presente* e ouvimos a esposa responder à pergunta que ele lhe fizera no momento de passar à outra peça. Assim, no espaço de um instante o homem reviveu uma cena inteira do passado, que o cineasta materializou com o mesmo caráter de realidade que tem a trama presente da história; temos aí bem mais do que uma representação comum da lembrança, uma vez que há coexistência material no mesmo plano dramático e técnico da realidade objetiva e de um conteúdo da memória. Eis outro exemplo numa cena posterior: Willy está jogando cartas com seu vizinho Charley e começa a evocar o passado ao olhar para um retrato de seu irmão Ben; vemos então no fundo da sala, que é comprida e um pouco escura, aparecer a figura de Ben, que intervém na conversa entre Willy e Charley sem que este último, evidentemente, se aperceba de nada: depois Charley vai embora e Willy aproxima-se de Ben, penetrando com ele no passado.

Finalmente, encontramos efeitos parecidos (não tão constantes, porém) em *Contos da lua vaga*, de Mizoguchi (1952). O herói do filme, Genjuro, tendo ido ao mercado vender peças de cerâmica, vê surgir uma princesa e sua dama de companhia, que o convidam a acompanhá-las até sua residência: aos poucos percebemos que essas duas mulheres são espectros, embora sejam dotadas da mesma aparência de realidade que os seres vivos que as cercam. A descoberta dessa existência espectral é de certo modo anunciada a Genjuro por uma aparição de sua mulher, morta há muito tempo, entre as sedas de um mercador ambulante; e ela é seguida por uma nova aparição, quando o herói, retornando à sua casa, volta a encontrar a esposa bem-amada junto à lareira.

Analisei em detalhe esses três filmes porque eles realizam de forma notável a fusão de temporalidades diferentes num espaço fílmico único. Mas já citei exemplos impressionantes (*Privideniie, kotoroie ne vozvrachtchestaia*/O fantasma que não voltará – Abram Room, *Amor sem fim* – Hathaway) de coexistência de realidades diferentes num mesmo espaço conceptual. Vejamos alguns outros: em *Contos fantásticos de Yotsuya*, Kinoshita faz aparecer a um personagem o fantasma, em carne e osso, de sua esposa morta. Bergman mostra-nos a coexistência de seu protagonista com personagens que são materializações realistas de suas lembranças (*Morangos silvestres/Smultronstället*) e, de maneira ainda mais audaciosa, apresenta na mesma imagem seus dois heróis e os adolescentes que eles foram (*Depois do ensaio/Efter repetitionem*). Em *Mishima: uma vida em quatro tempos/Mishima*, de Paul Schrader, vemos o menino que o poeta foi olhando, de uma janela, a partida do adulto para a morte. Entre os efeitos psicológicos assim obtidos, os mais impressionantes são aqueles que têm um caráter onírico ou fantasmático, enquanto os mais poéticos são os que sugerem a sobrevivência da criança no adulto.

D) Enfim, *o tempo revertido* (baseado no *retorno ao passado* ou *flashback*) é, seguramente, o procedimento de interpretação do tempo mais interessante do ponto de vista da narrativa cinematográfica e parece ter sido utilizado de forma consciente há bastante tempo[7]; e se não resta dúvida de que os diretores o tomaram emprestado do romance, é preciso admitir que o cinema o empregou muitas vezes com êxito, por razões que devemos agora examinar:

1. Razões *estéticas*, em primeiro lugar, com o propósito de aplicar de forma rigorosa a regra da unidade de tempo (e a de lugar, eventualmente): seria errado subestimar a importância da unidade de tempo na gênese de uma atmosfera dramática, e muitos filmes encontram aí uma das razões de seu valor (*A noite de São Silvestre* – Lupu Pick, *Trágico amanhecer* – Carné, *O condenado* – Reed, *O delator/The informer* – Ford, *As portas da noite* – Carné, etc.). Essa unidade de tempo pode ser bastante elástica, no caso de uma ação que se divide em duas partes separadas por um longo período: ao invés de mostrar as origens do drama e em seguida sua conclusão vinte ou trinta anos depois, o filme começará nesse segundo período, voltando atrás para expor o passado e então retomar o presente para o desfecho do drama; com isso a obra fecha-se sobre si mesma conforme uma simetria estrutural, muito satisfatória do ponto de vista estético, e simultaneamente uma simetria temporal que lhe confere uma unidade centrada no presente, que é o tempo *participável* por excelência, como já mostrei diversas vezes.

2. Razões *dramáticas*: o *flashback* consiste em colocar desde o início do filme o espectador como confidente do desfecho: essa construção,

---

7. Sadoul descobriu um exemplo precoce num filme italiano de 1911, *Nozze d'oro* (As bodas de ouro, Luigi Maggi), onde um velho casal evoca a guerra da independência (*Histoire générale du cinéma*, t. III, 1, p. 94).

além do interesse estrutural que apresenta (conforme vimos no parágrafo anterior), tem a grande vantagem de suprimir todo elemento de dramatização artificial devido à ignorância do desfecho, e de valorizar o conteúdo humano da obra e a solidez de sua construção. Tal procedimento contribui assim poderosamente para a criação da *unidade de tom*, tão importante numa obra: retira dos acontecimentos sua aparente disponibilidade e revela seu *sentido* profundo, indicando ao espectador o rumo que a ação irá tomar. No caso de um filme de qualidade como *A última felicidade* (Mattson), esse tipo de enredo sem surpresas despoja o drama de todo *suspense* e concentra o interesse na trajetória psicológica dos personagens e na construção dramática, cuja arquitetura e rigor aparecem então em plena luz. Vemos o mesmo procedimento em *Pacto de sangue* (Wilder), começando o filme quando o agente de seguros, ferido, chega a seu escritório e se instala diante do gravador para contar sua história: o fato de o espectador saber de antemão que o drama acabará mal para o protagonista introduz uma atmosfera de fatalidade irremediável que contribui em muito para o caráter envolvente do filme. É fácil perceber, aliás, que essa construção só faz instaurar o estado de coisas que caracteriza a tragédia antiga: o desfecho fatal da história de Édipo ou de Antígona é conhecido de antemão, mas nem por isso deixa de provocar o terror sagrado nos espectadores; Laurence Olivier e Orson Welles compreenderam bem isso, iniciando seus filmes com a imagem do cortejo fúnebre de Hamlet e Otelo.

3. Razões *psicológicas*: elas também podem justificar a reversão da sequência temporal normal dos acontecimentos. É o que ocorre, por exemplo, quando o filme está centrado num personagem que evoca lembranças: ao invés de desenrolar a ação fazendo com que o herói intervenha como um de seus elementos, é mais adequado concentrar nele o drama, consistindo a maior parte do filme na materialização de sua lembrança. Assim, ao atingir o paroxismo do seu drama, o herói revive as circunstâncias tumultuosas que o levaram a uma situação de desespero e solidão. O operário de *Trágico amanhecer*, por exemplo, fechado em seu quarto após ter abatido o amestrador de cães, recorda as etapas de um amor que a baixeza desse homem tornou sem esperança; ou então é o estudante de *Adúltera* (Autant-Lara) que repassa na memória os episódios de sua paixão pela jovem que acaba de morrer; ou ainda, Laura, após seu encontro com Alec (*Desencanto* – Lean), de volta à sua casa e revivendo dolorosamente os breves instantes daquele amor impossível.

Por outro lado, os filmes com testemunhos múltiplos sobre um mesmo acontecimento ou um mesmo personagem aparecem como um desenvolvimento dessa forma de narrativa. *The power and the glory* (William Howard) oferece um exemplo curioso disso, através de um duplo *flashback* que mostra, de um lado, o ponto de vista de um morto sobre si mesmo, digamos assim, e, de outro, o de seu secretário que acaba de assistir ao enterro: é o secretário que evoca a segunda parte da vida de seu patrão, o magnata Thomas Garner, enquanto a juventude deste, que ele não testemunhou, é de certo modo *objetivada*. De mais a mais, no interior das duas partes do *flashback*, o passado objetivo e o passado subjetivo misturam-se em sequências livremente alternadas: a narrativa não é portanto cronológica, como se o realizador quisesse sugerir que todo testemunho é sujeito à dúvida (o secretário talvez não seja mais sincero do que as confidências que seu patrão chegou a lhe fazer sobre seu próprio passado) e que certamente é vão tentar responder à pergunta "Quem foi Thomas Garner?".

É bem provável que Welles, ao conceber posteriormente *Cidadão Kane*, tivesse em mente esse estranho filme, que se assemelha a um estudo fenomenológico (o protagonista é sempre visto do exterior) em forma de quebra-cabeça, cujos fragmentos o espectador deve juntar.

Cidadão Kane afirma a impossibilidade de penetrar o segredo íntimo da vida de um homem, enquanto *Rashomon* (Kurosawa) constitui uma demonstração bastante cáustica da relatividade da verdade e do pouco crédito que se deve dar à objetividade de testemunhos diversos sobre um mesmo fato. *La vie en rose* (Faurez) já havia estudado, numa perspectiva semelhante, um caso de mitomania caracterizada: um pobre homem narrando conquistas amorosas, que mais tarde ele acabaria confessando serem falsas; o filme mostrava então os acontecimentos tais como haviam se passado na realidade, e a objetividade do relato desta vez era atestada pela presença, em todos os planos, do menino que assiste às desventuras do pobre infeliz. De maneira análoga, *A cínica/Manèges* (Yves Allégret) construía-se sobre uma série de *flashbacks* justificados por um duplo ponto de vista: as lembranças do marido ridicularizado e o relato da sogra; isso fazia inclusive com que certos acontecimentos fossem mostrados de três ângulos, como a partida da jovem esposa no dia da venda do carrossel, acontecimento visto na lembrança do marido, no relato da sogra e, por fim, *objetivamente*.

De outro lado, e isso poderia ser o exemplo de um terceiro tipo de volta ao passado de ordem psicológica, lembramo-nos de que Cayatte construiu *Antes do dilúvio* através de uma série de *flashbacks* que partem do rosto dos pais dos acusados: o diretor dá a entender com isso que o drama se passa primeiramente na consciência dos pais, já que são eles os principais responsáveis pelos desvios criminosos de seus filhos.

Finalmente, cabe sublinhar o êxito magistral de Resnais em *Hiroshima, meu amor*, ao realizar, no plano da narrativa visual, uma fusão perfeita do passado e do presente misturados na consciência da heroína; o procedimento não é novo e é relativamente menos audacioso que o de *Senhorita Júlia* (Sjöberg); contudo, é utilizado com uma admirável maestria e, por apoiar-se unicamente nas mudanças de plano por corte, não rompe de maneira alguma (sobretudo graças ao encadeamento através de *travellings* para frente e do comentário subjetivo *no presente*) com a continuidade da narrativa, que evoca com força o *fluxo de consciência* bergsoniano ou a duração proustiana.

4. Razões *sociais*, enfim, podem justificar uma volta ao passado. *Le crime de M. Lange* (Renoir) começa com a chegada do herói e da lavadeira à fronteira belga: a mulher descobre que ambos são procurados por assassinato e decide contar sua história aos fregueses do cabaré que os reconheceram, a fim de que julguem por si mesmos se devem denunciá-los ou deixá-los passar a fronteira; esse preâmbulo, na verdade indúctil, é evidentemente uma precaução de ordem social destinada a desarmar a censura, pouco propensa a ver com bons olhos um filme em que um mau patrão era morto pelo líder de uma cooperativa operária, gesto que adquire hoje um sentido ainda mais preciso, quando sabemos que Renoir tinha então opiniões de extrema esquerda e que o filme entrou em cartaz em Paris em janeiro de 1936, poucos meses antes da vitória da Frente Popular nas eleições; ao mesmo tempo, o episódio final, em que vemos as pessoas do povo absolverem moralmente o assassino, era uma sugestão ao público: com efeito, o espectador identifica-se com os fregueses do cabaré e é levado a assumir o julgamento que eles emitem sobre a questão.

"Precaução" semelhante, mas desta vez completamente inútil e descabida, aparece em *Rosas de sangue* (Vadim): o preâmbulo e a conclusão do filme se passam num avião onde se encontra o narrador; trata-se, sem dúvida, de atenuar aos olhos do espectador a violência do filme, apresentando essa história de vampiros como um *relato*, portanto como uma realidade de segundo grau. Temos aí uma demonstração involuntária e ingênua da crença geral no poder de persuasão da imagem cinematográfica.

Passado e futuro

O *flashback* (ou volta ao passado) tornou-se, portanto, um procedimento narrativo bastante usual.

Convém precisar que o passado introduzido pelo *flashback* pode ser tanto um passado *objetivo*, apresentado enquanto tal, quanto um passado *subjetivo*, uma lembrança verdadeira (a imagem do alemão morto em *Hiroshima, meu amor* – Resnais) ou falsa (ver o exemplo citado anteriormente de *Silent dust* – Lance Comfort), ou ainda imaginada como uma possibilidade: em seu leito de morte, a heroína de *Esquina do pecado/ Back street* (John Stahl vê-se reencontrando em sua juventude o homem que amava, embora na realidade esse encontro jamais tenha ocorrido por causa de uma circunstância infeliz).

Os *procedimentos técnicos* de introdução do *flashback* são pouco numerosos por estarem condicionados à sua necessária inteligibilidade; a passagem a uma outra temporalidade deve ser compreendida pelo espectador, e por esse motivo a introdução do *flashback* conta essencialmente com dois procedimentos: *o travelling para frente*, que defini mais acima como indicativo da passagem à interioridade e, portanto, à duração subjetivamente vivida – e a *fusão*, que representa materialmente e sugere psicologicamente uma espécie de fusão entre dois planos de realidade, como se o passado invadisse pouco a pouco o presente da consciência, convertendo-se também em presente. A câmera então avançará até se deter sobre um rosto em primeiro plano (*Desencanto*, Lean) ou se voltará levemente em direção a um fundo neutro e indeciso como a lembrança (*Farrapo humano*, Wilder); em seguida, o passado, será introduzido por uma fusão, mais raramente por um breve *fade-out* ou (no tempo do cinema mudo) por uma abertura em íris.

A maior parte dos procedimentos de transição são fusões propriamente ditas ou delas derivadas; assim, a passagem se faz muitas vezes por intermédio de um espelho (*Adúltera* – Autant-Lara: François olha num espelho, a seguir uma fusão combinada com a distorção da trilha sonora introduz a imagem de Marta saindo a passear – *Mônica e o desejo* – Bergman: o espelho diante do qual se encontra o rapaz torna-se escuro, depois aparece Mônica, nua, preparando-se para o banho), de um retrato (*Senhorita Júlia*, Sjöberg), de um objeto carregado de lembranças que serve de catalisador (um broche em *Trágico amanhecer* – Carné), de uma gravura ou uma fotografia que aos poucos se animam (*Cidadão*

Kane, Welles), ou enfim de um objeto qualquer, sem função dramática, que serve simplesmente de denominador comum aos dois planos ligados por fusão.

A transição visual é sublinhada pela trilha sonora de diversas maneiras: transição realista, na maioria das vezes, por simples substituição de sons (fusão sonora); intervenção através de um tema insinuante e lírico, que o espectador aprendeu a reconhecer como a introdução a uma outra temporalidade (*Trágico amanhecer*); ou ainda a distorção do som, sugerindo o mergulho doloroso no passado (*Adúltera*). Devo citar também o *flashback* das lembranças de juventude do sábio junto ao leito de morte de sua mulher (*Michurim* – Dovjenko): o passado é introduzido sem nenhuma transição visual (por corte), mas o passeio nos campos, que representa a volta ao passado, é acompanhado por um tema musical alegre e de cores vivas, em contraste com a tristeza da cena de morte. Por fim, em *De repente, no último verão* (Mankiewicz), o passado se introduz, por superposição, na forma de uma aparição inicialmente intermitente (como uma espécie de pulsação) e depois contínua, enquanto o rosto da narradora permanece visível num canto da tela, e seu relato faz a ligação presente-passado.

Convém ainda recordar um defeito (já citado) que não envolve a fusão e que consiste em introduzir o passado por uma transformação insensível da iluminação do cenário: assim, em *Sangue do meu sangue/ House of strangers* (Mankiewicz), quando o herói retoma à casa onde outrora viveu feliz e sobe a grande escada, o cenário ilumina-se pouco a pouco e, quando o homem atinge o patamar, desemboca no passado – quando o protagonista de *A morte do caixeiro-viajante* (Benedek) pensa nos filhos lustrando outrora seu velho Ford, a cozinha de repente se enche de sol e ele sai para o jardim quinze anos antes. Enfim, devemos lembrar que o chamado de um personagem por seu nome pode igualmente introduzir o passado (ver os exemplos de *Kanikosen*, de Yamamura, e *Caçadora de corações*, de Asquith) e que um simples movimento de câmera nos faz passar de um espaço-presente a um espaço-passado: em *Um rosto na noite* (Visconti), uma panorâmica nos leva de Natália (no presente, contando seu passado) à imagem do homem que ela amou na primeira vez que o viu.

Mas o passado também pode ser introduzido pela simples junção de dois planos, como se estivessem no mesmo nível de realidade, e o diálogo ou o comentário fazem então a ligação: em *Mamãe* (Naruse), no momento em que os pais evocam o passado, vem intercalar-se um plano que os mostra recém-casados, com dois filhos pequenos; em *Amantes sob medida* (Clément), o início do *flashback* é anunciado pelo comentário em *off*, mas o passado intervém primeiro na forma de um plano muito rápido (seguido de um retorno ao presente) antes de se instalar.

De uma forma bem mais audaciosa, Resnais introduz no presente, planos *passados*, e isso através de uma junção simples e sem nenhuma transição verbal: em *Hiroshima, meu amor*, a primeira imagem do braço do alemão morto é, de fato, uma intrusão absoluta de um outro espaço-tempo cujas coordenadas naquele momento são totalmente ignoradas pelo espectador, assim como sua significação, evidentemente[8]; em *O ano passado em Marienbad*, a intrusão de *um* passado (real? imaginado?) é feita por uma série de *flashbacks* inicialmente muito curtos e depois cada vez mais longos, o último deles impondo finalmente a presença de uma outra temporalidade[9].

Essas *imagens mentais* muito breves (*flashes*) nem sempre se dão como apelos do passado, mas às vezes simplesmente como aparições do subconsciente (*Eldorado* –L'Herbier, *Profissão: repórter* – Antonioni) ou mesmo como *imagens subliminares*: *flashes* da esposa defunta, em Contos fantásticos de Yotsuka (Kinoshita), da infância do herói, em *O homem que surgiu de repente/La course du lièvre à travers les champs* (Clément).

Mais complexos, ou senão mais sutis, são os exemplos de *flashbacks em segundo grau*, ou seja, a evocação de acontecimentos que são passados em relação a um primeiro passado. No exemplo já citado de *A morte do caixeiro-viajante*, a cena com a prostituta que ri é um *flashback* em relação à da cozinha com a esposa, que já é, por sua vez, um *flashback* (evocação de uma lembrança do protagonista) em relação ao presente do filme. Temos o mesmo procedimento em *Uma vida por um fio/Sorry, wrong number* (Litvak), quando o médico conta à heroína (no presente) as visitas que seu marido lhe fez (primeiro passado) para falar de suas crises (segundo passado); em *L'affaire Maurizius* (Duvivier), o procurador

---

8. O espectador ignora (nesse instante) a razão de ser desse plano, mas compreende que se trata da representação de uma lembrança da heroína: aliás, essa interpretação é facilitada pelo fato de que o *flash* em questão é intercalado entre dois primeiros planos do rosto de Emmanuelle Riva, obcecada por essa lembrança.

9. Este filme é um verdadeiro *quebra-cabeça temporal*; o baralhamento das diversas temporalidades torna-se aqui indecifrável: a ação se passa ao mesmo tempo no presente (ou melhor, *num* presente) e em diversos passados (e também, sem dúvida, nas lembranças desses passados), assim como num futuro imaginado.

O próprio espaço é, também, puramente conceptual.

lê num dossiê (no presente) o relato do interrogatório do acusado, que descreve (primeiro passado) as circunstâncias em que conheceu a vítima (segundo passado); em *A condessa descalça* (Mankiewicz), o diretor que assiste ao enterro da jovem (no presente) relembra uma visita que esta lhe fez uma noite (primeiro passado) para contar-lhe sua noite de núpcias (segundo passado). Trata-se de um procedimento antigo, utilizado desde 1920 (*O despertar da primavera*, Holm e Fleck).

Mas se o passado se integra perfeitamente no presente de nossa consciência, nem sempre o mesmo é possível em relação ao *futuro*, já que este em princípio nos é desconhecido. Todavia, alguns cineastas tentaram, e às vezes com êxito, essa intromissão.

Pode ser o caso, inicialmente, de um futuro real e objetivo (histórico): assim, no seu filme de montagem *La France libérée*/A França liberada, Iutkevitch intercala na famosa cena do passo de dança esboçado por Hitler em Compiegne, no dia do armistício de 1940[10] uma breve e terrífica sequência da Batalha de Stalingrado; essa audaciosa evocação do futuro cria uma forte impressão de fatalidade, que põe por terra o triunfo de um momento.

Mas também pode ser o caso de um futuro imaginado (temido ou esperado) por um personagem: foi o que vimos num dos exemplos citados há pouco de *Senhorita Júlia* (Sjöberg), ou ainda, em *Paixão e sangue/Underworld* (Sternberg), a sequência da evasão imaginada e, em *A guerra acabou/La guerre est finie* (Resnais), os *flashes* dos acontecimentos imaginados pelo protagonista.

Em geral, esse futuro antecipado é desmentido pelo acontecimento, por razões dramáticas. Mas também pode ser confirmado pela sequência da ação, passando do imaginário projetivo à realidade em ato: assim, o projeto de afogamento de sua incômoda amante que o jovem arrivista elabora sobre um mapa converte-se (por fusão) na verdadeira situação em que ele irá cometer o crime (*Uma tragédia americana/An American tragedy*, Sternberg); do mesmo modo, o plano de ataque a um banco esboçado sobre uma vidraça embaçada transforma-se (igualmente por fusão) num autêntico assalto (*Um de nós morrerá/The left handed gun*, Penn). Um exemplo mais realista (*Rio vermelho/Red river*, Hawks): um

---

10. Sabemos que essa cena famosa foi forjada, resultando de um truque realizado durante a guerra pelo documentarista inglês John Grierson para ridicularizar Hitler num filme de propaganda (Ver *Cinéma* 61, n.º 53, p. 47).

homem anuncia que "Em dez anos, terei 10.000 cabeças de gado" (voz em *off* sobre a imagem de um rebanho): ao final de seu comentário (sem haver ruptura), compreendemos que o futuro se tornou presente, como o atesta a transformação de um adolescente em adulto (o personagem encarnado a partir desse momento por Montgomery Clift).

Vejamos enfim um exemplo bem mais audacioso, como este que podemos chamar, por analogia, de *flash-forward*, isto é, a projeção, numa sequência ambientada no presente, de um futuro real (dramaticamente falando) e, portanto, desconhecido dos personagens. Em *Le château de verre* (Clément), os dois amantes, Evelyne e Rémy, reunidos num quarto de hotel, deixam passar a hora em que normalmente a jovem teria partido para pegar o trem. Réné Clément havia colocado nesse ponto (após uma fusão do relógio de pulso de Rémy para um outro relógio) um plano de uma câmara-ardente com o corpo de Evelyne sendo velado e um plano do marido recebendo a trágica notícia. Após essa intrusão do destino, a cena retornava ao quarto de hotel: os amantes se davam conta da hora tardia e procuravam em vão chegar à estação antes da partida do trem para Berna; Evelyne decidia então pegar um avião, e o filme terminava com a despedida dos protagonistas, ignorando que o avião haveria de cair. Como diante da tragédia antiga, o espectador tinha acesso ao segredo de um desfecho em que o destino haveria de esmagar a felicidade dos homens. Essa audaciosa montagem deveria funcionar como um choque dramático no espectador, ou então... passar despercebida por ele: foi isso o que acabou acontecendo, ao que parece, pois muitas pessoas, mesmo habituadas às sutilezas da linguagem cinematográfica, não perceberam o motivo da presença daquele plano naquele momento; após alguns dias de exibição exclusiva, o plano da câmara-ardente foi deslocado para o final do filme. Eis aí um belo tema de meditação sobre a gênese da linguagem cinematográfica: como e por que um procedimento de expressão chega ou não a ser entendido pelo espectador? Creio que a lei que defini anteriormente (à página 183) oferece uma resposta a essa pergunta. A montagem de Clément é dificilmente compreensível (pelo menos no mesmo instante em que a percebemos) porque não podemos conhecer o porvir; podemos apenas imaginá-lo; a projeção repentina de um futuro real no presente não corresponde a nenhuma experiência psicológica do ser humano e sua representação permanece incompreensível, pelo menos até que se tenha conseguido decifrar seu sentido.

Fechando este parêntese consagrado ao futuro, constatamos que o *flashback* é um procedimento de expressão extremamente cômodo, e isto por vários motivos: permite uma grande agilidade e uma grande liberdade de narrativa, ao possibilitar a subversão da cronologia; salvaguarda as três unidades tradicionais (ou, pelo menos, a mais importante delas, a do tempo) ao centrar o filme no desfecho do drama, representado como *presente-aqui* de uma consciência, e fazendo, das outras épocas e dos outros lugares, anexos subordinados e intimamente englobados na ação principal; o *passado* converte-se efetivamente num *presente* – e o *alhures* num *aqui* – da consciência. A sequência dos acontecimentos deixa de ser diretamente temporal para tornar-se *causal*, o que vale dizer que a montagem se baseia na transição ao passado pelo enunciado das causas dos fatos presentes: a sucessão dos acontecimentos segundo sua causalidade lógica é assim respeitada, mas a cronologia estrita é rompida e reestruturada em função de um ponto de vista geralmente subjetivo; em todo caso, é um ponto de vista subjetivo que comanda a narrativa nas utilizações mais originais e fecundas do procedimento. O *flashback* cria, portanto, uma temporalidade *autônoma, interior, maleável, densa e dramatizada*, que oferece à ação um acréscimo de unidade de tom e permite, com a maior naturalidade, a introdução do relato subjetivo em primeira pessoa, porta de entrada para domínios psicológicos de grande riqueza e prestígio[11].

Já falamos bastante do tempo no capítulo dedicado ao espaço, dada a ligação dialética de um e outro na continuidade espaço-duração.

Mas a primazia da duração sobre o espaço – e, portanto, a afirmação de que o cinema é uma arte da duração – parece indiscutível. Enquanto a primeira é dinâmica e consiste numa estrutura, o segundo é passivo e não passa de um quadro. Este intervém ao nível da imagem como um entre outros de seus constituintes, ao passo que aquela atua no plano da narrativa e determina a totalidade do filme. O espaço está na duração, mas a duração organiza o espaço, que pode ser deslocado desintegrado e negado enquanto contínuo em proveito da duração.

Vimos que alguns efeitos que sugerem uma duração indefinida do vivido (*Cidadão Kane,* etc.) correspondem muito bem ao que o

---

11. No entanto, o *flashback* é hoje um procedimento fora de moda, tendo sido abandonado pelo neorrealismo e pelo cinema que se pretende moderno.

Poderíamos aplicar à evocação do passado no cinema a fórmula do romancista Lawrence Durrell: "Não um tempo recuperado, mas um tempo liberado" (*Clea*).

imperfeito tende a exprimir no romance. O *presente* é o tempo mais usual no filme, mas existe apenas em nossa consciência, pois aquilo que percebemos enquanto presente é apenas o que corresponde à nossa percepção atual. O *futuro* é ainda mais inapreensível, e só o identificamos se for claramente indicado como tal. O *flashback* em segundo grau pode ser considerado um equivalente do *mais-que-perfeito*. Quanto ao *condicional*, encontrei um exemplo num filme mudo japonês em que um intertítulo anuncia: "Se o mestre tivesse piedade...", e vemos a seguir uma outra versão da sequência precedente, mostrando o que teria acontecido se... Mas esse condicional permanece puramente conceptual, pois só percebemos o presente fílmico (*Rojo no reikon* – Almas na estrada, Minoru Murata).

Se é verdade que toda construção do espírito, toda obra de arte, existe primeiramente na duração (e secundariamente no espaço), também é certo que toda tomada de consciência de uma obra se faz na duração, em nossa duração íntima: eis porque o filme, sendo antes de tudo duração, integra-se perfeitamente à nossa percepção, que se exerce também, antes de mais nada, na duração.

Assim como a perspectiva é a chave de nossa racionalização do espaço, o tempo social (com sua escala de pontos de referência) é o instrumento de nossa racionalização da duração: mas o cinema nos permite rejeitar essa racionalização dando à duração a liberdade que ela desfruta no fluxo de nossa consciência profunda.

Nossa análise está longe de ter esgotado o problema das relações entre o tempo real da projeção e o sentimento subjetivo de sua duração, seguramente o problema mais fundamental e o mais dificilmente analisável dentre os que se colocam para a psicologia do cinema. Sabemos que, na tela, toda ação parece, considerando um tempo igual, ser mais longa do que na realidade: daí a necessidade da *decupagem*, que elide (em geral) os tempos tidos como fracos, produzindo aquela condensação temporal que condiciona normalmente nossa percepção da narrativa fílmica[12].

Mas é difícil dizer se a impressão de duração que o espectador retira da *montagem* é automaticamente mais curta que a duração real da

---

12. O mesmo se dá com todas as artes fundadas na narrativa temporal: na ópera *Pelléas et Mélisande,* de Debussy, o texto anuncia: "Em uma hora, as portas se fecham", e a surda batida das portas fechadas, na partitura, ocorre exatamente sete minutos mais tarde.

projeção. Na versão muda de *O encouraçado Potemkin*, por exemplo, a sequência da fuzilaria nas escadarias dura cinco minutos e trinta segundos (oito minutos na versão sonora), e em *Ben-Hur*, de Wyler, a corrida de bigas dura onze minutos: só uma pesquisa poderia mostrar qual a impressão de duração que o espectador obtém dessas cenas, mas posso afirmar, a partir da minha experiência pessoal, que a duração intuitivamente experimentada é sensivelmente mais longa que a duração real, e isso por causa da extrema densidade (suspense) dessas duas ações.

François Truffaut referiu-se numa entrevista à "luta dos cineastas com a duração". Em *Um só pecado/La peau douce*, ele procedeu a uma "trucagem" temporal que é, de certo modo, o inverso da imobilização da imagem: a cena do encontro dos dois protagonistas no elevador dura em seu filme um minuto, ao passo que o movimento real do elevador leva apenas vinte segundos (é o tempo da descida do aparelho), isso porque o cineasta quis transmitir a violência desse encontro inesperado através de uma dilatação da duração. É bem provável que o espectador não perceba essa diferença de duração objetiva, pois sua percepção nesse instante depende diretamente da intensidade de sua implicação psicológica na ação.

Arrisco, portanto, concluir que a intuição da duração depende da maneira como o espectador é afetado pela tonalidade dramática da ação: diante de uma ação muito violenta ou muito rápida, parece que o *tempo passa depressa*, mas se o espectador se interroga em seguida sobre sua própria impressão, será levado a pensar (por reação) que a ação real é mais longa do que aquela que percebeu. É indispensável frisar, porém, que a tonalidade dramática de uma ação é menos uma questão de *quantidade* (número de acontecimentos) que de *qualidade* (densidade e intensidade dos fatos representados), o que explica que filmes relativamente curtos possam parecer longos, enquanto filmes muito compridos, que se tornaram mais frequentes nas últimas décadas (como os de Angelopoulos e Wenders), não dão ao espectador a impressão de abusar de sua paciência ou atenção porque não deixam por um instante de exercer um verdadeiro poder de fascinação, sublimando o tempo da percepção em intuição da duração.

CONCLUSÃO

Ao final desse estudo, vemos claramente que o cinema dispõe de uma linguagem ao mesmo tempo sutil e complexa, capaz de transcrever com agilidade e precisão não só os acontecimentos e os comportamentos, mas também os sentimentos e as ideias. No entanto, a expressão do conteúdo mental coloca delicados problemas: enquanto o escritor pode dedicar páginas e páginas à análise mais íntima e minuciosa de um instante da vida de um indivíduo, o cinema, condenado a uma estética fenomenológica, obrigado a descrever de fora os efeitos objetivos dos comportamentos subjetivos, deve esforçar-se para sugerir com maior ou menor simbolismo os conteúdos mentais mais secretos e as atitudes psicológicas mais sutis. É porque ele jamais pôde privar-se da palavra (mesmo na época do cinema mudo, sob a forma de letreiros), e teve sempre que recorrer a equivalentes expressivos para fazer o espectador penetrar na interioridade dos personagens.

Mas vimos de que modo o cinema evoluiu desde o seu nascimento, como a linguagem cinematográfica foi se elaborando aos poucos, de Griffith a Eisenstein, para conquistar progressivamente, de Renoir a Rossellini e de Antonioni a Wenders, uma simplicidade e uma liberdade inteiramente novas. Podemos constatar, de fato, que a maior parte dos diretores do pós-guerra praticamente abandonou todo o arsenal gramatical e estilístico que acaba de ser analisado. Num filme de Antonioni ou de Wenders, por exemplo, apenas a montagem (muito lenta) e a expressão da duração (sua resultante) e do espaço (seu corolário) podem ser objeto de uma análise estética: todos os outros componentes da escrita fílmica, tais como procurei definir aqui, são praticamente ignorados ou, melhor dizendo, sublimados.

Da linguagem ao estilo

Essa evolução da linguagem cinematográfica foi evidenciada há algum tempo por André Bazin: "Fazer cinema hoje", dizia ele, "é contar uma história numa linguagem clara e perfeitamente transparente. Poucos movimentos de câmera que tornem sensível a presença da câmera, poucos primeiros planos que não correspondam à percepção normal do nosso olho. A decupagem decompõe a ação, de preferência, em planos americanos, porque eles se mostram mais realistas. Toda a arte se reduz, portanto, a esse tipo de decupagem, cujas regras, otimizadas, são agora bem aceitas e conhecidas. A originalidade de expressão torna-se, a partir daí, perfeitamente livre: corresponde a uma escolha deliberada em função da intenção artística. Não é mais a eficácia de uma nova propriedade da câmera ou da película que determina, do exterior, a forma da obra; são as exigências internas do tema, tais como o autor as percebe, que demandam esta ou aquela técnica particular. (...) Pela primeira vez desde as origens do cinema, os cineastas trabalham, no que diz respeito à técnica, nas condições normais do artista. (...) O estilo do cineasta moderno cria-se a partir de meios de expressão perfeitamente dominados e tornados tão dóceis quanto o estilógrafo"[*,1].

Poderíamos talvez questionar a visão um tanto idílica de Bazin sobre a criação fílmica: muitas outras determinações intervêm além da simples técnica (a cor, por exemplo, como vimos), mas, em princípio, ele tinha razão, e foi provavelmente sua metáfora final que inspirou o célebre artigo de Alexandre Astruc intitulado "Nascimento de uma nova vanguarda: a *câmera estilógrafo*", O artigo dizia: "O cinema está em vias de se tornar simplesmente um meio de expressão. (...) Após ter sido sucessivamente uma atração de feira, uma diversão semelhante ao teatro de bulevar ou um meio de conservar as imagens da época, torna-se pouco a pouco uma

---
[*] Bazin faz um jogo de palavras entre *style* (estilo) e *stylo* (estilógrafo, caneta-tinteiro). (N. T.)
1. *L'Écran Français*, n.º 60, 21 de agosto de 1946.

linguagem (...), isto é, uma forma na qual e pela qual um artista pode exprimir seu pensamento, por mais abstrato que seja, ou traduzir suas obsessões, exatamente como se faz hoje no ensaio ou no romance. Por esse motivo é que eu chamo de *câmera estilógrafo* essa nova fase. A imagem tem um sentido bem preciso. Significa que o cinema irá se libertar pouco a pouco da tirania do visual, da imagem pela imagem, da anedota imediata e do concreto, para tornar-se um meio de escrita tão flexível e tão sutil quanto a linguagem propriamente dita. (...) Até aqui o cinema foi apenas um espetáculo. (...) Ele está em vias de encontrar uma forma de se converter numa linguagem tão rigorosa que o pensamento poderá ser escrito diretamente sobre a película"[2].

Em seu artigo, Astruc cita alguns filmes em apoio à sua tese, mas não faz nenhuma alusão à "revolução" então em curso, a do neorrealismo. Os títulos que ele menciona (*L'Espoir* – Malraux, *A regra do jogo* – Renoir, *Les dames du Bois de Boulogne* – Bresson, mais os filmes de Welles) têm em comum somente uma certa modernidade que justifica sua novidade e importância, além de concretizar a tentativa de autonomia estética do cinema em relação aos outros meios de expressão ("em particular a pintura e o romance", diz Astruc) que o marcaram desde as origens e dos quais sempre teve dificuldades de se desembaraçar: a expressão *câmera estilógrafo* sublinha assim a possibilidade e a necessidade, para o cinema, de libertar-se das influências literárias (a narratividade) e figurativas (a "impressão de realidade") que até então impediam uma abordagem nova do mundo exterior e uma concepção nova da escrita fílmica. Tratava-se de um artigo profético, mas foram, sobretudo, filmes posteriores que vieram a confirmá-lo: *Le silence de la mer*, de Melville, os filmes de Bresson a partir de *Um condenado à morte escapou/Un condamné à mort s'est échapé* e os de Resnais; o próprio Astruc contribuiu nesse sentido com *Le rideau cramoisi*. Esses filmes pertencem a uma corrente às vezes qualificada de intelectual ou literária, por recusar o "espetáculo" e a "linguagem" tradicionais.

Aplicado ao cinema, o conceito de linguagem é, como vimos, bastante ambíguo. Visto como o arsenal gramatical e estilístico dos meios de expressão fílmicos, essencialmente ligados à técnica, constatamos que não é neste sentido que Astruc o emprega, sendo antes a "forma na qual e pela qual um artista pode exprimir seu pensamento". Para evitar

---

2. *L'Écran Français*, n.º 144, 30 de março de 1948.

ambiguidades, seria preferível, portanto, usar o conceito de estilo em vez de linguagem. Bresson afirmou muito corretamente que o estilo é "tudo o que não é a técnica"[3]. A linguagem, comum a todos os cineastas, é o ponto de encontro da técnica e da estética; o estilo, específico de cada um, é a sublimação da técnica na estética. Certos diretores vão diretamente ao estilo (Chaplin, Flaherty, Murnau, Renoir, Buñuel, Ozu, Mizoguchi, Antonioni, Rossellini, Wenders), sem passar pela etapa da linguagem compreendida em sua acepção restrita: eles não recorrem a essa espécie de trucagem da realidade que constitui vários dos procedimentos de expressão estudados anteriormente.

"Até aqui o cinema foi somente um espetáculo", dizia Astruc. É possível. Mas isso seria esquecer um pouco depressa a contribuição decisiva de Eisenstein, a quem seria injusto omitir que foi verdadeiramente o inventor de uma linguagem que instaurava um estilo. Se tomarmos, porém, "espetáculo" num sentido não pejorativo, podemos concordar com Astruc. Pois mesmo quando se recusa ao espetacular, o filme obedece quase sempre às regras dramáticas forjadas por dois mil anos de tradição teatral: narra uma história com uma progressão escalonada de núcleos dramáticos (e eventualmente de lances teatrais) rumo a um desfecho que contém uma solução e uma moralidade; além disso, as unidades de tempo, lugar e ação são muitas vezes consideradas obrigações desejáveis para o bom desempenho da obra.

Nessa perspectiva, podemos dizer que o cinema contemporâneo mais avançado deixou de ser linguagem (e espetáculo) para tornar-se *estilo*. O cineasta de hoje dispõe de uma "forma" de expressão tão ágil e sutil quanto a linguagem escrita, embora esteja livre da quase totalidade dos procedimentos tradicionalmente tidos como equivalentes fílmicos dos da linguagem escrita. Os personagens de Antonioni e Resnais gozam de uma psicologia cuja sutileza e profundidade seguramente não deve nada à dos heróis de Proust e Joyce, e, desse ponto de vista, o cinema não tem mais que lamentar um complexo de inferioridade em relação à literatura. O caso de Marguerite Duras é exemplar a esse respeito: entre seus livros, suas peças de teatro e seus filmes, não há diferenças fundamentais; os últimos não são "adaptações" ou "ilustrações" dos primeiros, mas seus equivalentes estritos num outro registro de expressão, e, colocando no mesmo plano a linguagem fílmica e a linguagem filmada,

---

3. *Op. cit*, p. 60.

representam a apoteose de um cinema *literário* que, não obstante, é especificamente cinematográfico, não justificando de maneira alguma a conotação pejorativa dada ao qualificativo "literário" pelos adversários desse novo cinema.

Por outro lado, a noção de "espetáculo", corolário da de *"mise en scène"* teatral, torna-se inadequada pelo fato de que o novo cinema reintroduz a objetividade do cineasta e a liberdade do espectador. O que aparece na tela volta a se assemelhar ao que foi filmado, a "impressão de realidade" não nasce mais de uma trucagem estilística dessa realidade, mas da autenticidade com que a realidade é mostrada na tela. Isso porque a decupagem e a montagem desempenham cada vez menos seu papel habitual de análise e reconstrução do real; ao contrário, a profundidade de campo e o plano-sequência (reintroduzindo a duração e o espaço reais), bem como a fixidez da câmera (deixando de fazer dela "um personagem do drama"), tendem a oferecer dos acontecimentos e de sua ambientação física uma imagem cada vez mais objetiva e realista. Por isso seria preciso substituir a velha noção de *mise en scène* (encenação – demasiado ambígua, pois evoca inevitavelmente a criação teatral e seus artifícios) pela de *mise en présence* (colocação em presença). Nós somos, com efeito, colocados em presença do mundo real, e a instauração estética deste mundo, sua passagem da existência material à existência artística, efetuam-se sem recorrer ao arsenal dos procedimentos linguísticos tradicionais: a linguagem se interpõe cada vez menos entre o público e o universo plástico da tela, sendo sua superfície de pano branca cada vez menos um anteparo entre o espectador e o mundo.

Da fascinação à liberdade

Não se trata mais de "trabalhar o psiquismo" do espectador, conforme a expressão de Eisenstein, nem de cativá-lo, nem de capturá-lo por um conjunto de meios de expressão conceptualizados e catalogados como veículos de sensações e significações. Agora, o espectador acha-se como que diante de uma janela aberta, pela qual assiste a acontecimentos que têm toda a aparência da objetividade e cuja existência parece independente da sua, e cuja significação, da mesma forma, não depende mais de sua própria percepção. Ele não é mais prisioneiro da decupagem e da montagem, tendo, ao contrário, a impressão de estar assistindo a acontecimentos que se produzem diante de seus olhos, com seus tempos mortos, suas demoras, seus meandros, suas ambiguidades e obscuridades: o realismo e a intensidade da visão que lhe é proposta induzem-no a um estado psicológico que tem mais a ver com a contemplação do que com a fascinação, na medida em que ele se encontra ao mesmo tempo afetado pela ação, mas livre em relação a ela, em virtude da objetividade da visão oferecida. Sendo a autonomia do espectador assim respeitada, sua participação torna-se ao mesmo tempo mais deliberada (cabe a ele fazer o esforço de penetrar no universo apresentado) e mais difícil (pois o mundo da tela não lhe chega mais completamente assimilado, como no tempo em que reinava a montagem).

A partir dos anos 1950, assistimos a um progressivo ultrapassar da linguagem, àquilo que se poderia chamar de sublimação da escrita. O mesmo ocorreu na literatura, onde o "*nouveau roman*" rejeitou as regras tradicionais para fazer da escrita não mais um meio, um veículo de sentimentos e ideias, mas um fim em si: a própria escrita tornou-se o objeto primeiro da criação literária. Assim também, ficou cada vez mais difícil aplicar aos filmes que se colocam na vanguarda da pesquisa estilística os velhos esquemas da "explicação de textos" habitual: a distinção escolástica entre a forma e o fundo torna-se impossível e absurda, e presenciamos aquela sublimação da linguagem no ser fílmico que é indispensável, como afirmei no início do livro, para a instauração estética do filme[4].

Tal evolução se deu, no entanto, por dois caminhos bem diferentes. O primeiro é o que poderíamos chamar, com o risco de "eurocentrismo", de "tendência Antonioni", à qual se filiam um precursor como Ozu e também Rossellini, Bresson, Angelopoulos e Wenders: sua característica fundamental é a desdramatização, ou seja, a recusa do espetáculo, a "*desteatralização*". De outro lado, podemos definir uma "tendência cinema direto", que se manifestou inicialmente nos filmes de Jean Rouch para depois desabrochar no chamado *cinema verdade*, segundo a famosa fórmula de Dziga Vertov, que se propunha a "captar a vida ao vivo": aqui as características são a filmagem direta, o estilo de reportagem, a forma improvisada (pelo menos aparentemente), a rejeição das estruturas dramáticas tradicionais.

---

4. Caso extremo, mas exemplar: *O ano passado em Marienbad* (Resnais), no qual a forma (o estilo) é o fundo (o assunto), pois materializa de certo modo a errância dos personagens nos arcanos de sua memória.

O denominador comum dessas duas tendências, que parecem bastante afastadas entre si, é a liberdade – a do espectador e a do "espetáculo" ou, mais exatamente, do acontecimento filmado. Em ambos os casos, o espectador se acha diante de uma ação que parece tomar forma diante de seus olhos e na qual se sente livre para participar, para aderir – ou não (daí as violentas condenações dessas duas tendências pelos defensores da dramaturgia aristotélica). Essa dupla impressão de liberdade deve-se antes de tudo, repetimos, à recusa das estruturas dramáticas e da decupagem-montagem habituais, cujo resultado, quando não o objetivo, é fazer o espectador cair na armadilha de um mecanismo que facilita sua tarefa perceptiva, mas favorece sua preguiça intelectual. Num caso e no outro, o cineasta e a câmera tornam-se de novos objetivos: o cineasta não pratica mais a decupagem-montagem que levava a uma narrativa unilinear e unívoca, nem os movimentos de câmera que dirigiam a atenção do espectador, e a câmera, por sua vez, não se limita mais a nos dar do acontecimento o ponto de vista de uma testemunha privilegiada. Temos aquilo que André Labarthe chamou de uma *passagem ao relativo*, no sentido de que a câmera não busca mais "o ângulo ideal, absoluto de filmagem, recusa-se a suprimir um obstáculo do cenário"[5]; abandona-se, assim, a estúpida e deplorável convenção que consistia em colocar a câmera num armário, numa geladeira ou no lugar do espelho de um banheiro para filmar o personagem de frente.

Poderíamos situar a encruzilhada das duas tendências definidas acima em *L'amore in città*, filme em episódios, dirigidos, em 1953, por Antonioni, Fellini, Lattuada, Lisani, Maselli e Risi (único exemplar do que deveria ser, segundo seu idealizador, Zavattini, uma espécie de jornal filmado), e mais precisamente no episódio realizado por Antonioni, *Tentato suicidio*, onde o estilo de reportagem do neorrealismo é contrabalançado pela escrita muito pessoal desse cineasta. Pois há uma diferença essencial entre as duas tendências. No cinema direto, a dupla liberdade é natural, podendo a improvisação ocorrer na própria filmagem se o diretor intervier depois, através da montagem: pode-se dizer que a filmagem precede a decupagem, enquanto na outra tendência a decupagem preexiste normalmente à filmagem, sendo a liberdade "antonionesca", profundamente regulada e só nos dando o sentimento de ser livres diante de um acontecimento livre sob o preço de uma rigorosa elaboração.

---

5. A. S. Labarthe, *Essai sur le jeune cinéma français*, p. 16.

Nos filmes modernos, segundo a expressão de Truffaut, "o cinema de roteiristas dá lugar ao cinema de cineastas". O cinema não consiste mais em contar antes de tudo uma história por meio de imagens, como outros o fazem com palavras ou notas musicais: reside na necessidade insubstituível da imagem, na soberania absoluta da especificidade audiovisual do filme em seu papel de veículo intelectual. Doravante, o espectador deixa de ter a impressão de assistir a um espetáculo que lhe foi preparado, para sentir-se acolhido na intimidade do cineasta, com a possibilidade de participar com ele da criação: diante desses rostos oferecidos, desses personagens disponíveis, desses acontecimentos em vias de se fazer, desses pontos de interrogação dramáticos, o próprio espectador experimenta também a angústia criadora.

Da imagem à realidade

Para sintetizar a evolução da linguagem cinematográfica desde as origens, poderíamos, um tanto esquematicamente, distinguir entre os diretores dois modos fundamentais de abordar o mundo. Um é mais cerebral e conceptual (Eisenstein, Dreyer, Gance, Welles, Bergman, Visconti, Bresson, Resnais, Godard, Tarkovski, Duras), o outro, prioritariamente sensorial e intuitivo (Griffith, Chaplin, Dovjenko, Flaherty, Murnau, Ozu, Mizoguchi, Renoir, Buñuel, Rossellini, Fellini, Antonioni, Angelopoulos, Wenders). Os diretores do primeiro grupo tendem a reconstruir o mundo em função de sua visão pessoal, e para isso acentuam a imagem como meio essencial de conceptualizar seu universo fílmico. Os do segundo grupo, ao contrário, procuram antes subtrair-se diante da realidade, fazendo surgir de sua representação direta e objetiva a significação que querem obter: é por isso que o trabalho de elaboração da imagem, para eles, tem menos importância que sua função natural de figuração do real; para eles, fascinação não é sinônimo de confisco do espectador, cuja liberdade respeitam, e sua visão caracteriza-se menos por seu caráter insólito que pela intensidade de sua representação da realidade. E poderíamos acrescentar, ainda esquematicamente, que o período em que a linguagem (imagem, montagem) teve um papel predominante correspondeu ao triunfo dos "cerebrais", ao passo que o progressivo abandono da linguagem tradicional assinala a preponderância dos "sensoriais" e de sua visão plástica não mais obcecada pela conceptualização.

André Bazin formulou essa dualidade de maneira exemplar, quando distinguiu no cinema de 1920 a 1940 (mas sua observação é válida para além desse período) "duas grandes tendências opostas: os cineastas que acreditam na imagem e os que acreditam na realidade. Por 'imagem', entendo tudo aquilo que, de maneira bem geral, é capaz de acrescentar à coisa representada sua *representação* na tela. Esse acréscimo é complexo, mas podemos relacioná-lo essencialmente a dois grupos de fatos: a plástica da imagem e os recursos da montagem. (...) No tempo do cinema mudo, a montagem *evocava* o que o diretor queria dizer; em 1938, a decupagem *descrevia*; hoje, finalmente, pode-se dizer que o diretor escreve diretamente em cinema". Por outro lado, no texto em que fala com entusiasmo de *Umberto D*, Bazin afirma: "Para De Sica e Zavattini, trata-se, sem dúvida, de fazer do cinema a assíntota da realidade. Mas isso para que, no limite, a própria vida se converta em espetáculo, para que enfim ela nos seja dada a ver, nesse puro espelho, como poesia. Aproximando-se da vida, finalmente, o cinema a modifica"[6].

Essas notáveis formulações descrevem da maneira mais justa e profunda o mistério e o milagre da representação cinematográfica: aquilo que se "acrescenta" à coisa representada, uma "assíntota da realidade".Como diz Bresson, "o real bruto por si só não nos mostra o verdadeiro"[7]: apenas sua representação fílmica pode conferir-lhe a verdade, ou pelo menos a verossimilhança. Mas os filmes que nos revelam o *verdadeiro* fílmico são pouco numerosos, inclusive cada vez menos numerosos, paradoxalmente, em nossa época, quando a produção comercial se esforça em fornecer ao público sempre mais "realidade". Já falei do desastre artístico que constitui a padronização das cores pretensamente naturais e que, por seu aspecto decorativo, apenas sublinham, na maioria das vezes, a superficialidade da visão do cineasta[8]; a mesma constatação preocupante pode ser feita em relação aos processos de som estereofônico, que criam um ambiente sonoro completamente artificial. Por isso, em vez de uma representação do real (recriação, reconstrução específicas), a maior parte dos filmes só oferece dele uma fotocópia fraca e vulgar, que nada acrescenta de específico à sua imagem, mas apenas elementos quantitativos incapazes de propiciar-lhe um avanço qualitativo na instauração estética.

---

6. *Op. cit.*, tomo I, pp. 132 e 148; tomo IV, p. 96.
7. *Op cit.*, p. 110
8. "A cor dá força às tuas imagens. É um meio de tornar o real mais verdadeiro. Mas se este real não o for por inteiro (real), ela denuncia sua inverossimilhança (sua inexistência)". Robert Bresson, *op. cit.*, 113.

É o que Godard constatava quando lançou sua famosa fórmula: *Plutôt qu'une image juste, juste une image* ("Mais do que uma imagem exata, exatamente uma imagem").

Ao final deste estudo da linguagem cinematográfica, seria o caso de admitir, então, que a experimentação dos recursos dessa linguagem representou para o cinema apenas um período de balbucios, e que a sétima arte teria enfim atingido sua idade adulta? A resposta seguramente é não, pois constatamos que sua evolução da imagem à realidade não é nem cronológica nem homogênea; por um lado, restringe-se a um pequeno número de filmes, já que a maioria da produção comercial jamais se interessou por outra coisa senão a realidade (sob a forma da sacrossanta "impressão de realidade"); por outro lado, a imagem continua sendo a preocupação principal de muitos dos maiores cineastas ao longo de suas carreiras (podemos citar Bresson, Godard, Resnais, Tarkovski). Parafraseando uma expressão em moda, diremos que o cinema do real não deve excluir o real do cinema; de resto, se a teoria da transparência fílmica condena a imagem como signo ou símbolo conceptuais, nem por isso nega que a imagem possa cumprir sua função natural de desvelamento do sentido da realidade. André Bazin falou de "puro espelho" a propósito dessa imagem em que a realidade é sublimada em poesia, e poderíamos aqui relembrar a definição de Stendhal para o romance: "um espelho que se leva ao longo de uma grande estrada", definição que se aplica perfeitamente à narrativa linear e desdramatizada do "*nouveau roman*", bem como à sua valorização da duração e do espaço. E então: câmera estilógrafo ou câmera espelho?

Em conclusão, podemos perguntar para onde vai o cinema. André Malraux afirmou certa vez: "De qualquer forma, o cinema é uma indústria". Será o caso de dizer, agora: "De qualquer forma, ele é uma arte"? Por causa do desenvolvimento rápido e gigantesco dos meios de comunicação, o cinema está em vias de se tornar a pele de chagrém* do domínio da imagem. Ora, esses meios de comunicação, mais ainda que o cinema, são dominados pelas chamadas "indústrias do audiovisual", devido ao montante dos investimentos necessários à produção e à alta tecnicidade dos instrumentos de difusão. Cabem aqui estas reflexões de

---

* No original, *la peau de chagrin*, provável referência ao título de um conto "filosófico"de Balzac sobre uma pele de chagrém, um couro de superfície granulada que o autor talvez esteja querendo associar à tela de cinema. No conto, essa pele tem poderes mágicos que permitem a seu possuidor a satisfação de qualquer desejo, mas que em troca vai diminuindo de tamanho a cada desejo atendido. (N. T.)

Christian Metz: "A instituição cinematográfica não é apenas a indústria do cinema (que funciona para lotar as salas de exibição), é também a maquinaria mental – outra indústria – que os espectadores 'habituados ao cinema' têm historicamente interiorizado e que os torna aptos a consumir filmes. (...) Desde o seu nascimento, o cinema tem sido como que tragado pela tradição ocidental e aristotélica das artes de ficção e de representação, da *diegesis* e da *mimesis*, para a qual se encontravam preparados – preparados em espírito, mas também pulsionalmente – pela experiência do romance, do teatro, da pintura figurativa, e que era, portanto, a mais rentável para a indústria do cinema". A essas constatações, Félix Guattari acrescenta outras, de ordem psicanalítica: "O cinema tornou-se uma gigantesca máquina de modelar a libido social. (...) No cinema, você não tem mais a palavra; ele fala em seu lugar; ele apresenta o discurso que a indústria cinematográfica imagina que você gostaria de ouvir; uma máquina trata você como máquina, e o essencial não é o que ela diz, mas essa espécie de vertigem de abolição que você experimenta ao ser assim maquinado. (...) A modelação que resulta dessa vertigem não cessa de deixar vestígios: o inconsciente encontra-se povoado de índios, cowboys, tiras, gângsteres, belmondos e marilyn monroes"[9].

A multiplicação das redes de televisão tende a aumentar consideravelmente a difusão desta droga e os mercados em que se encontra disponível. Ao mesmo tempo, já começou a marginalizar o cinema enquanto instituição e enquanto arte: de um lado, a frequência aos cinemas tende a diminuir; de outro, o cinema torna-se cada vez mais contaminado pela escrita televisual, que não passa de uma simples fotocópia da realidade, como provam os filmes anônimos e insípidos que se generalizam, fenômeno ainda agravado pelo sistema das coproduções, conduzindo ao nivelamento das características culturais e à anulação das especificidades artísticas. Esta é a ameaça, após o imperialismo hollywoodiano, do "espaço audiovisual europeu" que se fala em instaurar e que os autores de filmes aguardam e temem ao mesmo tempo, duplamente inquietos por sua sobrevivência enquanto fabricantes de imagens e por sua proteção enquanto criadores de formas estéticas pessoais. E como os distribuidores-divulgadores tendem a se tornar os senhores do sistema, e já que eles não têm outra preocupação além de atender à pretensa demanda de um

---

9. *In Psychanalyse et cinéma*, communication n.º 23, 1975, pp. 6, 28, 96 e 101.

público cada vez mais condicionado pela uniformização do "espetáculo" audiovisual que lhe é proposto, temos aí um círculo vicioso perfeitamente fechado.

A situação, portanto, é crítica, mas talvez não desesperada, para o cinema: bastará sempre que haja alguns experimentadores, alguns exploradores de caminhos novos, para que seu futuro esteja assegurado.

ANEXO I
NOMENCLATURA DOS PROCEDIMENTOS NARRATIVOS E EXPRESSIVOS

Imagem

1. O som real utilizado de modo realista:
   a) as falas: caso normal (os diálogos habituais); caso patológico (o monólogo exteriorizado – *O tesouro de Sierra Madre*, Huston);
   b) a música (orquestra, aparelho de rádio): pode adquirir um valor de contraponto simbólico em relação à situação ou às falas (a abertura da ópera *Egmont* em *As portas da noite* – Carné);
   c) os ruídos: o mesmo que foi dito para a música;
   d) o silêncio (símbolo de angústia, solidão, morte).

2. O som em *off*:
   a) as falas: as de um personagem visível na tela (monólogo interior – *Desencanto*, Lean);
   as de um comentador invisível, quer pertença ou não à ação (relato subjetivo ou objetivo);
   as de um personagem invisível (expressão da lembrança, do remorso – *The salt of the earth,* Biberman);
   b) a música: música funcionando como comentário (expressão da alegria, da tristeza, etc.); tema que serve de *leitmotiv*:

expressão de um conteúdo mental preciso (a obsessão pela bebida – *Farrapo humano* – Wilder, pelo crime – *Psicose* – Hitchcock);
c) os ruídos: reais (o apito da sirene que simboliza o medo da mulher – *Mercado de ladrões*, Dassin);
não reais (os aplausos com que sonha a atriz – *Cômicos*, Bardem);
3. A aproximação (em contraponto ou em contraste) entre a fala e o gesto (Charlie torcendo nervosamente um pedaço de papel – *A sombra de uma dúvida*, Hitchcock) ou a expressão do rosto (o recrutador aterrorizado – *A longa viagem de volta*, Ford);
4. A presença de um objeto que possui valor simbólico (o leite derramando – *Crime em Paris*, Clouzot);
5. A presença de um jogo de cena que contém valor dramático (e eventualmente simbólico): efeito realista (as polainas do oficial arrastando-se na lama – *Tempestade sobre a Ásia*, Pudovkin) ou não realista (as janelas que se fecham sozinhas – *O beijo*, Feyder);
6. A iluminação: função dramática e psicológica (*Enganar e perdoar*, De Mille) e transformação simbólica da luz significando a morte (*Kean*, Volkov);
7. A cor:
a) combinação (permanente ou não) com o preto e branco (*Nuit et brouillard* – Resnais, *Nostalgia* – Tarkovski);
b) introdução momentânea (*O selvagem da motocicleta* – Coppola) ou transformação (*Zazie dans le métro* – Malle);
c) tratamentos especiais (banhos, etc.: *A travessia de Paris* – Autant-Lara);
8. O desenho animado: expressão do conteúdo mental (*O circo*, Chaplin – *Zéro de conduite* – Vigo, *Sorrisos de uma noite de verão* – Bergman);
9. As trucagens:
a) superposição (personagem, objeto, cena, inscrição);
b) *flou* (subjetivo ou objetivo);
c) panorâmica rápida (*chicote*);
d) distorção da imagem ou do som;
e) fusões;
f) aparições e desaparecimentos instantâneos;

10. A materialização objetiva de um conteúdo mental preciso (um morcego – *Farrapo humano* – Wilder; os pais e os amigos do prisioneiro – *Privideniie, kotoroie ne vozvrachtchaietsa* – O fantasma que não voltará, Abram Room);

Câmera

11. O tamanho dos planos: plano geral, primeiro plano, detalhe, inserção;
12. Os ângulos de filmagem: *plongée* (esmagadora), *contra-plongée* (exaltação);
13. Os enquadramentos especiais simbólicos: por posição da câmera (enquadramento inclinado – *Desencanto*, Lean) ou por composição da cena (a barra do leito diante da testa – *Esposas ingênuas*, Stroheim);
14. Os movimentos de câmera expressivos (reais ou ópticos): *travellings* para frente, para trás, vertical; panorâmicas; trajetórias;
15. A modificação do movimento: imagem acelerada, câmera lenta, inversão, congelamento;

Montagem

16. A montagem rítmica:
    a) montagem rápida (alegria, cólera, violência, desvario, etc.);
    b) montagem lenta (tédio, ociosidade, desespero, etc.);
    c) plano anormalmente longo (suspense);
17. A montagem ideológica: aproximação simbólica por paralelismo (os operários fuzilados, os animais degolados – *A greve*, Eisenstein);
18. A montagem narrativa: plano (ou sequência) intercalado, exprimindo:
    a) sonho ou fantasia;
    b) alucinação;
    c) futuro objetivo (*La France libérée* – A França liberada, Iutkevitch);
    d) futuro imaginado (a evasão – *Paixão e sangue*, Sternberg);
    e) lembrança objetiva (passado real: os vermes na carne – *O encouraçado Potemkin*, Eisenstein);

f) lembrança subjetiva (pessoal: o braço do alemão morto – *Hiroshima, meu amor*, Resnais) ou exteriorizada (relato a uma terceira pessoa);
19. A elipse: supressão de planos importantes por seu conteúdo dramático (suspense);
20. A passagem de um plano de realidade a um outro (*Uma tragédia americana*, Sternberg).

ANEXO II
RESUMO DE SEMIOLOGIA

Semiologia: "Ciência que estuda a vida dos signos no seio da vida social" (Ferdinand Saussure). Ciência que estuda os sistemas de signos (Dicionário Petit Robert).

Língua e linguagem

"A língua é ao mesmo tempo um produto social da capacidade de linguagem e um conjunto de convenções necessárias. Tomada em seu todo, a linguagem é multiforme e heteróclita" (Saussure).

"O fato da língua é múltiplo por definição: existe um grande número de línguas diferentes. Não há linguagem cinematográfica específica a uma comunidade cultural" (A).

"Uma das grandes diferenças entre a linguagem cinematográfica e a língua consiste em que, na primeira, as diversas unidades significativas mínimas não têm significado estável e universal. As 'figuras' cinematográficas têm um sentido; não são unidades significativas mínimas: não se pode cortar em dois ou em três um *flou*, um *congelamento da imagem*. Essas 'figuras' adquirem um significado preciso em cada contexto, mas, tomadas em si mesmas, não possuem valor fixo; se as considerarmos intrinsecamente, não poderemos dizer nada sobre o seu sentido. Os códigos cinematográficos gerais são sistemas de significantes sem significados" (M). Por exemplo: o significante *travelling para frente* pode veicular diversos significados.

"A linguagem cinematográfica apresenta um grau de heterogeneidade particularmente importante, uma vez que combina cinco elementos diferentes: a imagem compreende as imagens em movimento e, assessoriamente, notações gráficas (letreiros, legendas, inscrições diversas); a trilha sonora compreende o som fônico (diálogo), o som musical e o som analógico (ruídos). Apenas um desses elementos é específico da linguagem cinematográfica: a imagem em movimento" (A).

Signos

"Não existe signo cinematográfico. Essa noção decorre de uma classificação ingênua que procede por unidades materiais (linguagem) e não por unidades de pertinência (códigos). Não há no cinema (e em nenhum lugar) um código soberano que viria a impor suas unidades mínimas, sempre as mesmas, a todas as partes de todos os filmes" (M).

"Entre as diversas unidades pertinentes, há algumas que se pode legitimamente chamar de signos, desde que se tome esse termo num sentido denotado e técnico (o menor elemento comutável que possui ainda um sentido próprio). Não há inconveniente em considerar um movimento de câmera um signo, uma vez que ele tem sempre um sentido e é, no código dos movimentos de câmera, o menor elemento com sentido" (M).

Códigos e subcódigos

"Um código é concebido em semiologia como um campo de comunicações, um domínio dentro do qual as variações do significante correspondem a variações do significado. Os únicos códigos exclusivamente cinematográficos (e televisuais, mas as duas linguagens têm muito em comum) estão ligados ao movimento da imagem: códigos dos movimentos de câmera, códigos das ligações dinâmicas" (A).

A linguagem cinematográfica é um conjunto de códigos e subcódigos. Os códigos (específicos ou gerais) são "sistemas de diferencialidades" (M), "configurações significantes" (A). Exemplo: o código dos movimentos de câmera, que é específico do cinema. Os subcódigos (não específicos ou particulares) incluem "certos procedimentos desprovidos de significado estável ao nível dos códigos" (A). Exemplo: o subcódigo das escalas de planos, que diz respeito igualmente à foto fixa.

"A pluralidade dos códigos corresponde à intrínseca complexidade dos problemas propriamente cinematográficos, também eles múltiplos: montagem, movimentos de câmera, etc. A pluralidade dos subcódigos é resultado das soluções trazidas a esses problemas que são, por sua vez, muito diversas: ela reflete a *historicidade* do "cinematográfico", suas variações de uma época à outra, de um país a outro, de uma escola à outra, etc. A soma ideal dos subcódigos (e não a dos códigos), o jogo de sua concorrência e de suas superações sucessivas constitui a *história do cinema* no que ela tem de verdadeiramente cinematográfico" (M).

Texto e mensagens

"O único princípio de pertinência suscetível de definir atualmente a semiologia do filme é a vontade de tratar os filmes como *textos*, como unidades de discurso. Quando se diz que a semiologia estuda a forma dos filmes, convém lembrar que a *forma* não é algo que se oponha ao conteúdo, e que existe uma forma do conteúdo, tão importante quanto a forma do significante" (M).

"O filme – a *mensagem* – é um objeto 'concreto', porque suas fronteiras coincidem com aquelas de um discurso que preexiste à intervenção do analista". (Por exemplo:) "Cada movimento de câmera é uma mensagem (uma das numerosas mensagens) do código dos movimentos de câmera" (M). Um filme é suscetível de oferecer "vários sistemas de interpretação, de admitir vários *níveis de leitura*".

Linguagem e escrita

"O cinema não é uma escrita, é aquilo que permite uma escrita; por isso o definimos como uma linguagem que permite construir textos. (É preciso estabelecer) uma clara distinção entre o *conjunto dos códigos e subcódigos* (a linguagem cinematográfica) e o conjunto dos sistemas textuais (a escrita fílmica)" (M).

"O cinema (é) uma linguagem aberta aos milhares de aspectos sensíveis do mundo, mas também uma linguagem forjada no próprio ato da invenção de arte singular. O empreendimento filmo-semiológico (deve) tomar consciência do que existe de abundante nessa linguagem tão diferente de uma língua, tão imediatamente submissa às inovações da arte como às aparências perceptivas dos objetos representados. É a partir dessa primeira constatação que os problemas de análise começam a se colocar" (M).

O semiólogo e o espectador

"O percurso do semiólogo é paralelo (idealmente) ao do *espectador* de filme; é o percurso de uma 'leitura'. Mas o semiólogo se esforça para explicar esse percurso em todas as suas etapas, enquanto o espectador o atravessa de enfiada e de maneira implícita, desejando antes de tudo 'compreender o filme'; o semiólogo desejaria também compreender de que modo o filme é compreendido. A leitura do semiólogo é uma meta-leitura, uma leitura analítica, face à leitura 'ingênua' (em verdade, à leitura *cultural*) do espectador" (M).

Nota: as citações com a referência (M) foram extraídas de Christian Metz, *Langage et cinéma*; as que aparecem com (A), de Jacques Aumont *et alii, Esthétique du film*. Foram às vezes adaptadas, para a coerência da exposição.

BIBLIOGRAFIA ESSENCIAL

ADORNO, Theodor W., EISLER Hanns – *Musique de cinéma*, Paris, L'Arche, 1972.
AGEL, Henri – *Le cinéma*, Paris, Casterman, 1954.
AMENGUAL, Barthélemy – *Clefs pour le cinéma*, Paris, Seghers, 1971 (trad. bras. *Chaves do cinema*, trad. Joel Silveira, Rio de Janeiro, Civilização Brasileira, 1973).
ARISTARCO, Guido – *Storia delle teoriche dei film*, Turim, Einaudi, 1960 (trad. port. *História das teorias do cinema*, trad. Maria Helena e Júlio Sacadura, Lisboa, Arcádia, 1961/63, 2 vols).
ARNHEIM, Rudolf – *Film as art*, University of California Press, 1975 (trad. port. *A arte do cinema*, trad. Maurice Francis Nunes, Lisboa, Editorial Aster, s/d).
AUMONT, Jacques, BERGALA Alain, MARIE Michel, VERNET Marc – *Esthétique du film*, Paris, Nathan, 1979.
BAECHLIN, Peter – *Histoire économique du cinéma*, Paris, La Nouvelle Édition, 1947.
BALAZS, Bela – *L'esprit du cinéma*, Paris, Payot, 1977.
BALAZS, Bela – *Le cinéma*, Paris, Payot, 1979.
BETTON, Gérard – *Esthétique du cinéma*, Paris, P.U.F., 1983.
BAZIN, André – *Qu'est-ce que le cinéma?* (4 vols.), Paris, Cerf, 1958-1962.

BONNELL, René – *Le cinéma exploité*, Paris, Seuil, 1978.
BURCH, Noël – *Praxis du cinéma*, Paris, Gallimard, 1969.
CHION, Michel – *Le son au cinéma*, Paris, Cahiers du Cinéma, Éd. de l'Étoile, 1985.
COHEN-SEAT, Gilbert – *Essai sur les principes d'une philosophie du cinéma*, Paris, P.U.F., 1958.
COLPI, Henri, – *Défense et illustration de la musique dans le film*, Lyon, Serdoc, 1963.
DELEUZE, Gilles – *L'image-mouvement*, Paris, Minuit, 1983 (trad. bras. *Cinema: a imagem em movimento,* trad. Stella Senra, São Paulo, Brasiliense, 1985).
EISENSTEIN, S.M. – *Réflexions d'un cinéaste*, Moscou, Éd. du Progres, 1958 (trad. bras. *Reflexões de um cineasta*, trad. Gustavo A. Dória, Rio de Janeiro, Zahar Editores, 1969).
EISENSTEIN, S.M. – *Au delà des étoiles*, Paris, U.G.E., 1974.
EISENSTEIN, S.M. – *Le film: sa forme/son sens*, Paris, Ch. Bourgois, 1976.
EISNER, Lotte H. – *L'écran démoniaque*, Paris, Le Terrain Vague, 1965 (trad. bras. *A tela demoníaca*, trad. Lúcia Nagib, Ed. Paz e Terra, 1985).
EPSTEIN, Jean – *Le cinéma du diable*, Paris, Jacques Melot, 1947 (trad. bras. "*O cinema do diabo*", excertos, in *A experiência do cinema*, trad. Marcelle Pithon, Rio de Janeiro, Edições Graal/Embrafilme, 1983, pp. 293 a 313).
FLICHY, Patrice – *Les industries de l'imaginaire*, Presses Universitaires de Grenoble, 1980.
GAUTHIER, Guy – *Vingt leçons sur l'image et le sens*, Paris, Edilig, 1982.
KULECHOV, Lev – *Tratado de la realización cinematográfica*, Buenos Aires, Ed. Futuro, 1947.
KRACAUER, Siegfried – *Theory of film*, Oxford, Oxford University Press, 1960.
LEBEL, Jean-Patrick – *Cinéma et idéologie*, Paris, Ed. Sociales, 1971.
LHERMINIER, Pierre (sob a direção de) – *L'art du cinéma*, Paris, Seeghers, 1960.
LINDGREN, Ernest – *The art of the film*, Londres, Allen and Unwin, 1963.
LOTMAN, Iouri – *Esthétique et sémiotique du cinéma*, Paris, Éd. Sociales, 1977.
MAGNY, Joël (sob a direção de) – *Théories du cinéma*, CinémAction n.º 20, Paris, Éd. Harmattan, 1982.
MALRAUX, André – *Esquisse d'une psychologie du cinéma*, Paris, Gallimard, 1946.

METZ, Christian – *Langage et cinéma*, Paris, Larousse, 1971 (trad. bras. *Linguagem e cinema*, São Paulo, Perspectiva, 1980).

MITRY, Jean – *Esthétique et psychologie du cinéma* (2 vols.), Paris, Éd. Universitaire, 1963-1965.

MORIN, Edgar – *Le cinéma ou l'homme imaginaire*, Paris, Éd. de Minuit, 1956 (trad. port. *O cinema ou o homem imaginário: ensaio de antropologia*, Lisboa, Moraes Editores, 1980).

MOUSSINAC, Léon – *Naissance du cinéma*, Paris, Ed. Français Réunis, 1967.

PUDOVKIN, Vsevolod – *Film technique and film acting*, Nova York, Grave Press, 1970.

SADOUL, Georges – *Histoire générale du cinéma* (5 vols.), Paris, Denoël, 1948-1960 (trad. port. *História do cinema mundial*, 3 vols. Lisboa, Horizonte, 1983).

SOURIAU, Étienne (sob a direção de) – *L'univers filmique*, Paris, Flammarion, 1953.

VERTOV, Dziga – *Articles, journaux, projets*, Paris, U.G.E., 1972.

COMENTÁRIO DAS FOTOGRAFIAS

A) A escala dos planos:
 1. O *plano geral* valoriza a paisagem como espaço físico e sugere uma comunhão psicológica entre os personagens e a natureza.
 2. O *plano médio* inscreve os indivíduos no espaço em que vivem e instaura um equilíbrio dramático entre a ação e o cenário.
 3. O *plano americano* destaca os personagens em sua proximidade física e a intensidade de sua presença moral.
 4. O *primeiro plano* evidencia um elemento da ação conferindo-lhe um valor dramático e psicológico determinante.

B) Os efeitos psicológicos:
 5. A superposição materializa um conteúdo mental: o homem imagina a presença da velha senhora, cuja morte ele causou.
 6. Pode sugerir também um estado de alma: o mar simboliza a plenitude da paixão dos amantes.
 7. Pode exprimir, finalmente, a dominante psicológica da ação: a loucura impede a visão objetiva dos personagens.

8. A decupagem da imagem em nove fragmentos simultâneos, multiplicando os pontos de vista, torna sensível o tumulto da ação.

C) Os ângulos de filmagem:
9. A *plongée* valoriza o espaço, sugerindo a sedução dos personagens pelo erotismo do robô em forma humana.
10. Torna sensível a impotência dos membros do governo burguês frente à revolução triunfante.
11. A *contra-plongée* exalta a alegria dos marinheiros rebeldes saudando o resto da frota que vem se juntar a eles.
12. Mostra uma auréola de nuvens sobre os três camponeses, vítimas da vingança do proprietário que ousaram desafiar.

D) Os enquadramentos (composição plástica):
13. A geometrização da imagem, acentuada pelas sombras alinhadas, corresponde à atmosfera onírica do filme.
14. A floresta de lanças, inspirada em certos quadros de batalhas do *Quattrocento*, sugere o poderio através da verticalidade.
15. O reticulado da porta envidraçada estrutura a imagem, inscrevendo fortemente o personagem no cenário.
16. A decupagem do espaço combina verticais poderosas e o escorço de uma audaciosa perspectiva.

E) Os enquadramentos (composição dinâmica):
17. O grupo agitado dos personagens é estruturado pelo jato d'água que os atinge.
18. A perspectiva sublinha a trajetória fatal do veículo que vem se chocar contra o canhão.
19. A imobilidade do personagem em primeiro plano ajuda a realçar a violência da investida de seu antagonista.
20. O dinamismo das atitudes individuais reforça a vivacidade do movimento de conjunto.

F) Os enquadramentos (composição dramática):
21. O enquadramento, intensificado pela *plongée*, sugere a pressão psicológica dos guardas sobre a prisioneira.
22. O fundo escuro e maciço esmaga o personagem ferido de morte e contrasta com a brancura rigorosa dos lençóis.

23. A posição dos personagens, sublinhada pelas sombras e pelas luzes, contribui para dramatizar a cena.
24. O assassino, deixado simbolicamente numa sombra ameaçadora, domina física e psicologicamente sua vítima.

G) A profundidade de campo:
25. Valoriza o espaço físico, mas sublinha também a distância que separa o povo do todo-poderoso czar.
26. Instaura uma relação dramática entre dois grupos de personagens no interior de um espaço único.
27. Substitui a decupagem através de uma continuidade espaço-temporal que engendra um suspense particularmente eficaz.

H) O cenário de estúdio:
28. O cenário babilônico situa o lugar e a época da ação, sugerindo ao mesmo tempo sua dimensão épica.
29. A máquina devoradora de homens simboliza o poder maléfico dos exploradores do proletariado.
30. O cenário expressionista traduz, por sua total recusa de realismo, a loucura do personagem, através de cujos olhos é visto o drama.
31. O cenário do *Kammerspiel*, minuciosamente realista, cria a atmosfera dos acontecimentos miúdos da vida cotidiana.

I) O cenário natural:
32. Atmosfera impressionista: o amor inquieto na natureza em festa, jogos de luz e sombra.
33. A oposição dramatizada da escuridão e da luz instaura um clima fantástico, adequado à ambientação da cena.
34. A chama das velas, modelando os rostos na penumbra da sala, evoca a iluminação expressionista.
35. As sombras chinesas, adequadamente dispostas num ambiente luminoso, aparecem como fantasmas.

J) O plano-sequência:
36. Combinado ao plano fixo, sugere o peso e a uniformidade da duração não dramatizada.
37. Permite uma dramatização interna da imagem, ao valorizar a continuidade temporal da ação.

K) O espaço-tempo subjetivo:
   38. Perturbada pela partida em breve do homem que ama, a heroína não presta mais atenção aos fuxicos da intrusa.
   39. O velho revive lembranças da juventude ao lado de personagens reais, mas que só existem na sua imaginação.

ÍNDICE DOS FILMES

The adventures of Robin Hood/As aventuras de Robin Hood (Curtiz, 1938) 62
Aerograd (Fronteira) (Dovjenko, 1935) 34, 124
L'affaire Dreyfus (Méliès, 1899) 166
L'affaire Dreyfus (Zecca, 1908) 190
L'affaire Maurizius/O caso Maurizius (Duvivier, 1954) 156, 233
African queen/Uma aventura na África (Huston, 1952) 45
L'age d'or (Buñuel, 1930) 127, 186
L'air de Paris (Carné, 1954) 83, 191
Aleksandr Nevskii/Alexandre Nevski (Eisenstein, 1939) 38, 41, 62, 63, 123, 124, 125, 129, 151, 152, 156, 207
Allo Berlin? Ici Paris! (Duvivier, 1935) 177
Les amants/Os amantes (Malle, 1958) 83
An americana tragedy/Uma tragédia americana (Sternberg, 1934) 233, 254
L'amore (Rossellini, 1948). Filme exibido no Brasil em duas partes: A voz humana e O milagre. 83
L'amore in città (Antonioni, Fellini, Lattuada, Lizzani, Maselli, Risi, 1953) 244
L'amour d'une femme/O amor de uma mulher (Grémillon, 1953) 99

Anatahan (Sternberg, 1953) 198
Anna Karenina/ Anna Karênina (Clarence Brown, 1935) 60, 118
L'année dernière à Marienbad/O ano passado em Marienbad (Resnais, 1961) 46, 70, 180, 232, 243
Antoine et Antoinette/Antoine e Antonieta (Becker, 1947) 133
L'argent (L'Herbier, 1928) 42, 44
L' argent (Bresson, 1983) 80
Arsenal (Dovjenko, 1929) 89, 105, 150, 192, 219
As seen through a telescope (Smith, 1900) 134
Ascenseur pour l'échafaud/Ascensor para o cadafalso (Malle, 1957) 70, 124, 128
Asphalt jungle/O segredo das joias (Huston, 1950) 66
L'assassin habite au 21/O assassino mora no 21(Clouzot, 1942) 33
Assassins d'eau douce (Painlevé, 1946) 128
L'assassinat du duc de Guise (Calmettes, Le Bargy, 1908) 119
L'atalante (Vigo, 1934) 129, 155, 159, 190
Atlantis (Blom, 1913) 199
Attack on a chinese mission station (Williamson, 1900) 134

Aubervilliers (Eli Lotar, Jacques Prévert, 1946) 26, 130
Avant le déluge/Antes do dilúvio (Cayatte, 1953) 91, 228
The avening conscience (Griffith, 1914) 112,136
L'avventura/A aventura (Antonioni, 1960) 149, 212

Back street/Esquina do Pecado (John Stahl, 1932) 230
The band wagon/A roda da fortuna (Minelli, 1953)
Il bandito/O bandido (Lattuada, 1946) 51
The bank/O banco (Chaplin, 1915) 189
Barabbas (Feuillade, 1919) 76
The barefoot contessa/A condessa descalça (Mankiewicz, 1954) 150, 233
Le baron de l'Écluse/O vigarista (Delannoy, 1959) 41
Barry Lindon/Barry Lindon (Kubrick, 1971) 63
A batalha da Rússia (Capra, 1944) 141
La bataille du rail/A batalha dos trilhos (Clément, 1946) 102, 118, 177, 220
Beat the devil/O diabo riu por último (Huston, 1954) 169
La beauté du Diable/Entre a mulher e o Diabo (Clair, 1950) 107
Becky sharp/Vaidade e beleza (Mamoulian, 1935) 68
Bell, book and candle/Sortilégio de amor (Quine, 1958) 32
La belle équipe/Camaradas (Duvivier, 1936) 125
La belle et la bête/A bela e a fera (Cocteau, 1946) 107
Les belles de nuit/Esta noite é minha (Clair, 1952) 155
Ben-Hur (Ben-Hur) (Wyler, 1959) 63, 237
Berlin, die Symphonie der Grosstadt/ Berlim, sinfonia de uma metrópole (Rutmann, 1927) 157
The best years of our lives/Os melhores anos de nossas vidas (Wyler, 1946) 44, 48, 76, 124, 171

La bête humaine/A besta humana (Renoir, 1938) 39, 49, 84, 87, 115, 116, 119, 131, 138
Il bidone/A trapaça (Fellini, 1955) 212
The birds/Os pássaros (Hitchcock, 1963) 32, 45
Birth of a nation/Nascimento de uma nação (Griffith, 1915) 207
Blackmail (Hitchcock, 1929) 51
Der blaue Engel/O anjo azul (Sternberg, 1930) 48, 62, 88, 90, 103, 218
Le bois des amants (Autant-Lara, 1961) 84, 117
Les bonnes femmes (Chabrol, 1969) 82
Bonnie and Clyde/Uma rajada de balas (Penn, 1967) 215
Boudu sauvé des eaux (Renoir, 1932) 84, 89, 167
A bout de souffle/Acossado (Godard, 1959) 34, 46, 100, 128
Le brasier ardent/(A chama ardente) (Mosjukin, 1923) 188
Brief encounter/Desencanto (Lean, 1945) 40, 43, 46, 60, 70, 79, 115, 118, 131, 159, 187, 227, 250, 253
Brighton Rock/Rincão das tormentas (Roy Boulting, 1948) 66
Bronenosets Potiómkin/O encouraçado Potemkin (Eisenstein, 1925) 43, 67, 94, 101, 105, 137, 138, 140, 143, 144, 147, 149, 153, 156, 184, 197, 237, 253
El Bruto/O bruto (Buñuel, 1953) 100, 126
Die Buchse der Pandora/A caixa de Pandora (Pabst, 1928) 83

Cabiria (Pastrone, 1913) 31,119
Caccia tragica/Trágica perseguição (De Santis, 1947) 52, 88, 104, 156
La cage aux folles/A gaiola das loucas (Molinaro, 1978) 83
O cangaceiro (Lima Barreto, 1953) 81
Carnet de bal/Um carnet de baile (Duvivier, 1937) 43
La carrosse d'or (Renoir, 1952) 127
The cat and the canary (Paul Leni, 1927) 43, 50, 220

Cavalcade/Cavalgada (Frank Lloyd, 1933) 45
Le cercle rouge/O círculo vermelho (Melville, 1970) 193
Un chapeau de paille d'Italie/História de um chapéu de palha (Clair, 1927) 109, 190
Le charme discret de la bourgeoisie/O discreto charme da burguesia (Buñuel, 1971) 200
Le château de verre (Clément, 1950) 138, 234
The cheat/Enganar e perdoar (De Mille, 1915) 57, 76, 252
Un chien andalou/Um cão andaluz (Buñuel, 1929) 154
La chienne (Renoir, 1931) 40
Chinel/O mantô (Kozintsev, Trauberg, 1926) 73, 102, 193
Chtchors (Dovjenko, 1939) 79
La chute de la Maison Usher/A queda da casa Usher (Epstein, 1928) 32, 44, 66, 112, 153, 220
Le ciel est à vous (Grémillon, 1944) 90
The circus/O circo (Chaplin, 1928) 45, 52
Cirk/O circo (Alexandrov, 1936) 191, 211, 252
Citizen Kane/Cidadão Kane (Welles, 1941) 47, 49, 58, 66, 67, 87, 100, 119, 140, 153, 166, 167, 168, 218, 219, 228, 231, 236
Coeur fidêle (Epstein, 1923) 188
Cómicos (Bardem, 1953) 191, 252
Un condamné à mort s'est échappé/Um condenado à morte escapou (Bresson, 1956) 240
The connection (Shirley Clarke, 1960) 26,
Conquest/Madame Waleska (Brown, 1935) 59, 102
Contos fantásticos de Yutsuia (Kinoshita, 1949) 225, 232
Le corbeau/Sombras do pavor (Clouzot, 1943) 60, 194
A cottage on Dartmoon/Caçadora de corações (Asquite, 1940) 198, 231
La course du lièvre à travers les champs/O homem que surgiu de repente (Clément, 1972) 232

The covered wagon/Os bandeirantes (Cruze, 1923) 111
Le crime de Monsieur Lange (Renoir, 1936) 52, 155, 229
Crin Blanc (Lamorisse, 1953) – Curta-metragem 50
Il Cristo proibido/O Cristo proibido (Malaparte, 1950) 52
Cronaca di un amore/Crimes d'alma (Antonioni, 1950) 118, 199
Crossfire/Rancor (Dmytryk, 1977) 58, 78, 83
The crowd/A turba (King Vidor, 1928) 48
The cruel sea (O mar cruel) (Frend, 1953) 81,158

Les dames du Bois de Boulogne (Bresson, 1945) 91, 180, 240
Danton/Danton: o processo da revolução (Wajda, 1982) 199
Darás à luz sem dor (Fabiani, 1956) 83
Dark passage/Prisioneiro do passado (Daves, 1947) 34
Dead of night/Na solidão da noite (Cavalcanti, Crichton, Dearden, Hamer, 1945) 67,194
Death in Venice/Morte em Veneza (Visconti, 1971) 127
Death of a salesman/A morte do caixeiro--viajante (Benedek, 1952) 194, 224, 231, 232
Le démoniaque dans l'art (Gattinara, Fulchignoni, 1950) – documentário 207
Den Kvindelige Daemon (A filha do Diabo) (Robert Dinesen, 1911) 76
Le dernier métro/O último metrô (Truffaut, 1980) 48
Le dernier milliardaire/O último milionário (Clair, 1935) 211
La dernière chance/A última chance (Lindttberg, 1945) 176
Desertir/O desertor (Pudovkin, 1933) 89, 110, 112, 122, 125, 133, 150, 177, 190
Il deserto rosso/O deserto vermelho (Antonioni, 1964) 70
The designing woman/Teu nome é mulher (Minelli, 1957) 179, 192

O despertar da primavera
(Holm, Fleck, 1920) 233
Destinées (Christian-Jaque, Dellanoy, Pagliero, 1953) 84, 191
Les deux timides (Clair, 1928) 203, 216
Deviatoie ianvaria (O domingo negro) (Viskovski, 1925) 153
The devil is a woman/A mulher satânica (Sternberg, 1935) 62
Le diable au corps/Adúltera (Autant-Lara, 1947) 52, 82, 84, 156, 227, 231
Les diaboliques/As diabólicas (Clouzot, 1954) 100
Dies irae/Dias de ira (Dreyer, 1943) 61
Dievouchka s Karabkoi (A moça da caixa de chapéus) (Barnet, 1927) 167
Dr. Jekyll and Mr. Hyde/O médico e o monstro (Mamoulian, 1932) 33
A dog's life/Vida de cachorro (Chaplin, 1918) 154
La dolce vita/A doce vida (Fellini, 1960) 63, 64, 212
Dorogoi tsenoi (Pelo preço de sua vida) (Donskoi, 1957) 215
A double tour/Quem matou Leda? (Chabrol, 1959) 103
Double indemnity/Pacto de sangue (Wilder, 1944) 186, 227
Douce/Dulce, paixão de uma noite (Autant-Lara, 1943) 217
Il dramma di Cristo (Emmer, 1949) 143, 207
Die Dreigroschenoper/A ópera dos pobres (Pabst, 1931) 62, 94, 100, 129
Drôle de drame/Família exótica (Carné, 1937) 181
Du Rififi chez les hommes/Rififi (Dassin, 1954) 115
La Duchesse de Langeais (Baroncelli, 1942) 180

E la nave và/E Ia nave và (Fellini, 1983) 71
Édouard et Caroline/Vivamos hoje (Beccker, 1951) 84
Efter repetitionem/Depois do ensaio (Bergman, 1984) 225

El/O alucinado (Buñuel, 1953) 193
Eldorado (L'Herbier, 1922) 112, 140, 192, 232
L'enfant sauvage/O garoto selvagem (Truffaut, 1970) 70, 142
Les enfants du paradis/O boulevard do crime (Carné, 1945) 63, 81
Les enfants terribles (Melville, 1949) 70, 83, 127
Enoch Arden (Griffith, 1908) 135
Entracte (Clair, 1924) 32, 42, 44, 120
Entrée d'un train en gare de La Ciotat/ Chegada do trem na estação de Ciotat (Lumière, 1895) - Curta-metragem 15,166
Épisode (Walter Reisch, 1934) 51
L'Espoir (Sierra de Teruel) (Malraux, 1939) 101, 104, 150, 158, 240
Et Dieu créa la femme/E Deus criou a mulher (Vadim, 1956) 83
Et mourir de plaisir/Rosas de sangue (Vadim, 1960) 189, 229
Les etoiles de midi (Marcel Ichac, 1959) 172
Executive suite/Um homem e dez destinos (Wise, 1954) 195
Extase/Êxtase (Machaty, 1933) 84, 117, 126

Fait-Divers (Autant-Lara, 1923) 190, 193, 218
A farewell to arms/Adeus às armas (Borzage, 1932) 40, 42
Farrebique (Rouquier, 1947) 82, 101, 118, 205, 214
La femme d'à côté/ A mulher do lado (Truffaut, 1981) 34
Fêtes galantes/O embarque para Citera (Jean Aurel, 1946) 207
La fête à Henriette/ A festa no coração (Duvivier, 1953) 190
Le feu follet/Trinta anos esta noite (Malle, 1963) 51
Feu Mathias Pascal (L'Herbier, 1925) 36
Fièvre (Delluc, 1951) 32,112
La fin du jour (Duviviver, 1939) 191
Five/Os últimos cinco (Arch Oboler, 1952) 82, 218

Flesh and devil/A carne e o diabo
  (Clarence Brown, 1927) 78
Foolish wives/Esposas ingênuas
  (Stroheim, 1921) 36, 98, 187, 253
La France liberée/A França liberada
  (Ivtkevitch, 1944) 233, 253
Die Frau im Mond/A mulher na lua
  (Lang, 1928) 184
French without tears/Caçadora de corações
  (Asquith, 1940)
Les frères brothers en week-end
  (Michel Gast, 1950) 118
Fröken Julia/Senhorita Júlia (Sjöberg,
  1950) 89, 140, 223, 229, 230, 233
From here to eternity/A um passo da
  eternidade (Zinnemann, 1953) 80, 217
Les fruits sauvages (Hervé, Bromberger,
  1953) 218

Gardiens de phare (Grémillon, 1929) 47,
  80, 193, 198
Gaslight (Dickinson, 1940) 195
Il gattopardo/O leopardo (Visconti, 1963) 176
Genbaku no ko/Os filhos de Hiroshima
  (Shindo, 1952) 45, 51, 87, 115, 124,
  218, 223
Genéralnaia línnia/A linha geral
  (Eisenstein, 1929) 32, 49, 82, 83, 91,
  94, 137, 157, 192, 199, 214
Gentlemen prefer blondes/Os homens
  preferem as loiras (Hawks, 1953) 190
Germania, anno zero/Alemanha, ano zero
  (Rosselini, 1948) 100, 212
Gervaise/Gervaise, a flor do lodo
  (Clément, 1956) 63
The ghost and Mrs. Muir/O fantasma
  apaixonado (Mankiewicz, 1946) 131
Gift horse (Compton Bennett, 1952) 82
Gilda/Gilda (Charles Vidor, 1946) 62
Una giornata particolare/Um dia muito
  especial (Scola, 1977) 83
The gold rush/Em busca do ouro
  (Chaplin, 1925) 193
Die goldene Stadt/Praga, a cidade da ilusão
  (Veit Harlan, 1942) 68
Der Golem/O Golem (Galeen, 1920) 144

Gossette (Germaine Dulac, 1923) 192
Goupi mains rouges/Mãos vermelhas
  (Becker, 1942) 90
Un grand amour de Beethoven/O grande
  amor de Beethoven (Gance, 1936) 119
Grandma's reading glass (Smith, 1900) 134
La grande illusion/A grande ilusão
  (Renoir, 1937) 177, 211
The grapes of wrath/As vinhas da ira
  (Ford, 1940) 45, 211
Great train robbery/O grande roubo do trem
  (Porter, 1902) 135, 138
Greed/Ouro e maldição (Stroheim, 1923)
  38, 64, 99, 103, 149, 151, 212
Il grido/O grito (Antonioni, 1957) 64, 151,
  212
Grounia Kornakova (Rouxinol, pequeno
  rouxinol) (Ekk, 1936) 68
Groza (A tempestade) (Petrov, 1934) 98
La guerre est finie/A guerra acabou
  (Ressnais, 1966) 233

Hakada no shima/A ilha nua (Shindo, 1960)
  126
Hakushi/Hakushi, o idiota (Kurosawa,
  1951) 64, 65
Hamlet/Hamlet (Laurence Olivier, 1948)
  53, 187, 227
Hannie Caulder (Burt Kennedy, 1972) 215
Harry in mission (Hal Roach, por volta de
  1920) 43
Heimat (Terra natal) (Reitz, 1984) filme de
  15 horas de duração 104
Hellzapoppin/Pandemônio (Potter, 1941)
  155, 216
Herz aus Glas/Coração de cristal
  (Herzog, 1976) 214
High noon/Matar ou morrer
  (Zinnemann, 1951) 222, 223
Hiroshima mon amour/Hiroshima, meu amor
  (Resnais, 1959) 46, 70, 129, 130, 138,
  179, 180, 181, 186, 229, 230, 232, 254
L'homme atlantique (Duras, 1981) 200
L'homme blessé (Chéreau, 1983) 83
Un homme et une femme/Um homem, uma
  mulher (Lelouch, 1966) 64

Hon Dansade em Sommar/A última
felicidade (Mattson, 1951) 48, 155,
169, 223, 227
Les honneurs de la guerre
(Jean Dewever, 1960) 177
Hôtel du Nord/Hotel do Norte
(Carné, 1938) 78
House of strangers/Sangue do meu sangue
(Mankiewicz, 1949) 231

I am a fugitive from a chain gang/O
fugitivo (Le Roy, 1932) 79, 211
I confess/A tortura do silêncio
(Hitchcock, 1953) 98
Ia Cuba/Eu sou Cuba (Kalatozov, 1965) –
documentário 54
L'idiot/O idiota (Lampin, 1946) 194
Idylle à la plage (Storck, 1932) 118
Il était une petite fille/Ele era uma menina
(Eyssimont, 1944) 126
Im Lauf der Zeit/No correr do tempo
(Wenders, 1976) 133, 212
Les inconnus dans la maison
(Decoin, 1942) 91, 185
India song (Duras, 1974) 130
The informer/O delator (Ford, 1935) 226
L'inhumaine (L'Herbier, 1923) 191
L'inondation (Delluc, 1924) 40
Intolerance/Intolerância (Griffith, 1916) 31,
101, 144, 147, 150, 156, 159, 198
It should happen to you/Demônio de
mulher (Cukor, 1952) 214
Ivan (Dovjenko, 1932) 125
Ivan Groznii/Ivan, o terrível (Eisenstein,
1943-45). Filme em duas partes. 61,
71, 73, 105, 152, 191

Jeanne Dielman, 23 Quai du Commerce,
1080 Bruxelles (Akerman, 1975) 133,
212
Jet pilot/Estradas do inferno
(Sternberg, 1952) 179
La jeune folle (Yves Allégret, 1952) 140
Jeux interdits/Brinquedo proibido
(Clément, 1952) 150

Le joueur (Autant-Lara, 1959) 103
Un jour du monde nouveau (Um dia no
novo mundo) (Karmen, 1940) –
documentário 157
Le jour se lève/Trágico amanhecer
(Carné, 1939) 106, 129, 153, 156,
163, 178, 233, 226, 226, 230
Journal d'un curé de campagne
(Bresson, 1951) 64, 70, 115, 129, 181,
185, 186, 218
Jules et Jim/Uma mulher para dois
(Truffaut, 1961) 217
Juliette ou la clé des songes (Carné, 1951)
124
Jungfrukällan/A fonte da donzela
(Bergman, 1959) 83

Das Kabinet der Dr. Calígari/O gabinete
do Dr. Caligari (Wiene, 1920) 63, 65,
184, 207
Kak zakalialass stal (E o aço foi
temperado) (Donskoi, 1941) 176, 179
Kamashimi wa onna dakeni/Só mulheres
têm problemas (Shindo, 1958) 188
Kameradschaft (A tragédia da mina)
(Pabst, 1932) 193
Kanal/Kanal (Wajda, 1957) 45, 48, 144
Kanikosen (Pescadores de caranguejos) (So
Yamamura, 1954) 198, 231
Kapo (Pontecorvo, 1960) 49
Kean (Volkov, 1924) 195, 252
La kermesse héroique/A quermesse heroica
(Feyder, 1936) 61
The kid/O garoto (Chaplin, 1921) 55, 98,
102, 218
The killers/Assassinos (Siodmak, 1946) 59
King-Kong/King-Kong (Schoedsack,
Cooper, 1933) 55
The kiss/O beijo (Feyder, 1928) 190, 252
Konets Sankt-Petersburga/O fim de São
Petersburgo (Pudovkin, 1927) 41, 94,
105, 159
Körkalen (A carroça fantasma) (Sjöström,
1920) 189, 193
Krestianné (Os camponeses) (Ermler,
1934) 189, 195

Kroujeva (As rendas) (Iutkevitch, 1928) 94, 193
Kumonosu-jo/Trono manchado de sangue (Kurosawa, 1957)
Kurutta ippeiji (Uma página louca) (Kinugasa, 1926) 193
Ladri di biciclette/Ladrão de bicicletas (De Sica, 1948) 104, 151, 463
The Lady from Shanghai/A dama de Shanghai (Welles, 1948) 65, 67, 81, 98
Lady in the lake/A dama do lago (Montgomery, 1946) 32, 33, 49, 192
Lady Windermere's fan/O leque de Lady Margarida (Lubitsch, 1925) 218
O lago de lágrimas (Tasaka, 1966) 187
Lambeth Walk (Len Lye, 1941) – Curta de animação 22, 216
The left handed gun/Um de nós morrerá (Penn, 1958) 233
Letiat juravli/Quando voam as cegonhas (Kalatozov, 1957) 43, 88
Der letze Mann/A última gargalhada (Murnau, 1924) 31, 41, 51, 62, 189, 193, 207
Les liaisons dangereuses/As ligações amorosas (Vadim, 1959) 128
Liberté, la nuit (Garrel, 1984) 70
The life of an American fireman (Porter, 1902) 135
Lifeboat/Um barco e nove destinos (Hitchcock, 1944) 81
Limelight/Luzes da ribalta (Chaplin, 1952) 217
Lola Montés/Lola Montès (Ophuls, 1954) 43, 47, 65, 72, 98
The lonedale operator (Griffith, 1911) 135
The long voyage home/A longa viagem de volta (Ford, 1940) 64, 79, 168, 178, 185, 252
The lost patrol/A patrulha perdida (Ford, 1934) 79, 212
The lost weekend/Farrapo humano (Wilder, 1945) 40, 50, 126, 191, 193, 230, 252, 253
Lotna (Wajda, 1959) 68
Louisiana story (Flaherty, 1948) 116, 151, 211

Luci del varietà/Mulheres e luzes (Fellini, Lattuada, 1950) 191

M Eine Stadt sucht den Mörder/M, o vampiro de Düsseldorf (Lang, 1932) 50, 59, 98, 115, 191
Macadam (Blistène, 1946) 92
Madame de... /Desejos proibidos (Ophuls, 1953) 46, 54
Mädchen in Uniform/Senhoritas de uniforme (L. Sagan, 1931) 83, 158, 159
The magnificent Ambersons/Soberba (Welles, 1943) 88, 140, 170, 185, 219
La maison où je vis/A casa onde vivo (Kulidjanov, Segue, 1957) 47
The maltese falcon/Relíquia macabra (Huston, 1941) 58, 83
The man in the white suit/O homem do terno branco (Mackendrick, 1951) 125
The man with the golden arm/O homem do braço de ouro (Preminger, 1955) 128
Man of Aran/O homem de Aran (Flaherty, 1934) – documentário 116, 125
Manèges/A cínica (Yves Allégret, 1950) 228
Manhattan/Manhattan (Woody Allen, 1979) 70
Manniskor i stad (O ritmo da cidade) (Sucksdorf, 1947) 32, 29, 116, 220
Marchands de filles/Clandestinas da noite (Cloche, 1957) 83
Marguerite de la nuit/O homem que vendeu a alma (Autant-Lara, 1955) 61, 107, 126
La marseillaise/A marselhesa (Renoir, 1938) 13
Mascarade/Mascarado (Forst, 1934) 117
Mat/A mãe (Pudovkin, 1926) 34, 35, 92, 95, 147, 159, 220
Les maudits/Os malditos (Clément, 1947) 81, 177, 212
Melodie der West (Ruttmann, 1929) 159
A menina dos cabelos brancos (Wang Pin, Tchuei Wha, 1950) 83
Metrópolis/Metropolis (Lang, 1926) 44, 62, 63, 65, 66, 237

Michurin (Dovjenko, 1949) 231
Milagro a Milano/Milagre em Milão
   (De Sica, 1950) 118, 153, 218
Le million/O milhão (Clair, 1931) 99, 118,
   191
Miort vii dom (Recordação da casa dos
   mortos) (Fiódorov, 1932) 101, 219
Le miracle des loups (Raymond Bernard,
   1924) 119
Mishima/Mishima: uma vida em quatro
   tempos (Schrader, 1985) 256
Modern times/Tempos modernos
   (Chaplin, 1936) 27, 95, 97
Moi Universiteti (Minhas universidades)
   (Donskoi, 1940) 82, 124
Le monde de Paul Delvaux (Storck, 1947)
   208
Monsieur et Madame Curie (Franju, 1953)
   195
Monsieur Ripois/Amantes sob medida
   (Clément, 1954) 125, 156, 179, 232
MonsieurVerdoux (Chaplin, 1947) 76, 211
Die Mörder sind unter uns/Os assassinos
   estão entre nós (Staudte, 1946) 59, 89
More/More (Barbet Schroeder, 1969) 83
Morocco/Marrocos (Sternberg, 1930) 102
La mort en ce jardin (Buñuel, 1957) 64, 191
The most dangerous game/Zaroff, o caçador
   de vidas (Schodsack, 1932) 45
Muerte de un ciclista/A morte de um ciclista
   (Bardem, 1955) 89, 115
Murder/Assassinato (Hitchcock, 1931) 95,
   186, 191
Murder by contract/Cilada mortífera
   (Lerner, 1958) 82
The musketeers of Pig Alley (Griffith, 1912)
   36, 135, 166
Mutiny on the Bounty/O grande motim
   (Frank Lloyd, 1935) 211

Il n'y a pas de fumée sans feu/Não há
   fumaça sem fogo (Cayatte, 1973) 22
Naked city/Cidade nua (Dassin, 1948) 66,
   116, 124
Nanook of the north/Nanook, o esquimó
   (Flaherty, 1922) 211

Napoléon (Abel Gance, 1927) 32, 44, 49,
   72, 111, 112, 203
Neotpravlennoe pismo/A carta que não foi
   enviada (Kalatozov, 1960) 195
Die Nibelungen/Os Nibelungos
   (Lang, 1923-24) 61
Nieuwe Grondem/Nova Terra (Ivens, 1934)
   95, 128, 145, 147, 151, 153
Night and the city/Sombras do mal
   (Dassin, 1950) 169
Nightmail/Correio noturno (Wright, 1936) –
   curta-metragem 116, 130
Non c'e pace tra gli ulivi/Páscoa de sangue
   (De Santis, 1950) 50, 194
North by northwest/Intriga internacional
   (Hitchcock, 1959) 84, 89
Nosferatu/Nosferatu – Eine Symphonie des
   Grauens (Murnau, 1922) 65, 188, 215
Nostalghia/Nostalgia (Tarkovski, 1983) 71,
   252
Notorius/Interlúdio (Hitchcock, 1946) 42, 52
Notre-Dame de Paris/O corcunda de Notre-
   Dame (Delannoy, 1956) 63
La notte/A noite (Antonioni, 1961) 149, 212
Notti bianche/Um rosto na noite
   (Visconti, 1957) 63, 231
Nous sommes tous des assassins/Somos
   todos assassinos (Cayatte, 1952) 233
Nous voulons un enfant/Queremos um filho
   (O'Fredericks, Lauritzen, 1949) 83
Les nouveaux messieurs (Feyder, 1929) 192
Novii Vavillon/A nova Babilônia (Kozintsev,
   Trauberg, 1928) 73, 77, 199
Nozze d'oro (As bodas de ouro)
   (Luigi Maggi, 1911) 226
Nuit et brouillard (Noite e nevoeiro)
   (Resnais, 1955) 46, 70, 129, 181, 252
Numa pequena ilha (Valtchanov, 1959) 195

Oblomok imperii (Ruínas do império)
   (Ermler, 1929) 105, 112, 133
Och efter skymming kommer mörker
   (Depois do crepúsculo vem a noite)
   (Rune Hagberg, 1949) 40, 189, 194
Odd man out/O condenado (Reed, 1947)
   52, 156, 192, 226, 231

Okasan/Mamãe (Mikio Naruse, 1952) 92, 126, 220, 221
Okraina (Barnet, 1933) 89, 117, 119
Oktiabr/Outubro (Eisenstein, 1928) 42, 94, 98, 104, 105, 112, 113, 137, 147, 172, 153, 199, 249
Los olvidados/Os esquecidos (Buñuel, 1950) 189
On the waterfront/Sindicato dos ladrões (Kazan, 1954) 66, 118
One from the heart/O fundo do coração (Coppola, 1982) 63
Onésime horloger (Jean Durand, 1912) 214
Only angels have wings/Paraíso infernal (Hawks, 1939) 156
L'oro di Napoli/O ouro de Nápoles (De Sica, 1954) 103, 126
Orphée/Orfeu (Cocteau, 1950) 106, 188
Ossessione/Obsessão (Visconti, 1942) 38, 48, 82, 83, 99, 103, 133, 141
Othello/Otelo (Welles, 1952) 61, 227
Othello/Otelo (Iutkevitch, 1956) 101, 102
Overlanders/A manada (Harry Watt, 1946)

Padenige Berlina (A queda de Berlin) (Tchiaurelli, 1949) 67
Paisá (Rossellini, 1946) 38, 212
Panic in the streets/Pânico nas ruas (Kazan, 1950) 66
The paradine case/Agonia de amor (Hitchhcock, 1947) 42, 53
Les parents teribles/O pecado original (Cocteau, 1948) 48, 83
Une partie de campagne (Renoir, 1936-1946) 49, 219
Partir revenir/Ir, voltar (Lelouch, 1985) 50
The passenger/Profissão: repórter (Antonioni, 1975) 149, 164, 212, 232
La Passion (Zecca, 1902) 31, 203
La Passion de Jeanne d'Arc/O martírio de Joana d'Arc (Dreyer, 1928) 40, 61, 63, 66, 101, 151, 184
Paths of glory/Glória feita de sangue (Kubrick, 1957) 49
La paùra (Rossellini, 1957) 77
Pay day/Dia de pagamento (Chaplin, 1922) 216

La peau douce/Um só pecado (Truffaut, 1964) 237
Pension Mimosas (Feyder, 1935) 83
Perceval le Gallois (Rohmer, 1979) 63
Pépé le Moko/O demônio da Argélia (Duviviver, 1937) 66
Peter Ibbetson/Amor sem fim (Hathaway, 1935) 159, 199, 225
Le petit Jacques (Lannes, Raulet, 1924) 42
Phffft/Abaixo o divórcio (Robson, 1954) 187
Po zakonov/Dura lex (Kulechov, 1926) 103
Poedinok (O duelo) (Petrov, 1957) 211
Poema o more (O poema do mar) (Dovjenko, 1958) 191
Le point du jour (Daquin, 1949) 104, 117
La point courte (Agnès Varda, 1954) 179
Popiol i Diament/Cinzas e diamantes (Wajda, 1958) 65
Les portes de la nuit/As portas da noite (Carné, 1947) 48, 51, 63, 66, 106, 119, 125, 178, 226, 250
Poslednaia notch (A última noite) (Raizman, 1937) 102
Possession/Possessão (Zulawski, 1981) 69
Potomok Chingis Khan/Tempestade sobre a Ásia (Pudovkin, 1928) 77, 95, 101, 107, 178, 211, 215, 252
The power and the glory (William Howard, 1933) 228
Premier de cordée/Alma de alpinista (Daquin, 1943) 191
Prividenije, Kotorie ne vozvrachtchaietsa (O fantasma que não voltará) (Abram Room, 1930) 150, 199, 204, 225, 253
Prix de beauté (Miss Europa) (Genina, 1929) 99
A propos de Nice (Vigo, 1930) 94, 95, 214
Prostoi sluchai (A vida é bela) (Pudovkin, 1929-30) 110
Prostoi sluchai/Um caso simples (Pudovkin, 1932) 110, 150
Protsess o trikh millionakh (O processo de três milhões) (Protazanov, 1925) 189
Psyho/Psicose (Hitchcock, 1961) 191, 252
Puichka (Bola de sebo) (Mikhail Romm, 1934) 35

Putievka v gizn (O caminho da vida)
    (Ekk, 1931) 33, 41, 51, 78, 82, 117,
    146, 150, 215

Quai des brumes/Cais das sombras
    (Carné, 1938) 66, 129, 181
Quai des Orfèvres/Crime em Paris
    (Clozot, 1947) 83, 103, 252
Quatorze Juillet/Anabella (Clair, 1934) 44,
    51
Que viva México (Eisenstein, 1932) 41, 81,
    152
The queen of spades/A dama de espadas
    (Dickinson, 1949) 102
Quelque part en Europe/Em algum lugar da
    Europa (Radvanyi, 1948) 66

Raduga/O arco-íris (Donskoi, 1944) 82, 124
Raging bull/Touro indomável
    (Scorcese, 1980) 71
The rains came/E as chuvas chegaram
    (Brown, 1939) 51
Rashomon/Rashomon (Kurosawa, 1950)
    228
Raskolnikov (Wiene, 1923) 193
La red/A rede (Fernández, 1953) 38, 84
Red river/O rio vermelho (Hawks, 1948)
    234
La règle du jeu/A regra do jogo (Renoir,
    1939) 87, 127, 133, 167, 170, 240
Remorques/Águas tempestuosas
    (Grémillon, 1939-1941) 38, 64, 84,
    129, 181, 212
Le rideau cramoisi (Astruc, 1953) – média-
    metragem 240
The ring/O ringue (Hitchcock, 1927) 27, 192
Riso amaro/Arroz amargo (De Santis, 1949)
    47
Robinson Crusoé (Buñuel, 1953) 38
Rocco e i suoi Fratelli/Rocco e seus irmãos
    (Visconti, 1960) 83, 176
Rojo no reikon (Almas na Estrada)
    (Minoru Murata, 1921) 236
Roma, città aperta/Roma, cidade aberta
    (Rossellini, 1945) 41, 78, 82, 119, 178

Le roman d'un tricheur/O romance de um
    trapaceiro (Guitry, 1926) 185, 186, 216
Romeo and Julliet/Romeo e Julieta
    (Cukor, 1936) 61
Rope/Festim diabólico (Hitchcock, 1948)
    133, 178, 179, 194, 222
La rose et le réséda (André Michel, 1936) 43
Rotation (Rotação) (Staudte, 1948) 84, 169
La roue (Gance, 1923) 120, 219
Le rouge et le noir/O vermelho e o negro
    (Autant-Lara, 1954) 155, 184
Rubens/Rubens (Haesaerts, Storck, 1948)
    207
Rumble Fish/O selvagem da motocicleta
    (Coppola, 1983) 71, 247, 252

Sabotage/O marido era o culpado
    (Hitchcock, 1936) 109
Saboteur/Sabotador (Hitchcock, 1942) 66
Sait-on jamais/Aconteceu em Veneza
    (Vadim, 1957) 128
Le salaire de la peur/O salário do medo
    (Clouzot, 1952) 44, 83, 195
Le salaire du péché/O salário do pecado
    (La Patelliere, 1956) 150
The salt of the earth (Herbert Biberman,
    1954) 82, 159, 191, 218, 250
Samago sinego moria/À beira do mar azul
    (Barnet, 1936) 124, 125
Savage innocents/Sangue sobre a neve
    (Nicholas Ray, 1960) 198
Scarface/Scarface, vergonha de uma nação
    (Hawks, 1932) 59, 81, 115, 218
The scarlet empress/A imperatriz galante
    (Sternberg, 1934) 65
Scarlet street/Almas perversas (Lang, 1945)
    194
Schatten/Sombras (Robison, 1922) 13, 194
Scherben (Destroços) (Lupu Pick, 1922) 184
Senso/Sedução da carne (Visconti, 1954)
    127
The set-up/Punhos de campeão (Wise, 1949)
    49, 66, 76, 222
Shadow of a doubt/A sombra de uma
    dúvida (Hitchcock, 1943) 34, 41, 43,
    46, 50, 52, 126, 163, 178, 187, 252

Shichinin no samurai/Os sete samurais
    (Kurosawa, 1954) 61
Shoulder, arms/Ombros, armas
    (Chaplin, 1918) 203
Siegfried/A morte de Siegfried
    (Lang, 1923) 65
Le silence de la mer (Melville, 1948) 186,
    240
Le silence est d'or/O silêncio é de ouro
    (Clair, 1947) 178
Silent dust (Lance Comfort, 1949) 179, 230
Le six juin à l'aube (Grémillon, 1944-1945)
    129
Det sjunde inseglet/O sétimo selo
    (Bergman, 1956) 61
Skanderbeg (Iutkevitch, 1953) 216
Smultronstället/Morangos silvestres
    (Bergman, 1957) 225
The sniper/Volúpia de matar
    (Dmytryk, 1952) 102
So ist das Leben (Assim é a vida)
    (Junghans, 1929) 94, 95, 101, 111
So this is Paris/Em Paris é assim
    (Lubitsch, 1926) 193
Il sole sorge ancora (O sol ainda se levanta)
    (Vergano, 1946) 99, 156
Sommaren med Monika/Mônica e o desejo
    (Bergman, 1952) 82, 84, 218, 230
Sommarnattens Leende/Sorrisos de uma
    noite de verão (Bergman, 1950) 191,
    252
Son nom de Venise dans Calcutta désert
    (Duras, 1976) 130
Sorok pervii/O quadragésimo primeiro
    (Tchukhrai, 1956) 115, 130, 151, 163,
    189
Sorry, wrong number/Uma vida por um fio
    (Litvak, 1948) 232
La sortie des usines (A saída dos operários
    das usinas) (Lumierè, 1895) – Curta-
    metragem. 15
Sortilèges/Sortilégios (Christian-Jaque,
    1945) 43
La souriante madame Beudet
    (Germaine Dulac, 1923) 190
Sous les toits de Paris/Sob os tetos de Paris
    (Clair, 1930) 115, 155, 179

Souvenirs d'en France/Memórias de uma
    mulher de sucesso (Téchiné, 1975)
    133, 212
Spellbound/Quando fala o coração
    (Hitchcock, 1945) 34, 100, 126, 189,
    194
Stachka/A greve (Eisenstein, 1924) 94, 102,
    111, 136, 147, 153, 253
Stagecoach/No tempo das diligências (John
    Ford, 1939) 44, 52, 78, 162, 212
Stalingrads kaja bitva (A batalha de
    Stalingrado) (Petrov, 1948) 67, 156
La strada/A estrada da vida (Fellini, 1954)
    64, 149, 210, 211
The stranger/O estranho (Welles, 1946) 66
Stranger than paradise/Estranhos no paraíso
    (Jim Jarmush, 1984) 70
Strangers on a train/Pacto sinistro
    (Hitchcock, 1951) 43, 81, 156
Stromboli (Rossellini, 1950) 212
Der Student von Prag (O estudante de
    Praga) (Galeen, 1927) 67
Stürme über dem Montblanc (Inferno
    branco) (Arnold Fanck, 1929) 64
Suddenly last summer/De repente, no
    último verão (Mankiewicz, 1959) 83,
    231
Sunrise/Aurora (Murnau, 1927) 49, 53, 63,
    184
Sunset Boulevard/O crepúsculo dos deuses
    (Wilder, 1950) 67, 141, 186
Suspicion/Suspeita (Hitchcock, 1941)
    40, 211
Sylvester/A noite de São Silvestre
    (Lupu Pick, 1923) 58, 66, 92, 120,
    142, 211, 226
La symphonie pastorale/Sinfonia pastoral
    (Dellanoy, 1946) 32, 100, 101, 185, 218

Das Tagebuch eine Verlorenen (Três
    páginas de um diário) (Pabst, 1929)
    169, 185
Taras Trjasilo (Os tártaros) (Tchardinin,
    1926) 112
Die Tausend Augen des Dr. Mabuse/Os
    mil olhos do Dr. Mabuse (Fritz Lang,
    1960) 90

Le tempestaire (Epstein, 1947) 214, 215, 216
Le testament d'Orphée (Cocteau, 1959) 216
Das Testament des Dr. Mabuse/O testamento do Dr. Mabuse (Lang, 1933) 54
La tête d'un homme (Duvivier, 1933) 100, 211
O Thiassos (Os atores ambulantes) (Theo Angelopoulos, 1975) 212
The thief of Bagda/O ladrão de Bagdá (Walsh, 1924) 90
Thieves lighway/Mercado de ladrões (Dassin, 1949) 113, 219, 252
The third man/O terceiro homem (Reed, 1949) 45, 59, 78, 126, 177
The third voice/A terceira voz (H. Cornfield, 1960) 179
The 39 steps/Os 39 degraus (Hitchcock, 1935) 89
Tierra sin pan (Terra sem pão) (Buñuel, 1932) – documentário 26, 127, 181
Time without pity/A sombra da forca (Losey, 1957) 192
Tire-au-flanc (Renoir, 1929) 38
To catch a thief/O ladrão de casaca (Hitchcock, 1955) 84
Tokyo monogatari/Viagem a Tóquio (Ozu, 1953) 48
Toni (Renoir, 1935) 99
Touch of evil/A marca da maldade (Wellles, 1958) 99
Touchez pas au grisbi/Grisbi, ouro maldito (Becker, 1954) 62, 126, 129, 187
La tour (Clair, 1926) 142, 153
La traversée de Paris/A travessia de Paris (Autant-Lara, 1956) 68, 177, 252
The treasure of Sierra Madre/O tesouro de Sierra Madre (Huston, 1947) 169, 186, 250
Les tricheurs/Os trapaceiros (Carné, 1958) 83
Um trio de inseparáveis (Juravlev, 1952) 67
Trois télégrammes (Decoin, 1959) 124

Ugetsu monogatari/Contos da lua vaga (Mizoguchi, 1952) 130, 200, 225
Umberto D (De Sica, 1951) 47, 154, 221, 246, 220

Underworld/Paixão e sangue (Sternberg, 1927) 233, 253
Une sie jolie petite plage (Yves Allégret, 1949) 48, 64, 76, 149

Les vacances de Monsieur Hulot/As férias do sr. Hulot (Tati, 1951) 129, 133, 149, 179
Le vampire (Painlevé, 1945) 128
Vampyr/O vampiro (Dreyer, 1930) 189, 216
Van Gogh/Van Gogh (Resnais, 1948) – curta-metragem 46, 208
Variété (Dupont, 1925) 111, 192
Varsovie quand même (Yannick Bellon, 1954) 218
Veliki Grajdanine (O grande cidadão) (Ermler, 1938-39) 124
Veliki Perelom (A volta decisiva) (Ermler, 1945) 100, 156
Velikij Utechitel (O grande consolador) (Kulechov, 1933) 99
La vérité sur Bébé Donge/Amor traído (Decoin, 1951) 156
Veslvolve rebiata (Os alegres rapazes) (Alexandrov, 1934) 48, 54
Viaggio in Italia/Viagem à Itália (Rossellini, 1953) 82, 212
La vie criminelle d'Archibald de la Cruz (Buñuel, 1956) 126
La vie du Christ (Jasset, 1905) 32
La vie en rose (Faurez, 1947) 179, 228
La vie est un roman (Resnais, 1983) 63
Vingt-quatre heures de guerre en URSS (Vinte e quatro horas de guerra na Rússia) (Karmen, 1942) – documentário 154
Les visiteurs du soir/Os visitantes da noite (Carné, 1942) 106, 216
I vitelloni/Os boas-vidas (Fellini, 1953) 38, 48, 64, 83, 129, 133, 149, 151, 217, 221
Vivement dimanche/De repente num domingo (Truffaut, 1983) 70
Vivre pour vivre/Viver por viver (Lelouch, 1967) 44

Von Morgens bis Mitternacht (Da aurora à meia-noite) (K.-H. Martin, 1920) 64
Vostaniie ribakov (A revolta dos pescadores) (Piscator, 1934) 133, 158
Le voyage à travers l'impossible (Méliès, 1904) 134
Vozvrachtchenie Vassilia Bortnikova/A volta de V. Bortnikov (Pudovkin, 1953) 64
Vstretchnü (Contraplano) (Iutkevitch, Ermler, 1932) 115, 117

The westerner/O galante aventureiro (Wyler, 1940) 195
Why we fight (Capra, 1942-1944) – documentário 157
The wild one/O selvagem (Benedek, 1952) 89, 128, 158
The wind/Vento e areia (Sjöström, 1928) 59, 63, 211

The wizard of Oz/O mágico de Oz (Victor Fleming, 1939) 107
Wolfen (Wadleigh, 1980) 32
A woman of Paris/Casamento ou luxo? (Chaplin, 1923) 35, 76, 80, 103
Work/O limpador de vidraças (Chaplin, 1915) 43
Woyzeck (Herzog, 1979) 213
The wrong man/O homem errado (Hitchcock, 1957) 188
Zazie dans le métro (Malle, 1960) 83, 192, 252
Zemliá/Terra (Dovjenko, 1930) 39, 64, 82, 104, 149, 218
Zemliá jajdiot (A terra tem sede) (Raizman, 1931) 94
Zéro de conduite (Vigo, 1932) 191, 215, 252
Zlatie gori (Montanhas de ouro) (Iutkevitch, 1931) 145, 154
Zuyderzee (Ivens, 1933) 128, 151